Opiekunka Grobów

melissa marr

Opiekunka Grobów

Tłumaczyła
Monika Orłowska

Tytuł oryginału
Graveminder

Wydanie I

ISBN 978-83-7674-224-3

Wydawnictwo Replika
ul. Wierzbowa 8, 62-070 Zakrzewo
tel./faks 061 868 25 37
replika@replika.eu
www.replika.eu

Druk i oprawa: WZDZ - Drukarnia „LEGA"

Dr. Charlesowi J. Marrowi, nauczycielowi, poecie,
wujkowi i mojej inspiracji. Dziękuję za lata rozmów,
za listy i za rozbudzanie we mnie miłości do literatury.
Kocham Cię, Wujku C.

Podziękowania

Jestem wdzięczna moim energicznym wydawcom — Lisie Gallagher (owszem, bar nosi taką nazwę na Twoją cześć) za przyjęcie książki i Liate Stehlik za nieustające wsparcie. Dziękuję również moim wspaniałym agentkom — Merrilee Heifetz i Sally Wilcox — za obłędny entuzjazm, gdy pogrążałam się w zwątpieniu. Podziękowania należą się także moim redaktorkom — Jennifer Brehl za pierwsze cenne spostrzeżenia (szczególnie na temat knajpy i ubrania Charliego) oraz Kate Nintzel za redaktorskie uwagi działające jak kop w tyłek, niewyczerpaną energię i niesamowitą postawę.

Nie napisałabym tej powieści, gdyby nie „Przedsiębiorca Pogrzebowy Todd" (W. Todd Harra), który odpowiadał na moje niekończące się pytania o ten „posępny zawód", pozwolił mi przeczytać zbiór swoich pogrzebowych opowiadań i przeczytał *Opiekunkę grobów*, by sprawdzić, czy zgadzają się szczegóły i terminologia fachowa. Dziękuję za wszystko. (Uwaga: Wszelkie nieścisłości w tej dziedzinie to moja sprawka. Todd był rewelacyjnym nauczycielem, ale wiem, że nie zawsze jestem wzorową uczennicą).

Poza Toddem, pomagała mi cała masa wspaniałych przyjaciół, którzy czytali tekst, słuchali moich wywodów i w ten czy inny sposób trzymali mnie za rękę przez cały czas pracy. Dziękuję Wam wszystkim, a w szczególności Jennifer Barnes, Markowi Del Franco, Rachael Morgan oraz Jeaniene Frost.

Stephanie Kuehnert dziękuję za „pożyczenie" Amity nieziemskich spinek do włosów.

Mamo, Tato, dziękuję za pomoc przy kupowaniu broni dla Alicii (w książce i w opowiadaniu) oraz za Waszą tradycyjną, niesłabnącą wiarę we mnie. Naprawdę lepszych rodziców nie mogłabym sobie wymarzyć.

I wreszcie, jak zwykle, największy dług wdzięczności mam wobec mojego męża Locha i naszych niewiarygodnie cierpliwych dzieci. Dziękuję Wam za to, że nie plombowaliście mi drzwi od gabinetu, gdy następował trudny etap korekty. Jestem pewna, że niekiedy wymagało to ogromnego wysiłku.

Prolog

Jedną ręką Maylene wsparła się na kamiennej płycie. Z biegiem lat wstawanie z klęczek przychodziło coraz trudniej. Kolana wystarczająco dawały jej się we znaki, a tu jeszcze ostatnio artretyzm zaczynał atakować biodra. Strzepnęła ziemię z dłoni i spódnicy, a potem wyjęła z kieszeni niewielką piersiówkę. Starannie omijając zielone listki zasadzonych przez siebie tulipanów, Maylene przechyliła flaszeczkę nad ziemią.

— Proszę bardzo, mój drogi — wyszeptała. — Nie jest to księżycówka, którą dawniej popijaliśmy, ale tylko tym mogę się dzisiaj z tobą podzielić.

Przeciągnęła ręką po płycie. Żadnych skoszonych trawek zawieruszonych na dole czy rozpiętej u góry pajęczej sieci. Maylene przywiązywała wagę do najdrobniejszych szczegółów.

— Pamiętasz tamte czasy? Weranda z tyłu domu, słońce i słoiki… — przerwała, wspomniawszy ich słodką zawartość. — Byliśmy tacy niemądrzy… Myśleliśmy, że gdzieś tam wielki stary świat czeka, aż go podbijemy.

Pete, ze swojej strony, nie palił się do odpowiedzi. Ci, którzy leżą we właściwie doglądanych grobach, nie mówią.

Maylene dokończyła obchód po cmentarzu Słodkie Odpocznienie, zatrzymując się tu i tam, by zebrać gruz z nagrobków, wylać odrobinę alkoholu na ziemię i wyszeptać parę słów. Słodkie Odpocznienie figurowało na ostatnim miejscu tygodniowej rozpiski, lecz Maylene nie zaniedbywała żadnego z tutejszych lokatorów.

Jak na niewielkie miasteczko, Claysville obfitowało w cmentarze. Wedle prawa każdy, kto kiedykolwiek narodził się w granicach miasta, musiał być tu pochowany, wskutek czego martwi mieszkańcy Claysville przeważali liczebnie nad żywymi. Maylene nurtowało niekiedy pytanie, co by było, gdyby ci drudzy usłyszeli o interesie ubitym przez założycieli miasta, lecz gdy tylko próbowała poruszyć ten temat w rozmowie z Charlesem, spotykała się z odmową. Pewnych bitew nie mogła wygrać, niezależnie od tego, jak bardzo ich pragnęła.

Ani od tego ile, psiakrew, miały sensu.

Zerknęła na ciemniejące niebo. Dawno już powinna być u siebie. Wypełniała swoje obowiązki tak dobrze, że już niemal od dekady nie pojawiali się goście, a jednak wciąż wracała do domu przed zachodem słońca. Nawyk ukształtowany przez całe życie nie chciał znikać, choć zdawałoby się, że powinien.

A może nie.

Maylene wetknęła właśnie piersiówkę do kieszeni z przodu sukni, gdy zobaczyła tę dziewczynę. Była tak wychudzona, że spod koszulki w strzępach wyzierał jej wklęsły brzuch. Nie miała butów, a w dżinsach na wysokości kolan widniały dziury. Smuga brudu na policzku przypominała róż nałożony niewprawną ręką. Pod oczami miała rozmazany tusz do kresek, jakby zasnęła bez demakijażu. Dziewczyna szła przez starannie utrzymany cmentarz, ignorując ścieżki. Kroczyła na ukos po trawie, aż stanęła obok Maylene, przed jednym ze starszych grobowców rodzinnych.

— Nie spodziewałam się ciebie — wymamrotała Maylene.

Ramiona dziewczyny uniosły się w niezgrabnym geście. Nie było to wojownicze wzięcie się pod boki ani też luzackie trzymanie rąk w kieszeni, wyglądało raczej jakby dziewczyna nie do końca panowała nad własnymi kończynami.

— Szukałam pani — odpowiedziała.

— Nie miałam pojęcia. Gdybym wiedziała...

— To już nieistotne. — Dziewczyna wykazywała duże skupienie. — Grunt, że pani tu jest.

— Ano, prawda. — Maylene była zajęta podnoszeniem sekatora i konewki. Uporała się już ze szczotkami do szorowania i zgarnęła na kupkę większość swoich rzeczy. Butelki brzęknęły, gdy rzuciła konewkę na taczki.

Dziewczyna wyglądała na smutną. W czarnych jak ziemia oczach wezbrały jej niewypłakane dotąd łzy.

— Przyszłam tu do pani.

— Skąd miałam wiedzieć? — Maylene sięgnęła po listek, zaplątany we włosy dziewczyny.

— Nieważne. — Uniosła brudną dłoń, migając resztką czerwonego lakieru na paznokciach, lecz nie wiedziała chyba, co począć z wyciągniętymi palcami. W wyrazie jej twarzy dziecięcy strach walczył z zadziornością nastolatki, która ostatecznie zwyciężyła. — Ważne, że tu jestem.

— No dobrze.

Maylene przeszła ścieżką do jednego z wyjść. Odszukała w torebce stary klucz, przekręciła go w zamku i pchnęła bramkę, która zaskrzypiała z lekka. *Chyba powinnam szepnąć słówko Liamowi*, zauważyła. *Nieprzynaglany, sam z siebie nigdy o tym nie pamięta.*

— Ma pani pizzę? — Głos dziewczyny rozbrzmiewał cicho w powietrzu. — I napój czekoladowy? Lubię te czekoladowe koktajle.

— Na pewno coś się znajdzie. — Maylene wyłapała drżenie we własnym głosie.

Za stara już była na niespodzianki, a fakt, że znalazła tutaj tę dziewczynę — *w takim stanie* — wykraczał poza pojęcie niespodzianki. Nie powinna tu być. Jej rodzice nie powinni pozwalać, żeby się tak wałęsała. Należało zgłosić się do Maylene, zanim sprawy zaszły tak daleko. W końcu w Claysville obowiązywały pewne zasady.

Zasady przestrzegane właśnie z tej przyczyny.

Wyszły przez furtkę na chodnik. Poza granicami Słodkiego Odpocznienia świat nie był już tak schludny. Przez szczeliny w popękanym chodniku kiełkowały wysokie chwasty.

— Gdy na szczelinie staniesz, kręgosłup mamie złamiesz — wyszeptała dziewczyna, z całej siły opuszczając bosą piętę na spękany cement. Uśmiechnęła się do Maylene i dodała: — Im większa rysa, tym bardziej ją zaboli.

— Ta część się nie rymuje — zauważyła Maylene.

— Faktycznie. — Przechyliła głowę, by zaraz dokończyć: — Im większa dziura, tym gorszy uraz. Teraz się zgadza.

W miarę jak szły, dziewczyna poruszała lekko ramionami, nie do rytmu z nogami i w ogóle wytrącona z normalnego rytmu. Krok miała pewny, lecz stopy stawiała chaotycznie. Stąpała z taką siłą, że popękany cement ranił jej bose podeszwy.

Milcząc, Maylene pchała taczkę po chodniku, aż doszły pod jej dom. Kobieta zatrzymała się na podjeździe, jedną ręką wyjęła z kieszeni flaszeczkę i opróżniła ją, a drugą sięgnęła do skrzynki pocztowej. W głębi, złożona na pół, leżała zaadresowana koperta ze znaczkiem. Drżącymi palcami Maylene zdołała jakoś włożyć piersiówkę do środka, zakleić kopertę i umieścić ją na powrót w skrzynce, a potem podnieść czerwoną chorągiewkę jako znak dla pracownika poczty, że jest przesyłka do odebrania. Jeżeli sama nie wróci po nią rano, paczka pójdzie do Rebeki. Maylene położyła przelotnie dłoń na zdezelowanym boku skrzynki, żałując, że nie zdobyła się wcześniej na odwagę, by przekazać Rebece wszystko, co powinna wiedzieć.

— Jestem głodna, panno Maylene — przypomniała o sobie dziewczyna.

— Och, przepraszam — wyszeptała kobieta. — Zaraz ci zrobię coś ciepłego do jedzenia. Zaraz ci...

— W porządku. Pani mnie uratuje, panno Maylene. — W spojrzeniu dziewczyny była autentyczna radość. — Jestem pewna. Wiedziałam, że jeśli panią znajdę, wszystko będzie już dobrze.

1

Byron Montgomery od lat nie był już w domu rodziny Barrow. Dawniej przychodził codziennie do Elli, swojej dziewczyny z liceum, i Rebeki, pasierbicy jej ojca. Obu nie było tu już od niemal dziesięciu lat i Byrona po raz pierwszy ucieszyła ich nieobecność. Babka Elli i Rebeki leżała na kuchennej podłodze w kałuży częściowo skrzepłej już krwi. Głowę miała wykręconą pod dziwnym kątem, a w ramieniu widniała ogromna rana. To z niej najwyraźniej pochodziła większość krwi. U góry ramienia majaczyło coś jak siniec w kształcie odbitej dłoni, ale trudno było to stwierdzić z całą pewnością, zważywszy na dużą ilość krwi naokoło.

— Dobrze się czujesz? — Chris wyrósł nagle przed Byronem, chwilowo zasłaniając mu widok na ciało Maylene. Szeryf nie był znowu jakimś wielkoludem, ale — jak każdy McInney — miał w sobie coś, co niezależnie od sytuacji przykuwało uwagę obecnych. Kiedyś dzięki swojej postawie i muskulaturze wybijał się w barowych przepychankach, a teraz te same cechy czyniły z niego szeryfa, który budził zaufanie.

— Co? — Byron zmusił się, by patrzeć tylko na Chrisa, omijając wzrokiem ciało Maylene.

— Robi ci się niedobrze czy coś na widok… — skinął w kierunku podłogi — …tej krwi i w ogóle?

— Nie. — Byron pokręcił głową.

Przedsiębiorca pogrzebowy nie dostaje mdłości na widok — lub zapach — śmierci. Przepracował osiem lat w zakładach pogrzebowych poza Claysville, nim uległ wreszcie dojmującemu pragnieniu, by wrócić w rodzinne strony. Widywał w pracy martwe dzieci, widział też ofiary zarówno gwałtownej śmierci, jak i długotrwałej agonii. Opłakiwał niektóre z nich, choć były dla niego obcymi osobami, ale nigdy nie robiło mu się słabo z ich powodu. Teraz też nie zamierzał ulegać słabości, choć owszem, trudniej zachować dystans, gdy znało się denata.

— Evelyn przyniosła jej czyste ubranie. — Chris oparł się o blat kuchenny, a Byron zauważył, że rozbryzgi krwi nie dotarły na tę stronę pomieszczenia.

— Zdążyłeś zebrać dowody, czy...? — Byron urwał w połowie zdania. Zgarnął już w swoim życiu tyle trupów, że dawno stracił rachubę, lecz nigdy dotąd nie wzywano go na miejsce świeżo dokonanej zbrodni. Nie był patologiem ani nie miał w żaden inny sposób do czynienia z medycyną sądową. Jego praca zaczynała się później, nie na miejscu zabójstwa, przynajmniej tak było do tej pory, gdzie indziej. Teraz, w rodzinnych stronach, mogły jednak czekać go niespodzianki. Miasteczko Claysville było zupełnie inne niż wielkie miasta, w których się obracał. Nie zdawał sobie sprawy z ogromu różnic, zanim stąd nie wyjechał... a może zanim tu nie wrócił?

— Jakie niby dowody miałem zebrać? — Chris spojrzał na niego groźnie spode łba. Pod takim spojrzeniem wiele osób przeszedłby dreszcz, lecz Byron przypomniał sobie czasy, gdy szeryf był jednym z tych równych gości, którzy bez problemu wpadali do sklepiku Shelly, by kupić wyrostkom zgrzewkę piwa, nieosiągalną w żaden inny sposób ze względu na ich młody wiek.

— No, zbrodni. — Byron wskazał na kuchnię.

Rozbryzgi krwi zakreśliły łuk na podłodze i frontach szafek. Na stole stał talerz i dwie szklanki — dowód, że był tu ktoś jeszcze poza gospodynią, albo że Maylene wyjęła obie szklanki dla siebie. *Być może znała napastnika.* Na podłodze leżało przewrócone do tyłu krzesło. *Maylene walczyła.* Na blacie, na desce do krojenia spoczywały bochenek chleba i kilka kromek.

Ufała swojemu napastnikowi. Nóż do chleba został umyty i teraz tkwił samotnie w wąskiej drewnianej suszarce obok zlewu. *Ktoś — napastnik? — zdążył posprzątać.* Usiłując przypisać znaczenie temu, co widział naokoło, Byron pomyślał, że Chris może po prostu nie chce rozmawiać o dowodach. *Może widzi coś, co ja przeoczyłem?*

Technik laboratoryjny, którego Byron nie znał, wszedł do

kuchni. Nie wdepnął w krew na podłodze, ale nawet jeśli zrobił to wcześniej, miał teraz na butach ochraniacze. Brak zestawu do pobierania próbek mógł świadczyć, że technik wykonał już swoją robotę. *Albo że nie zamierzał tu nic robić.*

— Proszę. — Mężczyzna wręczył Byronowi jednorazowy kitel i rękawiczki z lateksu. — Pomyślałem, że przyda się panu pomoc, gdy będzie ją pan stąd zabierał.

Odziany w kitel i rękawiczki, Byron przeniósł wzrok z laboranta na Chrisa. Skończyła mu się cierpliwość. Chciał wiedzieć.

— Chris? To przecież jest Maylene, a... Powiedz mi choć, czy masz coś, co by... no nie wiem, zawęziło krąg podejrzanych? Cokolwiek?

— Daj spokój! — Chris pokręcił głową i oderwał się od kuchennego blatu. W przeciwieństwie do technika, bardzo uważał na to, gdzie stawia nogi. Poszedł w kierunku drzwi wiodących do salonu Maylene, oddalając się od jej ciała. Stamtąd spojrzał Byronowi w oczy. — Rób tylko to, co do ciebie należy — powiedział.

— W porządku. — Byron przykucnął i wyciągnął rękę, lecz naraz spojrzał na szeryfa. — Czy mogę jej dotknąć? — zapytał. — Nie chcę niczego zepsuć, jeśli nadal trzeba zebrać...

— Rób, co uważasz za stosowne. — Mówiąc te słowa, Chris nie patrzył na Maylene. — I tak nie mogę z niczym ruszyć, dopóki jej stąd nie wywieziesz. Zresztą nie powinna tu dłużej leżeć. A więc... do roboty. Zabierz ją stąd.

Byron rozpiął worek na zwłoki. Następnie, przepraszając po cichu kobietę, którą chciał niegdyś widzieć w swojej rodzinie, ostrożnie przeniósł przy pomocy technika jej ciało do pokrowca. Nie zasunąwszy zamka, wyprostował się i zdjął umazane krwią rękawiczki.

Chris rzucił spojrzenie na ciało Maylene w otwartym worku. Milcząc, chwycił torbę na odpady zakaźne i popchnął ją w kierunku technika. Potem przykucnął i zapiął worek z Maylene, kryjąc ją na dobre.

— Nie należy jej oglądać w tym stanie — stwierdził.

— Tak jak nie należy zanieczyszczać powierzchni worka — odparował Byron, ciskając rękawiczki do torby. Zdjęty ostrożnie kitel dołączył do rękawiczek.

Chris kucnął, zamknął oczy i wyszeptał parę słów, po czym wstał.

— No dobra — powiedział. — Teraz trzeba ją stąd wynieść.

W spojrzeniu, jakie posłał Byronowi, czaiło się oskarżenie i przez ułamek sekundy mężczyzna miał ochotę warknąć na szeryfa. I nie dlatego, że Byron nie współczuł zmarłym. Przeciwnie, bardzo ich żałował. Zajmował się nimi, okazując więcej troski niż niejeden człowiek zaznał za życia, tylc tylko że nie stał i nie płakał. Nie mógł. Dystans był mu tak niezbędny, jak reszta narzędzi. Bez niego nie dałby sobie rady w tym zawodzie. Jednak śmierć pewnych osób poruszała go bardziej. Tak też było w przypadku Maylene. Zmarła miała swoje biuro w jego rodzinnym zakładzie pogrzebowym i była od lat blisko z ojcem Byrona. Wychowała jedyne dwie kobiety, które Byron dotąd kochał. Praktycznie należała do rodziny, ale niekoniecznie musiał opłakiwać ją akurat tutaj.

Ostrożnie, w milczeniu, Byron i Chris przenieśli Maylene na nosze stojące przed drzwiami, a potem do karawanu. Kiedy zamknięto drzwi pojazdu, Chris wziął parę głębszych wdechów. Montgomery wątpił, czy szeryf z Claysville prowadził kiedykolwiek śledztwo w sprawie morderstwa. Pomimo wszystkich swoich dziwactw, miejscowość była najbezpieczniejszym ze znanych Byronowi miast. Dorastając tu, nie zdawał sobie jednak sprawy, jaka to rzadkość.

— Chris? Znam parę osób, do których mogę zadzwonić, gdybyś potrzebował pomocy.

Szeryf skinął głową, wciąż unikając wzroku Byrona.

— Powiedz swojemu ojcu, że... — głos uwiązł mu w gardle. Odchrząknął i mówił dalej: — Powiedz, że zawiadomię Cissy i dziewczyny.

— Powiem — zapewnił go Byron.

Chris odszedł o kilka kroków, by zatrzymać się przy bocznych drzwiach, tych samych, przez które wyszli, ale nie odwrócił głowy, mówiąc:

— Sądzę, że ktoś będzie musiał zawiadomić Rebekę. Cissy raczej do niej nie zadzwoni, a właśnie teraz powinna przyjechać do domu.

Rebeka spędziła większą część dnia, spacerując ze szkicownikiem po dzielnicy lamp gazowych. Nie miała żadnych zleceń, jak również nie czuła inspiracji, by tworzyć coś dla samej siebie. Są ludzie, którym odpowiada codzienna dyscyplina, ona jednak jako artystka funkcjonowała najlepiej pod presją terminu albo przeciwnie — gdy pochłaniała ją całkowicie pewna wizja. Niestety to oznaczało niemożność ukierunkowania nerwowej energii, która ją roznosiła. Poszła zatem włóczyć się po mieście ze szkicownikiem i starą lustrzanką. Kiedy ani robienie zdjęć, ani rysowanie nie przyniosło jej ukojenia, wróciła do domu. Tam czekała na nią informacja o kilkunastu nieodebranych połączeniach z nieznanego numeru. Nikt jednak nie nagrał żadnej wiadomości.

— Nerwowy dzień i głuche telefony. Hmm. Co o tym sądzisz, Cherubinku? — Rebeka, wyglądając przez okno, przesuwała ręką po grzbiecie swojego kota.

Była w San Diego zaledwie od trzech miesięcy, ale stary niepokój znowu ją dopadł. Do powrotu Stephena, właściciela mieszkania, zostały jeszcze niemal dwa miesiące, lecz ona miała ochotę wynieść się już teraz.

Dzisiaj jest gorzej.

Nic nie wyglądało normalnie, nic dzisiaj nie było w porządku. Jaskrawoniebieskie niebo Kalifornii wydawało się blade, chleb żurawinowy, kupiony po drodze w piekarni naprzeciwko, zupełnie nie miał smaku. Zazwyczaj podenerwowanie Rebeki nie objawiało się przytępieniem zmysłów, dziś jednak wszystko zdawało się dziwnie przygaszone.

— A może jestem chora. Jak myślisz?

Pręgowany kot na parapecie machnął ogonem.

Ktoś zadzwonił do drzwi wejściowych na dole, więc Rebeka zerknęła na ulicę. Samochód doręczyciela właśnie odjeżdżał.

— Od czasu do czasu byłoby miło, gdyby doręczyciele naprawdę doręczali przesyłki adresatowi, zamiast zostawiać je tam, gdzie mogą zostać rozdeptane, zmoknąć albo i zniknąć — gderała Rebeka, pokonując dwa piętra w dół do wejścia.

Na zewnątrz, na progu budynku, leżała brązowa koperta zaadresowana pełnym zawijasów pismem Maylene. Rebeka podniosła ją i — prawie upuściła, gdy tylko wyczuła kształt tego, co było w środku.

— Nie! — Rozdarła pakunek. Kawałek papieru sfrunął na ziemię i wylądował pod doniczką strelicji, która stała obok drzwi. W środku grubej koperty, zawinięta w białą chusteczkę z delikatnymi frywolitkami, spoczywała srebrna piersiówka Maylene.

— Nie! — powtórzyła Rebeka.

Potykając się, wbiegła na górę. Z impetem otwarła drzwi do mieszkania, złapała za telefon i wybrała numer Maylene.

— Gdzie jesteś? — wyszeptała, słysząc w odpowiedzi tylko niekończący się sygnał łączenia. — Odbierz, proszę. No, dalej. Proszę. Odbierz.

Wybierała w kółko oba numery Maylene, ale nie zgłaszał się ani domowy, ani komórka, którą babcia, na jej usilną prośbę, miała zawsze nosić ze sobą.

Rebeka kurczowo ściskała flaszeczkę w dłoni. Odkąd pamiętała, piersiówka zawsze była w posiadaniu Maylene, która, wychodząc do miasta, brała ją do torebki. W ogrodzie trzymała ją w jednej z przepastnych kieszeni fartucha, a w domu kładła na blacie kuchennym lub na szafce przy łóżku. Butelki nie zabrakło też podczas żadnego z pogrzebów, w których Rebeka brała udział razem z babcią.

Rebeka weszła do zaciemnionego pokoju. Wiedziała, że przygotowano już Ellę do pogrzebu, ale oficjalne czuwanie miało rozpocząć się dopiero za godzinę. Najstaranniej jak potrafiła, zamknęła za sobą drzwi, uważając, by nie hałasować. Doszła do przeciwległego krańca pomieszczenia. Łzy spływały jej ciurkiem po twarzy, kapiąc na sukienkę.

— Płacz śmiało, Beks.

Rebeka rozejrzała się po ciemnym wnętrzu, ogarniając wzrokiem krzesła i bukiety kwiatów, aż zobaczyła postać babki w fotelu pod ścianą.

— Maylene… Nie sądziłam… Myślałam, że jestem sama z… — Spojrzała na Ellę. — Myślałam, że ona jest tu sama.

— A jej wcale tu nie ma.

Maylene nie odwróciła się w stronę Rebeki ani nie wstała z fotela. Pozostała w cieniu, patrząc na Ellę — swoją rodzoną wnuczkę.

— Nie powinna była tego robić.

Rebeka w tym momencie czuła do Elli jakby nienawiść. Nie przyznałaby się nikomu, ale tak właśnie było. Samobójstwo Elli wstrząsnęło wszystkimi i wszystko zmieniło na gorsze. Matce Rebeki, Julii, zupełnie odbiło — przetrząsała pokój córki w poszukiwaniu narkotyków, podczytywała jej pamiętnik i co rusz zamykała Rebekę w zbyt mocnym uścisku. Ojczym Rebeki, Jimmy, zaczął popijać w dniu, w którym znaleziono Ellę i wszystko wskazywało na to, że dotąd nie przestał.

Maylene wyszeptała w ciemności:

— Chodź do mnie.

Rebeka posłuchała i dała się przytulić pachnącej różami babce. Maylene gładziła ją po włosach, szepcząc coś w nieznanym dziew-

czynie języku, podczas gdy Rebeka wypłakiwała powstrzymywane dotąd łzy.

Kiedy przestała, Maylene otworzyła swoją przepastną torebkę i wyjęła srebrną piersiówkę, na której wygrawerowano róże i poskręcane pędy winorośli, tworzące inicjały: A.B.

— Gorzkie lekarstwo.

Maylene przechyliła flaszeczkę i upiła łyk. Potem podała butelkę Rebece. Ta wzięła ją w drżącą dłoń, mokrą od gili i łez. Nabrała łyczek i zakaszlała, gdy pieczenie rozeszło się po jej wnętrzu od gardła do żołądka.

— Nie łączy nas jedna krew, ale jesteś tak samo moja, jak ona. — Maylene wstała i odebrała piersiówkę od Rebeki. — A teraz nawet bardziej.

Podniosła flaszkę, jak gdyby spełniała toast, i powiedziała:

— Od moich warg w twoje ucho, stary sukinsynu! — Przełykając whisky, ścisnęła rękę dziewczyny. — Bardzo ją tu kochaliśmy i nigdy nie przestaniemy.

Spojrzała na Rebekę i znowu podała jej piersiówkę. W ciszy, Rebeka pociągnęła drugi łyk.

— Jeśli coś mi się stanie, opiekuj się jej i moim grobem przez pierwsze trzy miesiące. Tak jak ja to robię. Opiekuj się nimi. — Maylene miała groźną minę. Ścisnęła mocniej dłoń Rebeki. — Obiecaj mi.

— Obiecuję. — Serce dziewczyny zaczęło bić szybciej. — Jesteś chora?

— Nie, ale jestem już stara. — Puściła jej rękę i wyciągnęła ramię, by dotknąć Elli. — Myślałam, że ty i Ella Mae... — Pokręciła głową. — Jesteś mi potrzebna.

Rebekę przeszedł dreszcz.

— Dobrze — powiedziała.

— Trzy łyki dla bezpieczeństwa. Ni mniej, ni więcej. — Maylene trzeci raz podała jej flaszkę. — Trzy do twoich ust na pogrzebie, trzy na ziemię przez trzy miesiące. Zrozumiano?

Rebeka skinęła głową i upiła trzeci łyk płynu. Maylene pochyliła się, by ucałować Ellę w czoło.

— Śpij sobie, słyszysz? — wyszeptała. — Śpij, dziecinko i zostań tam, gdzie cię położę.

Rebeka wciąż ściskała słuchawkę, gdy telefon zadzwonił. Spojrzała na wyświetlacz. Kierunkowy z miasta Maylene, ale pozostałe cyfry nie pasowały do żadnego z jej dwóch numerów.

— Maylene?

Męski głos spytał:

— Rebeka Barrow?

— Tak.

— Rebeko, chciałbym, żebyś usiadła — powiedział mężczyzna. — Siedzisz?

— Jasne — skłamała. Dłonie jej się pociły. — Pan Montgomery, prawda? Czy to znaczy, że…? — jej słowa zanikły.

— Niestety. Bardzo mi przykro, Rebeko. Maylene…

— Nie — przerwała mu. — Nie!

Osunęła się po ścianie, tracąc ostrość widzenia, i padła na podłogę. Potwierdziły się jej obawy. Zamknęła oczy, a klatkę piersiową wypełnił jej ból, jakiego dawno już nie czuła.

— Tak mi przykro. — Głos Williama złagodniał jeszcze bardziej. — Próbowaliśmy się z tobą skontaktować od rana, ale mieliśmy zły numer.

— „Próbowaliśmy"? — Rebeka powściągnęła chęć, by zapytać o Byrona.

Umiała przetrwać trudne chwile, nie mając go przy sobie. Nie było go przy niej od lat, a całkiem dobrze sobie radziła. *Nieprawda.* Rebeka czuła odrętwienie, smutek, który sprawiał, że chciała płakać i krzyczeć do utraty tchu, a z którym jednak nie mogła się teraz jeszcze zmierzyć. Wróciły pytania, które zadawała sobie po śmierci Elli. *Dlaczego mi nie powiedziała? Dlaczego nie zadzwoniła? Nie wezwała mnie? Dlaczego mnie tam nie było?*

— Rebeko?

— Tak, słucham. Przepraszam... Po prostu...

— Rozumiem. — William zrobił przerwę, by po chwili przypomnieć: — Maylene musi być pochowana w ciągu najbliższych trzydziestu sześciu godzin. Powinnaś wrócić dziś do domu. Natychmiast.

— Ja... Ona... — Brakowało jej słów. Panująca w Claysville moda na naturalne pochówki bez balsamowania zwłok wywoływała niepokój u Rebeki. Nie chciała, by jej babcia wróciła do ziemi. Pragnęła mieć ją żywą.

Maylene nie żyje.

Tak jak Ella.

Tak jak Jimmy.

Ściskana za mocno słuchawka wyryła bruzdy w dłoni Rebeki.

— Nikt nie zadzwonił... ze szpitala. Nikt do mnie nie zadzwonił. Gdyby to zrobili, byłabym tam przy niej.

— Właśnie dzwonię. Musisz zaraz wracać do domu — powiedział Montgomery.

— Nie dam rady przyjechać tak szybko. Czuwanie... Nie dotrę tam już dzisiaj.

— Pogrzeb jest jutro. Przyleć nocnym rejsem.

Pomyślała o rzeczach, które należało zrobić. *Przynieść transporterek Cherubina. Śmieci. Wynieść śmieci. Podlać bluszcz. Mam coś stosownego do ubrania?* Tyle było do zrobienia. *Skupić się na tym. Skupić się na zadaniach. Zadzwonić do linii lotniczych.*

— Dziękuję. To znaczy za to, że się pan nią zajął. To miłe... Nie, nie miłe — poprawiła się. — W zasadzie wolałabym, żeby pan nie dzwonił, ale to przecież nie wróciłoby jej życia, prawda?

— Nie — powiedział łagodnie.

Świadomość, że Maylene już nie ma, była nie do ogarnięcia. Ciążyła jak kamienie w płucach Rebeki, utrudniając oddychanie i zabierając miejsce powietrzu. Przymknęła na powrót oczy, zadając pytania:

— Czy ona...? Czy długo chorowała? Nie zdawałam sobie

sprawy. Byłam w domu na Boże Narodzenie, ale nic takiego nie mówiła. Wyglądała na zdrową. Gdybym... Gdybym wiedziała, byłabym tam przy niej. Nie miałam pojęcia, dopóki pan nie zadzwonił.

Milczał o jedno uderzenie serca za długo, nim odpowiedział:

— Zadzwoń do linii lotniczych, Rebeko, i zarezerwuj bilet. Pytania mogą poczekać, aż wrócisz do domu.

William odsunął telefon w trudno dostępne rejony biurka.

— Wkrótce tu będzie — powiedział. — To ty mogłeś, a może nawet powinieneś był do niej zadzwonić.

— Nie. — Byron siedział obok biurka ojca, gapiąc się na listę przekreślonych numerów Rebeki. Niektóre zapisane były jej ręką, inne zanotowała Maylene. Rebeka była jeszcze gorsza niż on sam. *Co nie znaczy, że powinienem w te pędy lecieć do niej.*

Nie zamierzał — nie umiałby — być okrutnym dla Rebeki, ale też nie zamierzał się za nią uganiać, wiedząc, że zarobi kolejnego kopa w twarz.

— Julia z nią nie przyjedzie. Nawet w takiej chwili nie wróci do Claysville. — William popatrzył wprost na syna. — Będziesz potrzebny Rebece.

Byron wytrzymał spojrzenie ojca.

— A ja, mimo wszystko, będę pod ręką. Wiesz o tym równie dobrze, jak ona.

— Dobry z ciebie człowiek. — William pokiwał głową.

Na te słowa Byron opuścił wzrok. Nie uważał się wcale za dobrego człowieka. Zmęczyło go układanie sobie życia bez Rebeki, ale znowu żyć z nią zupełnie się nie dało. *A wszystko przez to, że ona nie odpuści przeszłości.* Pragnienie Byrona, aby trwać przy Rebece, walczyło w nim ze wspomnieniem ich ostatniej rozmowy. Stali na ulicy przed jakimś barem w Chicago, gdy Rebeka oświadczyła, że nie ma dla niego miejsca w jej życiu. „Nigdy, B. Nie rozumiesz? Nigdy nie będę taką dziewczyną, ani dla ciebie, ani dla kogoś innego — ni to wyszlochała, ni wykrzyczała. — A już zwłaszcza nie dla ciebie!" Wiedział, że gdy nazajutrz się obudzi, już jej nie będzie. Tyle razy znikała, kiedy spał, że na dobrą sprawę bywał nieco zdziwiony, widząc ją rano.

William odsunął krzesło od biurka. Przelotnie uścisnął ramię syna, a następnie poszedł do drzwi, być może aby uniknąć poruszania tematu, o którym Byron wolał nie myśleć. Była to jednak prawda, z którą należało się zmierzyć, więc młodszy Montgomery zaczął:

— Rebeka mieszkała tu zaledwie przez kilka lat, a nie ma jej w mieście od dziewięciu. — Urwał, czekając aż ojciec spojrzy na niego, nim dokończył: — Ona też będzie zadawać pytania.

Williama jednak niełatwo było zastraszyć. Przytaknął tylko bezgłośnie, a potem stwierdził:

— Wiem. Rebeka usłyszy to, co powinna, dokładnie wtedy, kiedy powinna. Maylene wyraźnie powiedziała, jak się tym zająć. Wszystko miała zorganizowane.

— A plany dotyczące Maylene... rozumiem, że wszystko jest w tym segregatorze, który nie istnieje? Owszem, sprawdzałem. Kobieta miała tu swoje biuro, ale sama nie figuruje w żadnych papierach. Ani miejsca na cmentarzu, ani wytycznych co do przygotowań. Nic. — Byron próbował nie podnosić głosu, ale nagromadzona przez lata frustracja z powodu pytań pozostawianych bez odpowiedzi w każdej chwili mogła przebrać miarę. — Już niedługo będziesz musiał skończyć z tymi tajemnicami, jeśli faktycznie mam zostać partnerem w firmie.

— Na dzisiaj niech ci wystarczy informacja, że Maylene nie potrzebowała segregatora. Kobieta z rodziny Barrow nie musi uiszczać żadnych opłat. Tak chce tradycja w Claysville. — William odwrócił się i poszedł, a miękka szara wykładzina pokrywająca korytarz stłumiła jego kroki.

— Jasne — wymamrotał Byron. — Tradycja.

Ten argument stracił swoją wagę zanim jeszcze chłopak opuścił miasto, nazajutrz po ukończeniu liceum, a przez osiem lat, które upłynęły od tego czasu, nie stał się ani trochę łatwiejszy do przyjęcia. Prawdę mówiąc, frustracja z powodu tych wszystkich znaków zapytania tylko się nasiliła. Tradycja znaczyła tu więcej niż małomiasteczkowe dziwactwa — Claysville było inne, a Byron dałby sobie głowę uciąć, że ojciec wie, na czym ta inność polega.

Normalne miasta nie przywabiają ludzi z powrotem.

Większość mieszkańców nigdy się stąd nie ruszała. Rodzili się, żyli i umierali w granicach miasteczka. Byron nie zdawał sobie sprawy, jak dalece zapuścił tu korzenie, dopóki nie wyjechał i nie poczuł natychmiast przymusu, by wrócić. Sądził, że z czasem mu przejdzie, ale potrzeba powrotu, zamiast maleć, narastała. Pięć miesięcy temu, po ośmiu latach zmagań, gdy stwierdził, że nie jest w stanie się jej oprzeć — ustąpił.

Przez lata, które spędził poza domem, próbował osiąść w różnych małych miastach, wmawiając sobie, że być może nie nadaje się do życia w metropoliach. Potem zgadywał, iż trafiał po prostu na niewłaściwe miejsca. Próbował szczęścia w mieścinach nie większych niż pyłek na mapie i w nieco większych, a następnie w miastach z prawdziwego zdarzenia. Chciał się osiedlić w Nashville, Chicago, Portland, Phoenix i Miami. Kłamał sam przed sobą, winiąc za każdą przeprowadzkę pogodę, zanieczyszczenie powietrza, obcą kulturę, nieudany związek lub źle wybrany zakład pogrzebowy. Winił wszystko, poza prawdą. W ciągu ośmiu lat mieszkał w trzynastu miejscowościach, choć rzeczywiście w niektórych zaledwie przez parę miesięcy, i za każdym razem nie mógł się pozbyć wrażenia, że następna przeprowadzka przywiedzie go do prawdziwego domu. Kiedy przekroczył granice Claysville, niepokój, który gnał go z miejsca na miejsce, nie dając wytchnienia, ustąpił. Zniknęło imadło, ściskające mu pierś coraz bardziej z każdym rokiem.

Czy Rebeka poczuje to samo?

Nie mieszkała długo w Claysville. Przyjechała tu z matką na początku liceum i wyjechała przed ukończeniem szkoły. A jednak te trzy lata w dziwny sposób rzutowały na życie Byrona w kolejnych dziewięciu. Ella umarła, Rebeka wyprowadziła się, a jemu odtąd brakowało ich obu.

Usłyszał głos ojca w biurze kierowniczki. William pytał o przygotowania do wystawienia zwłok i pogrzebu. Kiedy się upewni, że wszystko jest pod kontrolą, pójdzie do sali przygotowań odwiedzić Maylene. Jej ciało zostało obmyte i ubrane. Odpowiednia fryzura i makijaż sprawiły, że wyglądała podobnie jak za życia. Zgodnie z tradycją Claysville zwłoki nie zostały natomiast zabalsamowane. Ciało Maylene miało być zwrócone ziemi bez żadnych toksyn, nie licząc śladowych ilości tego, co zdążyła wchłonąć przez całe swoje życie.

Tradycja.

Taka była odpowiedź, jakiej udzielano Byronowi na to pytanie i milion innych. Czasami myślał, że słowo to jest tylko sprytną wymówką, innym sformułowaniem dla „nie będziemy omawiać tej kwestii", prawda jednak była taka, że — według jego rozeznania — większość mieszkańców Claysville nie odczuwała żadnej potrzeby, aby zmieniać tradycję. I nie chodziło o zwykłe spory między pokoleniami. Wszyscy peszyli się, gdy Byron kwestionował w ich obecności lokalne zwyczaje.

Byron zgrzytnął krzesłem, wstając od biurka, i poszedł za głosem ojca. Dogonił go na szczycie klatki schodowej, wiodącej w dół ku sali przygotowań i składzikowi.

— Tato, wychodzę. Przejdę się do Barrowów, rozejrzę wokół domu. Gdybyś mnie potrzebował…

— Zawsze cię potrzebuję.

Zmarszczki na twarzy Williama dzieliły się na te od śmiechu i te od zmartwień, ale niezależnie od pochodzenia przypominały Byronowi, że jego ojciec się starzeje. Miał niemal pięćdziesiątkę, kiedy Byron przyszedł na świat, więc debiutował w roli ojca, gdy większość znajomych bawiła pierwsze wnuki. Wielu z jego przyjaciół — tak jak Maylene — nie było już wśród żywych, choć w przeciwieństwie do niej, wszyscy umarli z przyczyn naturalnych.

Byron wyjaśnił łagodnym tonem:

— Miałem na myśli tutaj. Czy potrzebujesz mnie w tej chwili tu na miejscu?

— Przykro mi, że nie mogę ci teraz odpowiedzieć na wszystkie pytania, ale… — ręka Williama ścisnęła mocniej gałkę u drzwi — … są pewne zasady.

— Wróciłem do domu — powiedział Byron. — Jestem do twojej dyspozycji.

William pokiwał głową.

— Wiem.

— Wiedziałeś, że tak zrobię.

Nie było to prawdziwe pytanie, a jednak William udzielił na nie odpowiedzi:

— Owszem. Byronie, twoje miejsce jest w Claysville. To dobre miasto. Bezpieczne. Możesz tu założyć rodzinę i żyć ze świadomością, że ty i twoi bliscy macie ochronę przed światem na zewnątrz.

— Ochronę? — Byron powtórzył jak echo. — Właśnie zamordowano Maylene.

Naznaczona upływem czasu twarz Williama przez chwilę wyglądała jeszcze starzej.

— Nie powinno było do tego dojść — powiedział. — Gdyby wiedziała… Gdyby tylko wiedziała! — Zamrugał, by usunąć z oczu widoczne łzy. — Takie rzeczy nie zdarzają się tu często, Byronie. To bezpieczne miasto… jak żadne inne. Byłeś przecież w świecie i wiesz.

— Mówisz tak, jakby poza Claysville istniał zupełnie odrębny świat.

Westchnienie ojca wyrażało to, co przemilczał — że jest równie zmęczony tymi enigmatycznymi rozmowami, jak Byron.

— Daj mi jeszcze parę dni, synu, a wyjaśnię ci wszystko, choć wolałbym… Wolałbym, żebyś nie był tak dociekliwy.

— Wiesz, co mogłoby temu zaradzić? Kilka prostych odpowiedzi. — Byron zamknął na moment oczy, a potem spojrzał na ojca, mówiąc: — Potrzebuję powietrza.

William skinął głową i odwrócił się, lecz nie na tyle szybko, by syn nie zauważył żalu na jego twarzy. Otworzył drzwi i zamknął je za sobą z cichym kliknięciem.

Byron skierował się ku bocznemu wyjściu. Za domem, pod dużą wierzbą, zaparkował swojego triumpha. Od tyłu zakład pogrzebowy wyglądał jak większość domów w okolicy. Podwórze otaczał płot z wypłowiałych drewnianych sztachet, a na długiej, zadaszonej werandzie stały huśtawka i dwa fotele bujane. Azalie, ogródek z ziołami i rabatki, starannie wytyczone i wciąż projektowane od nowa przez matkę Byrona, miały się równie dobrze teraz, jak za jej życia. Wierzby i dęby wyglądały tak samo, jak przed laty, ocieniając kawał werandy i podwórze. Nic nie wskazywało na to, że w środku tego zwykłego domu ktoś zajmuje się ciałami zmarłych.

Żwir chrzęścił pod butami Byrona, gdy prowadził motocykl parę metrów dalej. Nawet teraz trudno było pozbyć się starych przyzwyczajeń — ryk silnika pod oknem kuchni irytował niegdyś panią Montgomery. Pokręcił głową. Czasami marzył, by matka raz jeszcze zrobiła mu piekło za rozwleczenie błota po podłodze lub rozrzucanie żwiru, gdy ruszał z kopyta, znowu wkurzony na ojca, lecz cóż, zmarli nie wracają.

W dzieciństwie tak nie myślał. Mógłby przysiąc, że pewnej nocy widział Lily English na werandzie, ale ojciec uciszył go kategorycznie i odesłał z powrotem do łóżka. Matka siedziała przy kuchennym stole, płacząc. Później, w tym samym tygodniu, zniszczyła całą rabatę, by następnie zasadzić nowe kwiatki. Byron podejrzewał, że jego wyobraźnia i złe sny nie były jedynym skutkiem ciągłego przebywania w pobliżu umarłych. Rodzice nie kłócili się zbyt często, ale tylko idiota nie zauważyłby napięcia, jakie narastało między nimi przez lata. Kochali się oczywiście, lecz bycie żoną przedsiębiorcy pogrzebowego miało negatywny wpływ na panią Montgomery.

Byron ostrożnie włączył się do niezbyt dużego ruchu i dodał gazu. Wiatr uderzył w niego, jakby walnął w ścianę. Wibracje silnika i zakręty na drodze wprowadziły go w stan podobny do medytacji zen. Byron po prostu był. Jadąc — nie myślał, a już z całą pewnością nie o Lily English, matce czy Rebece.

No, może trochę o Rebece.

Ale i z tym umiał sobie poradzić. Mimo iż nie był w stanie uciec z Claysville, potrafił umknąć przed wspomnieniami, choćby na chwilę. Przyspieszył, aż wskazówka prędkościomierza doszła do końca skali. Brał teraz zakręty z taką prędkością, że musiał się przechylać niebezpiecznie blisko jezdni. Nie była to może wolność, ale w tym momencie tylko taką jej namiastkę miał do dyspozycji.

4

William stał w ciszy, jaka panowała w pokoju przygotowań. Przed nim, na stole, Maylene leżała równie cicho. Nie było jej tu, doskonale zdawał sobie z tego sprawę. To ciało nie było nią — kobietą, którą kochał przez większość życia.

— Nawet w takiej chwili chciałbym się ciebie poradzić — stwierdził. — Z wielką niechęcią zrobię następny krok bez ciebie. — Tkwił przy zimnym stole z metalu, w miejscu, gdzie przez te wszystkie lata stali ramię w ramię tyle razy, że trudno byłoby je policzyć.

— Żałujesz czasem?

Nie podniosła oczu, gdy zadawała mu to pytanie. Trzymała dłoń na piersi swego syna. Jimmy nie radził sobie z utratą bliskich. W przeciwieństwie do rodziców, zrobiony był z delikatniejszego materiału. Maylene i Jamesa cechowała determinacja. Gdyby nie ona, nie zdołaliby ułożyć sobie życia w pracy i w rodzinie.

— Nie, nie żałuję tego, co robimy.

Maylene podniosła wzrok znad syna. — Żałujesz tego, czego nie zrobiliśmy? — spytała.

— Mae... Wiesz przecież, że ta rozmowa wcale nam nie pomoże. — Objął ją ramieniem. — Byliśmy, kim byliśmy, gdy nas powołano. Ty już byłaś zajęta, ja spotkałem Annie. Kochałem ją i nadal kocham.

— Czasami się zastanawiam... Gdybym nie próbowała ułożyć sobie życia inaczej, niż mogliśmy to zrobić oboje...

— Przestań. Ty i James mieliście udane życie, tak jak i ja z Annie. — Nie przyciągnął jej bliżej do siebie. Po kilkudziesięciu latach partnerstwa wiedział, że należy zaczekać, aż będzie gotowa przyjąć pocieszenie.

— Mój mąż nie żyje, moja wnuczka umarła, a teraz znowu mój syn. — Łzy spływały jej po bruzdach na twarzy. — Cissy i obie moje rodzone wnuczki są złe na cały świat. Beks nie była dla Jimmy'ego krwią z krwi, ale teraz należy do rodziny. Jest moja. Jest wszystkim, co mi zostało.

— A ja? Będę przy tobie do końca — przypomniał jej, jak to miał w zwyczaju.

Maylene odwróciła się od ciała syna i pozwoliła Williamowi wziąć się w objęcia.

— Nie mogę dopuścić, by mnie znienawidziła, Liam. Nie mogę. Nie powiem jej jeszcze. Przecież ona nawet nie jest stąd.

— Mae, robimy się zbyt starzy, żeby to dalej ciągnąć. A młodzi są wystarczająco dorośli...

— Nie! — Wysunęła się z jego ramion. — Mam córkę, która mnie nienawidzi, dwie wnuczki, które się do tego nie nadają, i Beks. Mieszka w Claysville zaledwie od kilku lat. Na razie zamierzam dać jej spokój. Byron też chce się stąd wyrwać, pożyć trochę. Wiesz przecież, że tak jest. Dajmy im trochę czasu z dala od tego wszystkiego.

A William zrobił to, co zwykle, gdy Maylene o coś go prosiła — zgodził się:

— Jeszcze parę lat.

Dziś stał w tym samym miejscu, tyle że teraz nie miał już wyboru. Byron musiał się dowiedzieć, tak samo jak Rebeka. Przez lata, które upłynęły od śmierci Jimmy'ego, William dość często próbował nakłonić Maylene, by przerwała milczenie, ona jednak za każdym razem odmawiała.

— Nie mamy już wyboru, Mae. — Spojrzał na jej martwe ciało. — Szkoda, że nie mogę ich dłużej chronić. Żałuję też, że nie mogłem uchronić ciebie.

I tu było sedno całej sprawy — nie zdołał jej obronić. Spędziwszy pół życia u boku Maylene, stracił, podobnie zresztą jak ona, czujność. Radziła sobie tak dobrze, że William prawie zapomniał, co może się wydarzyć.

Prawie.

Ryzyko wracało co miesiąc, a teraz, zanim nie przedstawi syna Panu S, miasto pozostawało bez ochrony. Cierpiał strasznie na myśl o tym, o co będzie musiał w końcu poprosić Byrona i Rebekę, ale czas już był najwyższy.

— Są wystarczająco silni. — William musnął palcami policzek Maylene. — A Rebeka ci wybaczy, tak jak my wybaczyliśmy naszym poprzednikom.

Kiedy Byron wyhamował na podjeździe Maylene i zgasił silnik, wcale się nie zdziwił na widok Chrisa, opartego o radiowóz. Godzinę wcześniej widział szeryfa na drodze i zastanawiał się wtedy, czy dostanie mandat, czy tylko pouczenie.

— Mama przetrzepałaby ci tyłek za taką jazdę. — Chris trzymał ramiona skrzyżowane na piersi. — I dobrze o tym wiesz.

Byron zdjął kask.

— A i owszem — przytaknął.

— Chcesz trafić do pudła? — Szeryf zmarszczył brwi.

— Nie. — Byron zsiadł z motoru.

— Do ziemi?

— Też nie. Chciałem tylko na chwilę wyluzować. Kto jak kto, ale ty powinieneś to rozumieć — rzucił lekko Byron. — Dosyć się napatrzyłem w liceum, jak się rozbijasz.

— Cóż, mam teraz więcej rozumu... i dzieci na utrzymaniu. Dzisiaj mandat ci się upiecze, ale nie myśl sobie, że będę stale patrzył przez palce. — Chris pokręcił głową, a potem oderwał plecy od wozu. — Rozumiem, że chcesz jeszcze raz wejść do środka?

Byron zawahał się. Tak po prostu? Prawo w Claysville było względne. Chris i rada miejska stanowili pierwszą i ostatnią instancję we wszystkich sprawach urzędowych, a niekiedy również towarzyskich. Gdyby to się działo w którymkolwiek z miast, gdzie Byron kiedyś mieszkał, nie mógłby wejść ot tak do domu zmarłej kobiety. W żadnej szanującej się metropolii policja nie otworzyłaby drzwi przed jego ciekawością. Tutaj jednak słowa Chrisa miały taką samą wagę, jak pisemna zgoda sędziego.

Byron strząsnął z ramion kurtkę i położył ją na siodełku.

— Proszę, powiedz, że zabezpieczyliście ślady, które choć trochę wyjaśniają sens tego, co tu się stało.

Chris, który podchodził do domu, przystanął i spojrzał na Byrona. W jego postawie — ściągnięte barki, broda do góry — czaiło się wyzwanie. Usta wykrzywiał mu niespecjalnie przyjazny uśmiech.

— Byron, dlaczego stwarzasz problemy? W tej sprawie nie ma nic niezwykłego. — Poczekał aż Byron zrówna się z nim i dokończył: — Maylene nie żyje, a co się stało, już się nie odstanie. Umarła, drzwi były otwarte i coś ją poszarpało zębami.

— Nie wolno ci tak mówić. Przecież ja ją widziałem. Można poszukać odcisków palców... czy coś.

Byron nie był detektywem, nie miał pojęcia, jakich śladów należałoby szukać. Zresztą, gdyby się na nie natknął, nie wiedziałby nawet, że to właśnie to. Powiedział jednak:

— Pozwól mi wezwać parę osób. Poznałem na przykład w Atlancie kobietę, która kończyła właśnie medycynę sądową. Można zaprosić ją tutaj i...

— Po co?

— Jak to: po co? — Byron zatrzymał się w pół kroku. — Żeby znaleźć tego, kto zabił Maylene.

Chris rzucił mu nieprzeniknione spojrzenie, podobne do tych, którymi obrzucał syna William. Byrona zirytowała ta mina na twarzy faceta spotykanego niegdyś na tych samych imprezach.

— Na pewno przepadł już jak kamień w wodę — powiedział szeryf. — Nie ma sensu uganiać się za jakimś włóczęgą. Maylene nie żyje i żadne pytania tego nie zmienią. Nie pomoże to ani tobie, ani Rebece.

Byron zawahał się. W tym tkwiło niewypowiedziane sedno sprawy: chciał mieć coś, co mógłby przekazać Rebece, gdy dojdzie do spotkania. Tak było, gdy zmarła mu matka. Miał wytłumaczenie, taką czy inną odpowiedź. W żaden sposób nie zmniejszało to jego poczucia straty, ale jakoś tam pomagało.

Nie mogę jej przed tym uchronić. Nie mogę niczego naprawić... Nie poradzę sobie, gdy zacznie mnie znowu obwiniać.

— Otwórz, proszę. — Byron wskazał na klucz w ręku Chrisa.

Szeryf wsunął klucz do zamka i otworzył drzwi jednym pchnięciem.

— A więc wchodź — powiedział.

Drugi raz w ciągu dwudziestu czterech godzin Byron przekroczył próg domu, w którym nie był uprzednio od prawie dziesięciu lat. Jedna z ostatnich wizyt miała miejsce wtedy, gdy Rebeka i Ella próbowały przemycić go do środka przez okno na piętrze.

Dziewczyny uciszały go, chichocząc, aż wszyscy padli na podłogę w bezładnej kupce, zbyt pijani by móc zrobić coś więcej.

— Przede wszystkim będzie jej potrzebna jakaś przyjazna dusza. Wiem, że mieliście tam swoje... nieważne, co. Grunt, że powinieneś być teraz przy niej.

Chris stał tuż przy wejściu. Kuchnia lśniła. Żadnych naczyń w suszarce przy zlewie. Ani śladu krwi na podłodze.

— Zdążyli posprzątać. — Byron nie był pewien, czego się spodziewał, ale sytuacja przedstawiała się jasno: to, co mógł jeszcze znaleźć, zostało usunięte przy pomocy środka dezynfekującego, zalatującego aż do teraz chlorem.

— A coś ty myślał? — Chris pokręcił głową. — Przecież Rebeka nie może znaleźć na ścianach krwi swojej babci. Chciałbyś tego?

— Nie, ale... — Byron powiódł dłonią po otoczeniu. — Jak chcecie teraz znaleźć sprawcę, skoro wszystko zostało do cna wyczyszczone i odkurzone, czy co tam jeszcze? Maylene ktoś zamordował.

— Może powinieneś zwrócić się z tymi uwagami do rady miasta. — Chris nie wszedł za nim dalej. — Jeśli masz się poczuć lepiej, gdy rzucisz okiem na dom, proszę bardzo. Nie zapomnij tylko zatrzasnąć za sobą drzwi, kiedy skończysz.

Byron wziął głęboki oddech dla uspokojenia, lecz nic nie odpowiedział.

— Spotkamy się jutro na nabożeństwie... z Rebeką? — W tym krótkim zwrocie Chris zawarł wszystkie niezadane pytania: „Skontaktowałeś się z nią?" „Przyjedzie?" i „Pomożesz jej?"

— Tak — potwierdził Byron.

— Dobrze. — Szeryf odwrócił się i zostawił go samego.

Bo nie ma miejsca zbrodni, które należałoby chronić. Żadnego prawa, prywatności, niczego, co miałoby jakikolwiek sens.

Byron przeszedł się po domu. Gdyby znał jego normalny wygląd w ostatnich latach, łatwiej byłoby mu wskazać, co jest nie w porządku. Albo gdyby tu już nie posprzątali. Kuchnia zawsze wydawała się niezwykle duża, ale też w starym wiejskim domu nie było to niczym dziwnym. Spiżarnia natomiast kazała mu się zastanawiać, czy każdy mieszkaniec Claysville pielęgnuje skrycie jakieś dziwactwo. Lata temu dziewczyny upierały się, że nie wolno im tam nigdy zaglądać, ale Byron nie przywiązywał do tego wagi. Teraz jednak stał w progu oniemiały. Pomieszczenie miało wielkość niejednej kuchni w wynajmowanych przez niego mieszkaniach. Półki sięgały od podłogi aż po sufit, a gdy się przyjrzał bliżej, zobaczył szyny w podłodze, po których można było przesuwać regały do przodu i na boki. Za nimi znajdowały się kolejne, równie gęsto wypełnione konstrukcje. Maylene zgromadziła wystarczająco dużo jedzenia, by wykarmić całe miasto.

Wysunął jedną z półek i odstawił ją na lewo.

— O cholera — wyszeptał.

Z góry na dół ustawiono tam butelki szkockiej i rodzimej whisky. Stały w rzędach po pięć, posegregowane według marki, etykietą do przodu.

Maylene nigdy nie wyglądała na pijaną, nigdy też Byron nie wyczuł od niej wódki. Poza tym było nieprawdopodobne, żeby jedna osoba potrzebowała takich ilości alkoholu, no chyba że prowadziła nielegalny wyszynk. Nawet gdyby chciała upijać się co wieczór, i tak zużycie tylu butelek zajęłoby jej parę ładnych lat. Jeżeli tak było dawniej, Byron właśnie uzyskał odpowiedź na pytanie, gdzie Ella i Rebeka miały w przeszłości swoje niewyczerpane źródło mocnych trunków.

Przesunął kolejny regał i znów odkrył półkę zastawioną butelkami, tym razem jednak bez etykiet, wypełnionymi przezroczystym płynem. Zdjął jedną z nich i odkręcił nakrętkę. Nie była zabezpieczona fabrycznie. *Księżycówka?* Powąchał ciecz. Nie miała zapachu. *To nie bimber*. Zanurzył palec i dotknął nim języka.

— Woda?

Wodę z miejskiego wodociągu badano regularnie i była w porządku. Sklepikarze nie prowadzili sprzedaży wody butelkowanej na wielką skalę, uważając, że to fanaberia. Te zaś butelki z całą pewnością nie pochodziły z żadnego sklepu.

— Nie rozumiem. — Byron obracał flaszkę w rękach, patrząc na dno i pod nakrętkę. Jedynym znakiem rozpoznawczym była data, wypisana na dnie czarnym, nieścieralnym markerem. *Woda butelkowana chałupniczo, zapas whisky na miarę gorzelni i jedzenie, którego wystarczy na lata.* Z wyjątkiem przygotowań do końca świata lub innej tego typu katastrofy, nic nie uzasadniało takiego wyposażenia spiżarni. Maylene nie była bardziej religijna niż inni mieszkańcy Claysville, a już z całą pewnością nie wyglądała na kogoś, kto planuje przetrwać Armagedon.

Tak jak chomikowanie jedzenia i gorzały nie mogło być powodem, by ją zabić.

Byron zamknął drzwi od spiżarni, odstawił butelkę z wodą na blat kuchenny i poszedł na górę. Nie wiedział, dokąd posłać próbkę do przebadania, ale na początek dobre i to. *Tyle, że woda kiepskiej jakości nie prowadzi do rozszarpanych zwłok.* Na piętrze Byron zastał wszystko w najlepszym porządku. Nawet łóżka były pościelone. W łazience, którą Rebeka dzieliła niegdyś z Ellą, ktoś przygotował ręcznik do rąk i kąpielowy, myjkę oraz jedno z tych mydełek w kształcie muszli. Wszystko razem wyglądało przytulnie.

W pokoju gościnnym, dawnej sypialni Rebeki, kapa leżała złożona w nogach łóżka, zaś przy łóżku Maylene, na nocnej szafce, umieszczono komplet świeżej bielizny, zupełnie jakby osoba, która tu sprzątała, nie mogła się zdecydować, czy zmienić pościel, czy lepiej nie. Byron sam nie był tego pewien. Ojciec trzymał rzeczy matki na wierzchu jeszcze przez kilka miesięcy, posuwając się nawet czasami do rozpylania w powietrzu jej perfum, tak że cień pani Montgomery trwał w domu długo po jej odejściu.

Przez chwilę zastanawiał się, czy nie usiąść, ale jakoś nie potrafił się przemóc. Wizyta w domu Rebeki w poszukiwaniu odpowiedzi na pytania, które z pewnością mu zada, to jedno, a samowolne korzystanie z gościnności nieobecnej gospodyni — drugie.

Zatrzymał się w drzwiach, rozpamiętując chwile, w których Rebeka po raz pierwszy musiała zmierzyć się ze śmiercią bliskiej osoby.

Siedziała na skraju łóżka. Twarz miała mokrą od łez i szlochała tak, że niekiedy brakowało jej tchu. Byron zdążył już poznać żal pozostałych przy życiu — w zakładzie pogrzebowym nie brakowało płaczących osób. Tamci ludzie nie byli jednak Rebeką. Patrzenie na jej ból to zupełnie inna sprawa. Podszedł bliżej i wziął ją w ramiona.

— Nie ma jej — powiedziała Rebeka, wciśnięta w jego pierś. — Umarła. Rozumiesz, B? Umarła.

— Wiem. — Zobaczył Maylene przyglądającą się im z korytarza. Nie weszła do pokoju, lecz pokiwała głową z aprobatą.

Rebeka przywarła do Byrona, czepiając się oburącz jego koszuli, więc trzymał ją w objęciach, dopóki płacz nie przeszedł w pociąganie nosem.

— Dlaczego? — Podniosła głowę i spojrzała mu w oczy. — Dlaczego umarła?

Byron nie miał na to odpowiedzi. Od kilku dni Ella zachowywała się dziwnie. Bez żadnego powodu zerwała z nim tego ranka. Nigdy się nie kłócili, nie wdawali w sprzeczki, więc do ostatka sądził, że jest z nim szczęśliwa.

Co się stało?

O niczym innym nie myślał od chwili, gdy mu oznajmiła, że to koniec. Nie była zła, a raczej smutna. Nie potrafił powiedzieć o tym Rebece, jeszcze nie teraz. W ciągu kilku dni sytuacja zmieniała się dramatycznie — miał dziewczynę i dobrą przyjaciółkę, potem drżał, że straci je obie, gdyż pocałował się z Rebeką, a teraz trzymał ją w objęciach i razem usiłowali zrozumieć, dlaczego Ella nie żyje.

Czy to nasza wina?

— Obiecaj, że mnie nie zostawisz. — Rebeka odsunęła się od

Byrona, lecz wciąż trzymała go za koszulę na piersi i patrzyła mu w oczy. — Ona nas zostawiła, a teraz... Przecież mogła nam powiedzieć, co było nie tak. Mnie mogła powiedzieć wszystko. Dlaczego tego nie zrobiła?

— Nie wiem, Beks.

— Obiecaj mi, Byron... — Rebeka gwałtownie ocierała policzki z łez. — Obiecaj, że nie będziesz niczego przede mną ukrywał ani że mnie nie zostawisz, ani...

— Obiecuję. — Poczuł ukłucie winy na myśl, że taka obietnica wobec Rebeki wydaje się jak najbardziej słuszna. A przecież był chłopakiem jej siostry, która właśnie umarła. Byron wiedział, że powinien traktować Rebekę wyłącznie jak bliską przyjaciółkę, niemniej jednak sprzeniewierzył się tej świadomości na długo przed śmiercią Elli.

A Ella o tym wiedziała.

— Obiecuję — powtórzył. — Żadnych sekretów, żadnego zostawiania. Nigdy.

To Rebeka go zostawiła, niespełna rok później. Porzuciła Claysville i Byrona.

— Jak mam jej powiedzieć, że Maylene została zamordowana? — rzucił w pusty pokój.

Otworzył drzwi do reszty pomieszczeń. Trzeciej sypialni, dawnego pokoju Elli, nie uprzątnięto. Łóżko ginęło wśród nagromadzonych tu rupieci. Maylene nie urządziła w tym miejscu sanktuarium zmarłej wnuczki. Podobnie zresztą potraktowała zmarłego syna — pokój Jimmy'ego służył obecnie jako składzik, zawalony pudłami i sprzętami, ale pozbawiony łóżka. Obie sypialnie — Jimmy'ego i Elli — wyglądały na nietknięte ani ręką napastnika, ani ludzi, którzy przyszli posprzątać w domu.

Byron zszedł na dół i chwycił przygotowaną wcześniej butelkę z wodą. Wyszedł, sprawdził, czy dobrze zatrzasnął za sobą drzwi, i zamarł w pół kroku.

Na jego motocyklu siedziała okrakiem nastoletnia dziewczyna. Machała nogą wte i wewte.

— Hej! — zawołał.

Przekrzywiła głowę.

— No?

— Jazda z mojego motoru! — Zeskoczył z werandy i przeszedł przez trawnik, ale gdy był już blisko, zawahał się. Niezależnie od powodu, nie powinien ot tak chwytać obcej dziewczyny. Zebrała się do skoku, przykucając jak żaba, a potem rzuciła w tył, zostawiając motocykl między sobą a Byronem. Przez moment mierzyła mężczyznę wzrokiem, marszcząc czoło w grymasie zmieszania.

— Umarła — stwierdziła. — Ta kobieta, co tu mieszkała.

— Znałaś ją? — Byron zastanowił się, czy kojarzy twarz dziewczyny, ale nie przypominał sobie. Zresztą nic dziwnego — wrócił do Claysville zaledwie kilka miesięcy temu. Nie była też szczególnie podobna do nikogo, więc nie mógł jej uznać za siostrę czy córkę któregoś ze znajomych.

— Przestali dostarczać jej mleko. — Dziewczyna posmutniała, przenosząc wzrok z Byrona na werandę. — Wczoraj mleko było, a dziś już nie. Jestem głodna.

— Rozumiem. — Byron dopiero teraz zauważył, że nastolatka ma brudną twarz i postrzępione dżinsy. W Claysville nie było schroniska dla bezdomnych. Chyba nawet nie mieli systemu opieki zastępczej. Osobami w potrzebie zajmowali się krewni, a ta część społeczności, której na czymś zbywało, pomagała tej w niedostatku.

Wyjął komórkę z kieszeni kurtki.

— Mieszkasz gdzieś? Masz tu krewnych? Zadzwonię, żeby po ciebie przyjechali.

— Nigdzie się stąd nie ruszę — wyszeptała. — Jeszcze nie teraz.

Ciarki przebiegły po plecach Byrona, ale gdy uniósł głowę znad telefonu, by spojrzeć na dziewczynę, już jej nie było.

6

Prosto z domu Maylene Christopher pojechał do rabina Wolffe'a. W tym tygodniu młody rabin miał dyżur. Na podstawie tego, co wyczytał w książkach i zobaczył w telewizji, Christopher zorientował się, że Claysville jest wyjątkowe, jeśli chodzi o sposób zarządzania miastem. Burmistrz dzielił władzę z radą miasta, złożoną z osób świeckich i duchownych. Każdy jej członek, ustępując z urzędu, wyznaczał swojego następcę — to samo dotyczyło też burmistrza. W Claysville, liczonym wraz z przedmieściami, żyło niemal cztery tysiące mieszkańców, lecz pod rządami burmistrza Whittakera i rady poważne przestępstwa prawie się tu nie zdarzały.

Mało kto stąd wyjeżdżał, a jeśli już, to zawsze w końcu wracał. Claysville było małym, bezpiecznym miastem, i — żeby zachować *status quo* — jego włodarze mieli na podorędziu pewne zasady, stosowane w przypadku wszelkich nieprawidłowości. Do szeryfa należało tylko trzymać się tych wytycznych.

— Nienawidzę tej działki. — Christopher zgasił silnik, lecz pozostał w wozie jeszcze przez chwilę. Rabin zamieszkał w Claysville stosunkowo niedawno i wciąż zapominał, że wielu spraw lepiej nie poruszać w mieście. Jego, tak jak i resztę rady, nie trapiły nigdy bóle głowy, przytrafiające się tym, którzy do rady nie należeli, jeśli rozmowa wkroczyła na zakazany temat.

Frontowe drzwi do świetnie utrzymanego postwiktoriańskiego domu rabina otwarły się i na szeroką werandę wyszedł gospodarz. Najwyraźniej oderwał się od pracy — za ucho miał zatknięty ołówek, a rękawy koszuli podwinięte. Praca intelektualna cieszyła rabina na równi ze stolarką, którą też się zajmował; oba zajęcia wymagały zresztą zakasania rękawów.

Christopher wysiadł z auta i zamknął drzwi.

— Wszystko w porządku, szeryfie? — zawołał Wolffe. Pytanie brzmiało zwyczajnie, lecz obaj wiedzieli, że gdyby wszystko było w porządku, Christopher nie miałby powodu składać tej wizyty.

— Jeżeli nie przeszkadzam, chciałbym porozmawiać. — Christopher podszedł bliżej po wyłożonej kamiennymi płytami ścieżce.

— Oczywiście. — Rabin odstąpił na bok i gestem zaprosił go do domu.

— Wolałbym zostać na zewnątrz, rabbi — powiedział Chris z uśmiechem. Lubił młodego Wolffe'a i cieszył się, że zamieszkał on w Claysville, ale dłuższe rozmowy z rabinem zawsze sprowadzały na szeryfa migrenę.

— W czym mogę panu pomóc?

— Ze śmiercią pani Barrow wiąże się kilka dziwnych rzeczy. — Christopher zachowywał neutralny ton. — Nie uważam, żeby całe miasto powinno się zaraz dowiedzieć, ale myślę, że należałoby wspomnieć o tym radzie. Może ktoś z państwa odwiedzi w tej sprawie Williama?

— Czy jest coś szczególnego, o czym powinniśmy z nim porozmawiać?

Christopher ledwo zauważalnie wzruszył ramionami.

— Sądzę, że on już wie. Widział jej zwłoki.

Rabin Wolffe skinął głową.

— Zwołam zatem na wieczór posiedzenie rady. Czy wie pan…?

— Nie. Nie wiem o niczym — przerwał mu Christopher. — I nie chcę wiedzieć.

— W porządku. — Twarz rabina była nieprzenikniona. — Dziękuję, szeryfie.

Christopher ponownie wzruszył ramionami.

— Po prostu wykonuję swoją pracę, rabbi.

Odwrócił się i poszedł do samochodu tak szybko, jak się dało. Nie unikał kłótni czy sporów, ale nie chciał wiedzieć tego, czego wiedzieć nie musiał. Każdy uważny obserwator rozumiał, że w wielu przypadkach unikanie pytań jest najlepszym sposobem na to, by wszystko działało, jak należy.

Po załatwieniu kilku spraw i długiej, oczyszczającej umysł przejażdżce, Byron usiadł w lokalu Gallaghera, gdzie zwykle zaszywał się wieczorami. Był to najlepszy rodzaj knajpy — z drewnianymi barem i podłogą, stołami bilardowymi i tarczami do rzutek. Z zimnym piwem i porządnym alkoholem. Tutaj mógł sobie wmówić, że jest w którymkolwiek z dzielnicowych barów w jakim bądź mieście czy miasteczku, i zazwyczaj potrafił się tu zrelaksować, zarówno w godzinach otwarcia knajpy, jak i po zamknięciu.

Ale nie dziś.

Z początku szło mu nieźle, ale w miarę upływu nocy jego nerwy stawały się coraz bardziej roztrzęsione. Po raz trzeci w ciągu tyluż minut spojrzał na zegar. Rozważał jazdę na lotnisko. Do diabła, już tam jechał, po to tylko, by naraz stanąć i zawrócić. Dwa razy! Bardzo chciał się zobaczyć z Rebeką, ale nie był pewien, czy powinien, więc siedział przy barze, tłumacząc sobie, że spotkanie z przedsiębiorcą pogrzebowym, szczególnie z nim, raczej nie poprawiłoby jej nastroju.

— A ty, Byron, pijesz, czy tylko zajmujesz stołek? — Amity przesłała mu uśmiech dla złagodzenia ironii tych słów. Odkąd wrócił do domu, przyjemnie zajmowała mu myśli, nigdy nie domagając się więcej, niż był w stanie jej dać.

— Byron? — spytała, tym razem mniej pewnym tonem.

— Piję. — Zastukał w pustą szklankę.

Otaksowawszy go spojrzeniem, Amity wzięła naczynie i wypełniła je lodem. Była ładną, pewną siebie blondynką. Jasne włosy przytrzymywała z tyłu spinkami w kształcie rąk kościotrupa. Zza okularów w grubych, czerwonych oprawkach patrzyły ciemne oczy, podkreślone mocnym makijażem w odcieniach fioletu i szarości. Krągłe kształty Amity uwydatniał obcisły czarny podkoszulek, ozdobiony z przodu rysunkiem kreskówkowego wampira i słowami MASZ KOŁKI?, a z tyłu napisem MASZ SREBRO?

Była o cztery lata młodsza od Byrona, więc niegodna jego uwagi w liceum, ale przez te kilka miesięcy od powrotu do Claysville uwagi poświęcił jej całkiem sporo. Należała do nieskomplikowanych osób, więc przyjmowała od Byrona dokładnie to, o co prosiła go Rebeka — brak zobowiązań, brak problemów i brak rozmów o przyszłości.

Może się zmieniłem.

Amity obrzuciła Byrona szybkim spojrzeniem, ale milczała, gdy przechylała butelkę nad szklanką, nalewając mu potrójną porcję szkockiej. Wyciągnął do niej kartę kredytową. Jedną ręką postawiła przed nim szklankę na nowej podstawce, a drugą przyjęła kartę.

— Będzie dobrze — stwierdziła.

— Co?

Wzruszyła ramionami i odwróciła się do kasy.

— Wszystko.

— Wszystko — powtórzył powoli.

Skinęła głową, lecz nie podniosła wzroku.

— Taa. Wszystko się ułoży. Trzeba w to wierzyć... Niczego innego nie robimy, odkąd umarła.

Byron zamarł. Słowa Amity uzmysłowiły mu, jak rzadko ze sobą rozmawiają, i że tak naprawdę niewiele wie o jej życiu czy zainteresowaniach. O niej samej.

— Maylene?

— Tak. — Przeciągnęła kartą przez czytnik i, czekając na wydruk, wsunęła butelkę szkockiej w lukę na półce. — Maylene była w porządku.

Byron zamyślił się, upił łyk, a potem spytał:

— Przychodziła tu? Nigdy jej jakoś nie widziałem.

— Przychodziła, ale rzadko. — Amity na moment oparła się na barze i skupiła wzrok na Byronie. — Tak naprawdę znałam ją przez siostrę. Maylene chodziła na posiedzenia rady miejskiej, a Bonnie Jean została radną w zeszłym roku, więc...

Byron ponownie spojrzał na zegar. Samolot Rebeki powinien już wylądować.

— Hej! — Ostrożny dotyk odwrócił jego uwagę. To Amity nakryła mu dłoń swoją. Zerknął na nią, a potem przeniósł wzrok na oczy dziewczyny. — Wszystko się ułoży. Musisz w to wierzyć — zapewniła go.

— Czy mnie się zdaje, czy wiesz coś więcej ode mnie?

— Większość ludzi nie rusza się stąd tak jak ty. Czasem ci, którzy zostają, wiedzą to i owo… coś innego niż ci, którym udało się wyjechać. — Ścisnęła mu rękę. — Ale domyślam się, że ty z kolei wiesz coś, czego ja nie wiem.

Byron nie zabrał ręki, lecz zamyślił się. Amity zwykle nie rozmawiała na poważne tematy — o ile w ogóle rozmawiali. Upił duży łyk, by zyskać na czasie.

— Wyluzuj. — Roześmiała się. — Żadnych zobowiązań, prawda? Myślisz, że nagle zmieniam zasady, czy coś?

Jej śmiech sprawił, że napięcie opadło z Byrona.

— Nie — skłamał.

— A więc… po zamknięciu… — Zaproszenie zawisło w powietrzu.

Przeważnie czekał, aż zamknie bar tylko wtedy, gdy zamierzał skorzystać z zaproszenia. Dziś nie mógł. Poczucie winy było czymś idiotycznym, a jednak go dopadło. Nie mógł zostać z Amity, kiedy Rebeka była w mieście. Co więcej, nie mógł się do tego przyznać. Uśmiechnął się tylko i spytał:

— Innym razem?

— Może. — Przechyliła się ponad barem i pocałowała go w policzek. — Leć do niej.

Zacisnął palce na szklance, lecz próbował zachować niewzruszoną twarz.

— Do kogo?

Amity pokręciła głową.

— Do Rebeki.

— Re…?

— Poczujesz się lepiej, kiedy odstawisz ją bezpiecznie do domu. — Podsunęła mu wydruk z terminalu i długopis.

— Skąd wiedzia...?

— Ludzie gadają, Byron, zwłaszcza o was dwojgu. — Mina Amity nie wyrażała niczego. — A tak dla twojej wiadomości, ona o tobie nie opowiada nigdy. Przyszła tu raz, gdy ciebie nie było, i Maylene nas sobie przedstawiła. Tak się poznałyśmy, ale ani razu nie wspomniała o tobie.

Byron na moment zagapił się na kwitek. Chciał spytać, czy Amity jest w kontakcie z Rebeką i czy Rebeka wie, że on i Amity... *Jakby to cokolwiek znaczyło.* Pokręcił głową. Rebeka dawno temu wyraziła się jasno w tej sprawie i od tamtej pory nie rozmawiali ze sobą. Byron podpisał wydruk i wetknął swój paragon do kieszeni. Spojrzał na Amity.

— Nie wiedziałem, że się znacie.

— Cóż, mało ze sobą rozmawiamy, Byron. — Wyszczerzyła zęby w uśmiechu.

— Przy...

— Wcale nie — powiedziała stanowczo. — Nie potrzebuję słów, szczególnie pustych. Chcę dokładnie tego, co zwykle jesteś gotów mi dać. Nie przestawaj tu przychodzić tylko dlatego, że Rebeka wróciła do domu.

— Rebeka i ja... My nie...

— Wpadaj do mnie — przerwała mu. — Ale nie dziś. Już powiedziałam Bonnie Jean, że chętnie dam się podwieźć. No, zmykaj.

Byron podszedł do baru, wyciągnął ramiona i przygarnął Amity do siebie. Musnął jej policzek szybkim pocałunkiem.

— Spudłowałeś. — Poklepała się w usta.

Nachylił się i pocałował ją.

— Tak lepiej?

Przechyliła głowę i posłała mu spojrzenie, które zazwyczaj oznaczało, że nie dotrą do jej mieszkania po zamknięciu baru.

— Bliżej. Zdecydowanie bliżej do „lepiej".

— Następnym razem, pani Blue. — Podniósł swój kask.

Był już przy drzwiach, gdy odpowiedziała:

— Mam nadzieję, Byron.

Rebeka stała przy taśmociągu z bagażem. O tej godzinie lotnisko było wyludnione, sklepy pozamykane, a bramki puste. Ona sama nie była szczególnie ożywiona, choć wypiła w samolocie sporo tego świństwa uchodzącego za kawę, ale jednak nie spała, trzymała pion i chodziła. W tych warunkach to i tak było nieźle.

Cherubin miauknął żałośnie, niezadowolony z pułapki transporterka.

— Jeszcze trochę, kiciu — obiecała Rebeka. — Wyjdziesz, gdy tylko...

Słowa zamarły jej w gardle, kiedy wyobraziła sobie powrót do pustego domu. Dziś nie wpadnie w pachnące różami objęcia, w których świat zdawał się mniej ponury. Maylene odeszła. Łzy, powstrzymywane przez ostatnie godziny, spłynęły po policzkach Rebeki, gdy gapiła się na taśmociąg. *Nie ma Maylene. Nie ma mojego domu.* W ciągu tych paru lat, gdy mieszkała z Maylene pod jednym dachem, i kolejnych dziewięciu, kiedy ją odwiedzała, Claysville stało się dla Rebeki domem, lecz teraz, gdy babci zabrakło, nie miała powodów, aby tu wracać.

Oparła się o wyblakłą zieloną ścianę i patrzyła nieprzytomnym spojrzeniem na ostatnich pasażerów, którzy odbierali swój bagaż i znikali. W końcu została już tylko jej walizka. Taśmociąg się zatrzymał.

— Potrzebuje pani pomocy?

Rebeka spojrzała na mężczyznę w mundurze obsługi lotniska. Zamrugała powiekami.

— Czy to pani bagaż? — Wskazał gestem walizkę.

— Tak. — Wyprostowała się. — Dziękuję. Poradzę sobie.

Nie spuszczał z niej wzroku, aż zorientowała się, że ma twarz mokrą od łez. Wytarła ją pośpiesznie.

— A może jednak...

— Dziękuję, ale nic mi nie jest. Naprawdę. — Uśmiechem złagodziła opryskliwość swego tonu i poszła zdjąć bagaż z taśmy.

Mężczyzna oddalił się bez przekonania.

Rebeka wysunęła długą rączkę walizki, podniosła transporterek z kotem i ruszyła do stanowiska wynajmu samochodów. *Po jednym kroczku na raz.* Parę minut później, z kluczykami w ręce, odwróciła się od okienka i o mały włos nie upuściła Cherubina.

Stał przed nią mężczyzna ubrany w dżinsy, wysokie buty i znoszoną skórzaną kurtkę. Włosy miał nieco dłuższe niż zwykle, tak, że opierały mu się o kołnierz, ale znajome zielone oczy, patrzące teraz na nią nieufnie, w ogóle się nie zmieniły.

— Byron?

Owładnęła nią pokusa, by rzucić mu się, jak dawniej, w ramiona, on jednak trzymał dystans.

— Szmat czasu — zaczął i przerwał. Przeczesał włosy palcami i rzucił jej nerwowy uśmiech, nim podjął temat na nowo: — Wiem, nie rozstaliśmy się w zgodzie, ale pomyślałem, że trzeba przypilnować, żebyś bezpiecznie dotarła do domu.

Gapiła się na niego. Jej Byron, tutaj! Przez te kilka lat zrobił się jakby kanciasty — cienie leżały mu na wystających policzkach i wokół zmartwionych oczu, ale wciąż miał te same gesty. I nieufność.

Zasłużyłam sobie na nią.

— Nie wiedziałam, że wróciłeś — powiedziała niemądrze, zaciskając rękę na kocim transporterku.

Stali tak w niezręcznej ciszy, której się obawiała, gdy tylko przeszło jej przez myśl, że kiedyś jeszcze się zobaczą. Po jakimś czasie sięgnął po jej bagaż:

— Daj, wezmę to.

Kiedy wyciągnął rękę, szybko cofnęła swoją, żeby przypadkiem go nie dotknąć. Po jego minie poznała, że zauważył. Wziął jednak walizkę i gestem poprosił Rebekę, aby szła przed nim. Uszli w milczeniu kilka kroków, kiedy powiedział:

— Jestem w mieście od kilku miesięcy.

— Nie wiedziałam. Maylene nic nie mówiła. — Nie powiedziała mu, że sama z kolei nie zapytała. W życiu by tego nie zrobiła. Doszła do wniosku, że najlepiej poradzi sobie z kwestią Byrona, udając, że go nie ma, że umarł dla niej wraz z Ellą. Trudno jednak było to robić, gdy szedł tuż obok. Aby na niego nie patrzeć, skupiła wzrok na zawieszce przy kluczykach od samochodu, gapiąc się na nie, jakby nie znała marki ani modelu. — Ostatni raz, kiedy wspomniała o tobie, był... Nie pamiętam, kiedy. Myślałam, że mieszkasz w Nashville czy gdzieś w tamtych rejonach. Nie, żebym sprawdzała...

— Wiem. — Uśmiechnął się kwaśno, a potem odetchnął głęboko i skierował rozmowę na bezpieczniejszy grunt: — Wróciłem do domu kilka miesięcy temu, pod koniec grudnia.

— O! — Niewyspanie i żal najwyraźniej ogłupiły Rebekę, bo przyznała: — Byłam tu na Boże Narodzenie.

— Tak myślałem i dlatego wróciłem dopiero po świętach. — Szedł z nią na parking wypożyczalni. — Uznałem, że żadne z nas nie chce konfrontacji z... z tym wszystkim, więc zaczekałem, aż znikniesz tam, skąd przyjechałaś.

Nie wiedziała, co powiedzieć. *Tego właśnie chciałam, o to go prosiłam*. Niestety, stojąc na pustym parkingu, odurzona zmianą czasu, pogrążona w żałobie i zagubiona, chciała o tym zapomnieć. *Przecież sama kazałaś mu zniknąć ze swojego życia* — upomniała się, jakby słowa mogły ochronić jej zdrowy rozsądek.

Naraz ciszę przerwał głęboki, jakby przepity głos Byrona:

— Przyrzekłem sobie, że zejdę ci z drogi i, jeśli zechcesz, tak będzie, ale nie mogłem... Po prostu musiałem upewnić się, że jesteś bezpieczna. Powiedziałem, że dam ci spokój, i słowa dotrzymałem. Teraz też nie będę się narzucał. Chcę tylko, żebyś wiedziała, że jestem tu, gdybyś w ciągu najbliższych paru dni potrzebowała przyjaciela.

Nie wiedziała, co na to powiedzieć. Takie słowa padały między nimi niemal od dziesięciu lat. *Kiedy Ella jeszcze żyła*. Rebeka wiedziała, że lepiej na niego nie patrzeć. Bezpieczniej było nie zapuszczać się w te okolice. Zerknęła na Byrona, a potem szybko przeniosła wzrok na samochód, przed którym stali.

— To ten.

— Otwórz bagażnik.

Posłuchała, a on włożył do środka walizkę. Umieściła transporter kota na tylnym siedzeniu, a potem stanęła z wahaniem przy drzwiach.

Wyciągnął rękę, na którą Rebeka spojrzała, nie rozumiejąc. Gdy nadal nie reagowała, powiedział:

— Nie spałaś całą noc. Jesteś zmartwiona i wykończona. — Delikatnie odgiął jej palce i wziął kluczyki. — Zawiozę cię do domu. Bez zobowiązań, Beks.

— A twój samochód?

— Motocykl. Mam motocykl, inny niż kiedyś, ale... Tak czy inaczej, nic mu się tu nie stanie. — Obszedł wóz i otworzył drzwi od strony pasażera. — Pozwól mi. Niewiele mogę zrobić, ale... Do miasta jest dobra godzina, jak nie więcej, drogi i... Skoro już tu jestem, pozwól mi zachować się jak przyjaciel. Potem, jeśli zechcesz, postaram się zejść ci z oczu.

— Dziękuję, że po mnie przyjechałeś i dziękuję za propozycję... za to, że jesteś przyjacielem — powiedziała i wsiadła do auta, zanim pokusa, by paść mu w objęcia, stała się nie do opanowania.

Był jedyną osobą, która trwała przy niej w dwóch najgorszych chwilach życia — kiedy umarli kolejno Ella i Jimmy, a teraz znowu pojawił się u jej boku, gotów przeprowadzić ją przez trzecią. Pomimo jej ucieczek w środku nocy i słów rzucanych w niego jak kamienie, pomimo braku reakcji na jego wizyty i telefony, wciąż był gotów, by pomóc jej się pozbierać.

Rebeka wiedziała, że jest mu winna wiele słów — przeprosin, wyjaśnień, może nawet usprawiedliwienia, a jednak milczała, gdy otwierał drzwi od strony kierowcy i wsiadał do samochodu. Byron jej nie przynaglał. Nigdy tego nie robił.

Kiedy wyjechali z parkingu, Rebeka rozluźniła się po raz pierwszy od tamtego telefonu. Byron był jedyną osobą na świecie, która naprawdę ją znała, z wszystkimi wadami i zaletami. Fakt, że siedział tu teraz przy niej, wydawał się Rebece tyleż podnoszący na duchu, co nierealny. Kiedy przeprowadziła się do Claysville w liceum, Byron był chłopakiem Elli. Zamiast ignorować Rebekę, pilnował, żeby stała się częścią ich paczki, aż pomyślała, że jest dla niej kimś więcej, niż tylko przyjacielem i raz, raz jedyny, przekroczyła tę granicę.

A potem Ella umarła.

Później Rebece z trudem przychodziło trwanie po właściwej stronie granicy, więc w ciągu paru lat lądowała kilkakrotnie w łóżku Byrona, ale zawsze kończyło się to tak samo — chciał od niej więcej, niż mogła mu dać.

Zerknęła przelotnie na jego serdeczny palec, a on udał, że tego nie zauważył.

— Chcesz się zatrzymać gdzieś po drodze? — spytał.

— Nie. Może. Nie jestem pewna. — Odetchnęła głęboko. — Domyślam się, że w kuchni... że jedzenie to nie problem.

— Nie. — Byron oderwał wzrok od ciemnej drogi na tyle tylko, by spojrzeć w stronę Rebeki. Przez twarz przebiegł mu wyraz wahania. — Jeszcze nie zaczęli znosić hurtowo garnków z pokrywką, ale jestem pewien, że znajdziesz ich parę w lodówce.

— Nic się tu nie zmienia, prawda? — wymamrotała.

— Nieszczególnie. — Dźwięk, jaki wydał z siebie, mógł uchodzić za śmiech. — Zupełnie jakby świat kończył się na granicy miasta.

— A twój tata dobrze się czuje?

— Dobrze udaje. — Byron zawahał się, jak gdyby ważył słowa, aż podjął decyzję: — Wiesz, że ją kochał?

— Wiem. — Rebeka oparła głowę o boczną szybę. — Czuję się, jakby coś we mnie pękło. Ona jest... była...

Kiedy głos Rebeki zadrżał, Byron wyciągnął ramię i splótł palce jej ręki ze swoimi.

— Była moją skałą. Nieważne, ile razy się przeprowadzałam, ile razy dałam ciała w pracy, czy w ogóle wszystko spieprzyłam.

Była moim domem, moją rodziną. Mama jest świetna i tak dalej, ale ona... Nie wiem. Po tym, jak Ella, a później Jimmy... Czasem mam wrażenie, że mama nigdy się nie pozbierała po ich stracie. A Maylene we mnie wierzyła. Sądziła, że jestem lepsza niż w rzeczywistości, lepsza niż kiedykolwiek zdołam być. Jej miłość nie tłamsiła, ale też nie musiałam czuć się winna, zabiegając o nią. — Oczy Rebeki znów zaszły mgłą od wezbranych łez, więc zamrugała powiekami. — Wszystko przepadło. Ich też już nie ma — nikogo z rodziny Barrow. Została mi tylko mama.

Formalnie rzecz biorąc, Rebeka nie była jedną z nich — nazwisko Barrow przybrała, gdy jej matka poślubiła Jimmy'ego. Została przy nim, gdyż było to nazwisko Maylene, Elli i ojczyma. Oni byli jej rodziną, nie przez więzy krwi, lecz z wyboru. Jedyne — poza nią — żyjące osoby o tym nazwisku, czyli siostra Jimmy'ego, Cissy, i jej córki, szczerze nienawidziły Rebeki.

Na ułamek sekundy Rebeka pożałowała, że nie przyjechała tu z matką, ale przecież nawet nie wiedziała, gdzie teraz podziewa się Julia. Podobnie jak Rebeka, matka miała duszę obieżyświata. W przeciwieństwie jednak do córki, Julia nigdy tu nie wracała. Nie przyjechała nawet na pogrzeb Jimmy'ego. Czasami o nim wspominała i było jasne, że wciąż go kocha, lecz to, co zaszło między nimi, wystarczyło, by przyrzekła sobie, że jej noga nie postanie już nigdy w Claysville.

Rebeka wyswobodziła dłoń z ręki Byrona.

— Przepraszam.

— Za co?

Wzruszyła ramionami.

— Wystarczająco dużo osób płacze ci w mankiet w pracy.

— Proszę, przestań. — Ton miał surowy, ale wyciągnął ponownie rękę, środkiem dłoni do góry. — Nie zasłaniaj się moim zawodem.

Chciała być bardziej stanowcza, nie dopuszczać go znowu do siebie, nie otwierać drzwi, które wkrótce trzeba będzie zamknąć z powrotem, ale nie potrafiła. Nawet gdy była najsilniejsza, z trudem przychodziło jej nieuleganie Byronowi, a teraz siły miała w sobie tyle, co nic. Wsunęła z powrotem dłoń w jego rękę.

Przez następne czterdzieści minut Byron prowadził w ciszy, a Rebeka gapiła się przez okno, wypatrując Claysville. Odcinek drogi między lotniskiem a miastem był opustoszały. Całymi kilometrami nie widziało się tu niczego, poza drzewami w cieniu i, od czasu do czasu, przecznicą, która zdawała się ginąć w jeszcze większej ciemności. I nagle znikąd wyrósł przed nimi napis: WITAMY W CLAYSVILLE. Ilekroć Rebeka przekraczała tę linię, czuła, jak ulatuje z niej napięcie, z którego nawet nie zdawała sobie sprawy. Sądziła zawsze, że dzieje się tak, bo jedzie na spotkanie z Maylene, lecz dziś, mając Byrona u boku, stwierdziła, że uczucie ulgi jest silniejsze niż dotąd. Zanim sobie zdała sprawę, co robi, ścisnęła dłoń Byrona, a może to on pierwszy podwoił uścisk.

Oswobodziła rękę, kiedy skręcili na podjazd Maylene i Byron zgasił silnik. W milczeniu wysiadł i zaniósł na werandę walizkę Rebeki oraz transporter z kotem. Kiedy ruszył w stronę wozu, Rebeka otworzyła boczne drzwi i mimowolnie wydała z siebie szloch. Odrzuciła pomoc Byrona, ale na moment zwątpiła, czy da radę wejść do domu. Stanęła przy drzwiach, niezdolna do przekroczenia progu.

Maylene tu nie ma.

Byron jej nie dotykał, a ona sama nie wiedziała, czy to dobrze, czy źle. Pod jego dotykiem pewnie by się rozkleiła, a jakaś jej cząstka wciąż chciała być opanowana. Inna, mniej zrównoważona, nade wszystko pragnęła rozpaść się na kawałki.

Byron powiedział cicho:

— Jeżeli nie chcesz tu nocować, zabiorę cię do pensjonatu Baptiste'ów, albo możesz jechać do mnie, a ja prześpię się gdzie indziej. Nie ma problemu, jeśli potrzebujesz czasu, żeby się pozbierać.

— Nie. — Zrobiła głęboki wdech, odblokowała zamek w drzwiach i weszła do środka, a Byron za nią. Kiedy zamknęli drzwi, wypuściła Cherubina z transporterka.

A potem już tylko stała. Byron czekał w przejściu między kuchnią a salonem i przez chwilę było tak, jakby czas się przewinął wstecz.

Spojrzała na niego bezradnie.

— Nie wiem, co robić. Mam wrażenie, że powinnam działać. Maylene nie żyje, B, a ja nie wiem, co mam robić.

— Szczerze? Powinnaś się przespać. — Zrobił krok w jej stronę i zamarł. Czas wcale nie przewinął się wstecz — mieli za sobą lata oddalenia i słowa, których nie dało się cofnąć. — Zaliczyłaś szok i gwałtowną zmianę czasu. Zapakujemy cię teraz do łóżka i…

— Nie. — Minęła go i porwała kolorowy pled z fotela na biegunach. — Dobrze. Tylko… Nie mogę. Jeszcze nie teraz. Idę popatrzeć na gwiazdy. Możesz posiedzieć ze mną albo jechać do domu. Będę na huśtawce.

Zdziwienie na twarzy Byrona zniknęło, zanim się na dobre pojawiło, a Rebeka nie czekała na jego decyzję. Pragnienie, by został, było z jej strony samolubne, ale w końcu nie próbowała go namawiać. *Przyjechał po mnie, więc chyba jednak mnie nie nienawidzi.* Zsunęła buty z nóg, otworzyła frontowe drzwi i wyszła na werandę, która ciągnęła się przez całą długość domu. Stare drewno pod bosą stopą było znajome w dotyku. Jedna z desek w drodze od drzwi do huśtawki tradycyjnie jęknęła przy nadepnięciu.

Może to było głupie z jej strony, ale Rebeka chciała przynajmniej udawać, że nic się nie zmieniło. Oglądanie gwiazd na werandzie było czymś normalnym, nawet jeśli nieobecność Maylene już nie. Rebeka chciała — musiała — zachować w swoim powrocie do domu choć cząstkę dawnego zwyczaju.

Usiadła na huśtawce. Łańcuchy zaskrzypiały, gdy ją rozkołysała. Uśmiechnęła się leciutko. To było dobre. To jej dom. Otuliła się pledem, spojrzała na migotliwe światełka w górze i wyszeptała:

— Co ja tu pocznę bez ciebie?

— Dobrze się czujesz?

Głos płynący z ciemności przywołał ją do porządku. Na trawniku przed domem stała co najwyżej siedemnastoletnia — *starsza niż Ella w chwili śmierci* — dziewczyna. Twarz miała spiętą, a w jej postawie czaiła się nieufność.

— Niespecjalnie. — Rebeka poszukała wzrokiem towarzystwa nastolatki, lecz wszystko wskazywało na to, że dziewczyna przyszła tu sama.

— Ty jesteś krewną, Maylene, tak? Tą, która nie jest stąd?

Rebeka opuściła nogi, zatrzymując huśtawkę.

— Czy my się znamy?

— Nie.

— Czyli... znałaś moją babcię? Nie ma jej. Umarła.

— Wiem. — Dziewczyna podeszła bliżej. Stawiała niepewne kroki, jakby zmuszała się do wolniejszych niż zwykle ruchów. — Chciałam tu przyjść.

— Sama? O trzeciej trzydzieści nad ranem? Czasy nieźle się zmieniły, jeśli rodzice pozwalają ci na coś takiego. — Nikły uśmiech wpełzł na usta Rebeki. — Sądziłam, że po zachodzie słońca, o ile nie jest się w grupie, nadal obowiązuje szlaban na wyjścia.

Drzwi siatkowe zamknęły się z suchym trzaskiem. To Byron wyszedł na zewnątrz. Twarz skrywał mu cień, ale Rebeka nie musiała widzieć jego miny, by poznać, że jest spięty, wystarczył jej ton, z jakim zapytał:

— Zadzwonić do kogoś, żeby po ciebie przyjechał?

— Nie. — Dziewczyna cofnęła się dalej od werandy i w głębszy półmrok.

Byron stanął na skraju werandy, przed Rebeką.

— Nie wiem, czego tu szukasz, ale...

Dziewczyna odwróciła się i znikła, tak nagle, że gdyby Rebeka nie była pewna swoich zmysłów, mogłaby uznać, że nastolatka była halucynacją.

— Po prostu zniknęła. — Rebeką wstrząsnął dreszcz. — Myślisz, że nic jej się nie stanie?

— A co miałoby jej się stać? — Byron nie odwrócił głowy w stronę Rebeki, lecz patrzył w ciemność, w której rozpłynęła się dziewczyna.

Rebeka otuliła się szczelniej pledem.

— Byron? Może powinniśmy pójść za nią? Znasz ją? Czuję, że… zresztą nie wiem. Może powinniśmy zadzwonić do Chrisa albo jej rodziny, albo…

— Nie. — Spojrzał na nią przez ramię. — W jej wieku stale szwendaliśmy się poza domem po czasie.

— Ale nie sami.

— Guzik prawda. — Byron roześmiał się, lecz jakby na siłę. — Ile razy odprowadzałem was dwie, a potem brałem dupę w troki, żeby wrócić, nim ojciec zorientuje się, że mnie nie ma po godzinie policyjnej?

W poczuciu winy Rebeka wspomniała, jak wbiegała do środka, żeby nie patrzeć, jak Byron całuje Ellę na dobranoc. Zmusiła się, by nie opuścić wzroku pod jego spojrzeniem.

— Może byłam wtedy odważniejsza? — Urwała, zmarszczyła brwi i zagapiła się w ciemność za jego plecami. — O Boże, co ja wygaduję. Jeszcze na dobre nie wróciłam, a już się martwię o godzinę policyjną. Większość miast, dużych czy małych, nie ma czegoś takiego jak szlaban na wyjścia po zachodzie słońca.

— Nie ma na świecie drugiego takiego miejsca, jak Claysville, co? — Podszedł i usiadł na przeciwległym końcu huśtawki.

— Mówiąc między nami, gdyby było, prędko byśmy je znaleźli. — Odepchnęła się od podłogi jedną stopą, ponownie wprawiając huśtawkę w ruch. — Czy ty też czujesz to… no, nie wiem… to „kliknięcie", kiedy tu wracasz?

Byron nie próbował nawet udawać, że nie rozumie.

— Owszem.

— Przeważnie nie cierpię tego uczucia. Sprawia, że jeszcze bardziej chcę stąd wiać. Ale Maylene jest… była dla mnie wszystkim. Spotykałam się z nią i niekiedy udawało mi się zapomnieć, że Ella…

— Nie żyje.

— Racja. Nie żyje — wyszeptała. — A teraz jeszcze i Jimmy, i Maylene nie żyją. Nie mam już rodziny, więc dlaczego, wracając tu, wciąż czuję się na swoim miejscu? Po prostu takie mam wrażenie, gdy tylko przekraczam granicę Claysville. To dziwne mrowienie, które mnie prześladuje gdzie indziej, znika, kiedy tylko mijam tę durną tablicę.

— Wiem. — Popchnął huśtawkę tak mocno, że łańcuchy zaskrzypiały. — I nie znam na to odpowiedzi... a przynajmniej nie takich, jakich byś oczekiwała.

— A masz inne?

Przez jakiś czas milczał, a potem stwierdził:

— Co najmniej jedną, ale ilekroć ją przywołuję, protestujesz.

9

Nicolas Whittaker nie był człowiekiem, który patrolowałby ulice — od tego miał innych, osoby przemierzające miasto w czasie, gdy on sam czekał w zaciszu swojego gabinetu burmistrza. *Taka jest naturalna kolej rzeczy*. Dorastał w poczuciu bezpieczeństwa, przekonany, że w Claysville można wyrosnąć na zdrowego, zrównoważonego człowieka. Jego dzieci, kiedy dostanie na nie przydział, będą bezpieczne. Nie wyjadą do żadnego miasta, by paść ofiarą przemocy. Nie zapadną na żadną z tych chorób wieku dziecięcego, które trapią dzieci innych ludzi. Będą chronione. Założyciele miasta zadbali o to. W Claysville było tylko jedno prawdziwe zagrożenie dla rodziny, którą kiedyś zamierzał założyć. Jedno jedyne i tylko w przypadku, gdyby Opiekunka Grobów nie umiała sobie z nim poradzić.

Burmistrz Whittaker podszedł do barku z mahoniu, zainstalowanego w gabinecie za kadencji ojca. Cichy grzechot lodu w szklance wydawał się grzmieć w pustym pomieszczeniu. O tej porze sekretarki dawno już tu nie było. Nalał sobie znowu bourbona, myśląc mimochodem, jakie ma szczęście, że miasto nie zna też zjawiska alkoholizmu.

Krótkie stuknięcie w drzwi poprzedziło wejście dwojga radnych — Daniela i Bonnie Jean. Dwudziestoszescioletnia kobieta była najmłodszym członkiem rady. Jak na tak młodą osobę przystało, cechowała ją odwaga w stopniu niedostępnym reszcie radnych, ale też nie była jeszcze jedną z nich, gdy zmagali się z ostatnim problemem.

Teraz miała rozszerzone źrenice i wypieki na policzkach.

— Nie widzieliśmy niczego, wie pan, dziwnego, kiedy patrolowaliśmy miasto — powiedziała.

Stojący za nią Daniel pokręcił głową.

— Rozwiesiliśmy ulotki o pumie — dodała Bonnie Jean.

— Świetnie. — Nicolas posłał jej uśmiech. Nie mógł się powstrzymać, zresztą nie było powodów, dla których powinien to robić. Bonnie Jean była uroczą dziewczyną, choć niekoniecznie materiałem na żonę i matkę. Uniósł pustą szklankę. — Napijecie się na rozgrzewkę?

Młoda radna odwzajemniła uśmiech dokładnie w tej samej chwili, gdy Daniel złapał spojrzenie Nicolasa i zmarszczył brwi:

— Robi się późno, panie burmistrzu.

Tym razem brew burmistrza powędrowała do góry.

— Cóż, a zatem do zobaczenia, panie Greely.

— Bonnie Jean nie powinna chodzić sama, gdy w mieście grasuje morderca. — Daniel zrobił krok do przodu i znalazł się tuż przy niej. — Młodej kobiecie nie…

— Ee, już dobrze, panowie. — Bonnie Jean sięgnęła do torebki i zademonstrowała im trzydziestkę ósemkę, zaciśniętą w wypielęgnowanej dłoni.

— Aha — powiedział półgłosem Nicolas. — Może to my z Danielem powinniśmy prosić damę, żeby nas eskortowała?

Bonnie Jean uśmiechnęła się szeroko.

— Dan przyjechał samochodem, zresztą on umie aż za dobrze zadbać o siebie. A pan, panie burmistrzu?

Z takim samym zacięciem showmana, z jakim brylował na zebraniach, Nicolas poklepał się po kieszeniach spodni, a potem rozchylił poły marynarki.

— Obawiam się, moja droga, że nie mam przy sobie broni. Chyba faktycznie przyda mi się eskorta. — Uśmiechnął się do niej. — Niestety, jeszcze nie jestem gotów do wyjścia. Czy mogę nadużyć twojej uprzejmości i poprosić, żebyś zaczekała?

— Owszem. — Zwracając się do Daniela, stwierdziła: — Doskonale poradzę sobie z tym, co się czai na zewnątrz... — Posłała Nicolasowi uśmiech. — ... lub tutaj.

Daniel spojrzał na nią znacząco, lecz gdy zignorowała jego spojrzenie, pokręcił głową i poszedł do wyjścia, odprowadzany przez Bonnie Jean, która pocałowała go w policzek i zamknęła za nim drzwi.

Nicolas nalał bourbona do szklanki i podał ją dziewczynie.

10

Byron rozmyślał o sprawach, o których należało powiedzieć Rebece, i o tych, o których chciał jej powiedzieć, jak również o tym, że nie musiała się o nich dowiadywać już dziś. Siedzieli po ciemku, słuchając owadów i żab, i mieli się na baczności — jak zawsze, gdy usiłowali ze sobą nie rozmawiać. Samo siedzenie przy Rebece uświadomiło Byronowi, iż kłamał sam przed sobą, mówiąc, że się zmienił. Od czasu, gdy poprosiła, by więcej do niej nie dzwonił, upłynęły prawie trzy lata. Próbował wchodzić w różne związki, a potem tłumaczył sobie, że nie było mu pisane się zakochać. Udawał, że potrzeba bycia z Rebeką — podobnie jak przymus powrotu do Claysville — jest czymś, do czego zdoła się zdystansować. Różnica polegała oczywiście na tym, że gdy dał za wygraną i wrócił do Claysville, miasto przed nim nie uciekło. Rebeka, o ile nie pogrąży się w rozpaczy, raczej ucieknie. Było to dość prawdopodobne.

Dziś jednak opuściła gardę. Oparła głowę na ramieniu Byrona. Smutek i adrenalina, które dotąd trzymały ją w pionie, zawiodły jednocześnie. Zastygła przygarbiona, z opuszczonymi ramionami i jedną ręką leżącą bezwładnie na kolanach, niczym marionetka, której ktoś odciął sznurki. Słabe oświetlenie werandy kryło jej bladość, a niedbały węzeł, w który skręciła włosy — ich obecną długość. Mimo wszystko nie wyglądała jakoś inaczej niż przed trzema laty, kiedy odeszła od Byrona. Jej wysportowana sylwetka dowodziła, że wciąż regularnie biega lub pływa. *A może jedno i drugie*. Rebeka zawsze rozładowywała stres ćwiczeniami, a emocje ucieczką. *Między innymi*.

— Byron? — zapytała sennie.

— Jestem przy tobie.

Nie dodał, że gdyby nie jej trudny charakter, byłoby tak już zawsze, ani że nigdy nie odepchnął jej od siebie, kiedy chciała go mieć u swego boku. To już było działką Rebeki — przyciągała go i odpychała, gdy tylko pojęła, że pragnie jego obecności. Westchnął. Czuł się winny, że rozważa takie sprawy w momencie, kiedy Rebeka jest bezbronna i zagubiona, a jednocześnie wiedział, że z chwilą, gdy się pozbiera, rzuci się do ucieczki.

— Tak, Beks?

— Szkoda, B, że to nie jest tylko zły sen — wyszeptała. — Dlaczego wszyscy po kolei umierają i zostawiają mnie samą?

— Przykro mi — powiedział.

Przez całe życie przebywał wśród osób zrozpaczonych po śmierci kogoś bliskiego, a jednak nie znalazł lepszej odpowiedzi. Nie istniała — ludzie umierali, a to bolało i żadne słowa nie mogły tak naprawdę złagodzić tego bólu. Byron otoczył Rebekę ramieniem i przytulił. Łzy płynęły jej po policzkach.

Nie wyszarpnęła się; odwróciła natomiast głowę, by spojrzeć na rozjaśniające się powoli niebo.

Siedzieli tak jeszcze przez kilka minut, obserwując, jak kończy się noc. Rebeka podwinęła stopy pod siebie, a jedną ręką ściskała łańcuch od huśtawki, jak dziecko, które boi się spaść. Otulona wzorzystym pledem, wyglądała jeszcze bardziej bezbronnie.

Byron zaś czuł się jak osioł — przez to, że chciał poruszyć tematy, które Rebeka od zawsze usiłowała przemilczeć. Problem z Rebeką polegał na tym, że nigdy nie było odpowiedniej pory na rozmowę. Opuszczała swoją twierdzę tylko wtedy, gdy cierpiała, a kiedy nie cierpiała — uciekała: albo dosłownie, albo zagłuszając uczucia seksem. Byron myślał niegdyś, że nadejdzie czas, gdy seks nie będzie dla niej wymówką, aby unikać bliskości. Rebeka wyprowadziła go z błędu podczas ostatniego spotkania.

Kontrolując własne emocje, powiedział:

— Lepiej się wyśpisz w łóżku niż tu, na huśtawce. Chodź.

Przez moment myślał, że zaprotestuje, a jednak powiedziała:

— Racja. — Wstała i, gdy otulał jej ramiona pledem, wyszeptała: — Zostaniesz? — Byron zmarszczył brwi, więc dodała szybko: — Nie jako... nie ze mną, po prostu w domu. Już świta, a ja nie chcę być tu sama. Łóżka dla gości pewnie są gotowe.

Nie przyznał się, że przejrzał jej kłamstwo na wylot. Otworzył drzwi.

— Jasne. Tak będzie nawet prościej. Miałem zamiar przyjechać po ciebie przed ceremonią.

Zatrzymała się i pocałowała go w policzek.

— Dziękuję.

Pokiwał głową. Rebeka zamarła w bezruchu, z jedną stopą za progiem, a drugą wciąż na werandzie.

— Beks?

Rozchyliła wargi, pochyliła się w jego stronę i powiedziała:

— Dzisiaj nie musi się liczyć. Tak?

Nie udawał, że źle zrozumiał jej pytanie.

— Nie wiem — odparł.

Przyciągnęła go do siebie niemal rozpaczliwym gestem, a Byron nie był pewien, czy to, co wyszeptała, oplatając go ramionami, to szloch, czy przeprosiny. Oberwał drzwiami z siatką, które puścił, aby przytulić ją mocniej. Przez dobrą chwilę zmagał się z pokusą, żeby zapomnieć o jej żałobie i o poranku, który nieuchronnie przyniesie stwierdzenie, że to był błąd. Odpowiedzialność z kolei podpowiadała mu, że jeśli ulegnie, ona tradycyjnie ucieknie nad ranem, a on będzie się samobiczować za to, że znowu wylądowali w punkcie wyjścia.

Weszli do domu, a drzwi zatrzasnęły się za nimi z hukiem. Rebeka zrobiła krok do tyłu.

— Przepraszam. Nie powinnam… — urwała, pokręciła głową i niemal wbiegła na górę.

Byron poszedł za nią. Gdyby był inny, nie odpuściłby tak łatwo, a może gdyby to ona była inna… Znał ich jednak oboje na tyle, by wiedzieć, że Rebeka chce przenieść na niego odpowiedzialność za tę decyzję — tak, aby móc później winić właśnie jego.

Nie tym razem.

Trudno było jednemu z nich postanowić cokolwiek w sprawie drugiego. Oboje wprawdzie zaprzeczali, lecz i jego decyzja, by nie popadać w utarty schemat, i jej uparte twierdzenie, że są tylko przyjaciółmi, były z góry skazane na fiasko. Przez całe lata lądowali w łóżku, aby uniknąć rozmowy. Tam też kończyli wszelkie kłótnie, ale i tak zawsze wracali do punktu, w którym Rebeka uciekała, a Byron stwierdzał, że był głupi, sądząc, iż tym razem będzie inaczej.

No i masz, znowu.

Tyle, że tym razem stał przed jej sypialnią, nie w środku.

U szczytu schodów zapytał:

— Będziesz spać w swoim dawnym pokoju?

Zawahała się.

— Mogę pójść do Maylene, a ty… żebyś miał łóżko dla siebie, albo u Elli, w drugim pokoju, żebyś…

— Nie. — Położył jej rękę na przedramieniu. — Nie musisz spać ani u Maylene, ani u Elli. Położę się na sofie.

Pokręciła głową.

— Nie musisz, tak jest dobrze... to znaczy, nie jest dobrze... ze mną. Ale...

— W porządku. — Delikatnie ujął jej twarz w obie dłonie i popatrzył na nią. — Musisz się przespać choć trochę.

Przez ułamek sekundy mina Rebeki wyrażała niezdecydowanie, za moment jednak dziewczyna skinęła głową i poszła do swojego pokoju. Zostawiła na wpół uchylone drzwi tak, by mógł iść za nią, gdyby chciał. Rozważał taką możliwość. Niegdyś poszedłby na pewno. Był jej potrzebny i za każdym razem wmawiał sobie, że to wystarczy. W przypadku każdej innej kobiety chciał tylko tyle.

W przypadku Amity tyle wystarczy, ale Beks to nie Amity.

Stanowczym ruchem zamknął do końca drzwi i wrócił na dół. Przysiadł na chwilę na sofie, pochylił się, obejmując głowę rękami, i pomyślał o tym wszystkim, co trzeba by przedyskutować, o wszystkich problemach i o tym, dlaczego nie zamierzał wracać na górę.

Nie mógł spać w pokoju Elli. Nie żyła już od długiego czasu, ale niekiedy miał wrażenie, że Rebeka nigdy nie pogodzi się z jej odejściem. Po śmierci Ella stała między nimi tak, jak nigdy za życia. Tego tematu, jednego z wielu zresztą, Rebeka nie chciała poruszać. Oczywiście istniały także tematy, które z kolei on bardzo chętnie przemilczał tej nocy. Bał się powiedzieć Rebece, że Maylene została zamordowana i że Chris nie był specjalnie skłonny badać tej sprawy.

Byron pomyślał o bezdomnej dziewczynie, która kręciła się koło domu wczoraj po południu i dziś w nocy. Była młoda — miała zaledwie kilkanaście lat — i zbyt drobna, by zadać takie rany, jakie widział u Maylene. Zastanawiał się, czy nie przyszła tu z kimś, z jakimś mężczyzną. Sprawdził ponownie okna i drzwi, lecz nie znalazł śladów włamania. Pewnie była tylko głodna, stwierdził. Wiedziała, że nikogo tu nie ma, a dla bezdomnej osoby pusty dom to nie lada gratka. Zanotował sobie w pamięci, aby zwrócić uwagę Chrisa na tę dziewczynę. Być może coś widziała. Zresztą, nawet jeśli nie, pozwalając jej włóczyć się po mieście bez środków do życia, ułatwiali jej tylko zejście na złą drogę. Claysville troszczyło się o swoich. Niezależnie od tego, czy urodziła się tu, czy nie, dziewczyna przebywała teraz w mieście i wymagała opieki. *Trzeba było pomyśleć o tym wcześniej*. Na razie podejrzewał, że najgorsze, czego się dopuściła, to kradzież mleka spod drzwi Maylene, ale jeśli nie miała się gdzie podziać ani co jeść, i nie miała też krewnych, to z czasem można było się spodziewać jeszcze większych problemów.

11

Zaledwie kilka godzin później Rebeka ocknęła się z niespokojnego snu w swoim dawnym pokoju. W zasadzie był to obecnie — od czasu, gdy przestała przyjeżdżać na lato — pokój gościnny, a jednak wciąż traktowała go jak swój. Wzięła prysznic, ubrała się i zeszła na dół, gdzie Byron właśnie przecierał oczy. Słowem nie napomknął o idiotycznym zaproszeniu, z którego wczoraj nie skorzystał, a z kolei Rebeka nie powiedziała mu, że nie przerażała jej perspektywa zejścia na dół, by stwierdzić, że Byron dziś na nią czeka. Przez chwilę milczeli oboje, aż on przerwał ciszę:

— Przykro mi, że nie masz czasu, by dojść do równowagi, ale tam już się pewnie zaczęło, więc jeśli chcemy…

— Chodźmy! — Gestem wskazała swoją czarną sukienkę i takież buty. — Jestem jak najbardziej gotowa. Co trzeba zrobić?

Uniósł kluczyki do samochodu z wypożyczalni.

— Wyjść z domu.

Zawiózł ją do siedziby „Montgomery i Syn". Objechali dom i weszli przez drzwi kuchenne. Byron musiał zawiadomić ojca telefonicznie, gdyż William już czekał. Na ponury garnitur założył falbaniasty fartuszek w jasnożółte kaczuszki. W ręce dzierżył drewnianą łyżkę.

— No, dalej. — Wskazał nią na Byrona, a potem na schody. — Ja się zajmę Rebeką.

Zwracając się do Rebeki, zrobił gest w kierunku stołu. Usiadła, a on nalał jej filiżankę kawy. Za chwilę usłyszała prysznic na górze. Przebywanie tutaj podnosiło człowieka na duchu. Rebeka czuła się jak w prawdziwym domu — gdy tylko przestawała myśleć o jego drugiej części, w której żałobnicy zbierali się właśnie wokół ciała Maylene.

William postawił przed Rebeką talerz pełen jajecznicy na bekonie.

— Jeśli chcesz ją zobaczyć, możesz to zrobić teraz. Wiem jednak, że miałyście z Maylene swoje zwyczaje, więc możemy zaczekać, aż wszyscy sobie pójdą.

Rebeka skinęła głową.

— Dziękuję. Nie zamierzam się kryć przez cały dzień, ale… — Znowu poczuła łzy napływające do oczu. — Poradzę sobie w trakcie ceremonii. I przy śniadaniu po pogrzebie. Dam radę.

— Nie wątpię — odparł William. — Czy mam powiedzieć paniom, że mogą przygotować posiłek w twoim domu?

Rebeka zawahała się. *W moim domu.* Wciąż jeszcze był to dom Maylene. Nazywanie go „jej domem" było nadużyciem, ale rozważania semantyczne do niczego nie prowadziły.

William spojrzał na nią wyczekująco.

— Jasne — szepnęła. — Nie ma lepszego miejsca. Ja tylko… Rozumiem, że panie wszystkim się już zajęły?

— Zostało im tylko przeniesienie wszystkiego do domu. Działają skutecznie — powiedział. — Muszą, mając tak niewiele czasu między śmiercią a pogrzebem.

Ani w tych słowach, ani w tonie jego głosu nie było okrucieństwa, a jednak Rebeka poczuła ucisk w piersi.

— Dowiedziałam się dopiero wczoraj, a potem ten lot i przyjazd do domu…

Usłyszała samą siebie, słuchała, jak usprawiedliwienia sypią się z jej ust. Prawda była jednak taka, że nie chciała oglądać Maylene w trumnie. Nie chciała patrzeć na jej nieruchome ciało bez życia, a już zwłaszcza nie w obecności innych ludzi.

— No i różnica czasu — dopowiedział William. — Nikt ci nie weźmie tego za złe, jeżeli tam nie pójdziesz. Niewiele osób zresztą wie, że już wróciłaś.

— Dziękuję. Za wszystko. I pan, i Byron jesteście tak... Bez was czułabym się jeszcze bardziej zagubiona. — Posłała mu uśmiech, taki przez łzy, ale jednak uśmiech. William też się uśmiechnął łagodnie.

— Rodzina Montgomerych zawsze będzie się opiekować Barrowami, Rebeko. Nie było takiej rzeczy, której bym nie zrobił dla Maylene, a i Byron też zrobi dla ciebie wszystko.

Rebeka nie wiedziała, co na to odpowiedzieć. Zastanawiała się, czy William sądzi, że ona i Byron byli przez cały ten czas w kontakcie. *Doprawdy nie mam ochoty tego roztrząsać.* Skierowała myśli na inny tor i spojrzała na zmęczone oczy starszego Montgomery'ego. O ile jej było wiadomo, ciemne obwódki miewał na co dzień, ale przekrwione białka świadczyły o niedawnym płaczu. Maylene i on przyjaźnili się od zawsze i niemal równie długo kochali.

Rebeka zdała sobie sprawę, że gapi się na Williama.

— A pan... trzyma się jakoś? — spytała i natychmiast poczuła się jak idiotka.

Oczywiście, że się nie „trzymał". *Gdyby coś stało się z Byro...* Pokręciła głową, jakby to mogło wymazać tę myśl. William poklepał Rebekę po ręce i odwrócił się, by ponownie napełnić jej filiżankę kawą.

— Trzymam się chyba tak samo jak ty. Bez Maylene nie warto już za bardzo żyć na tym świecie. Przez długi czas ona była dla mnie całym światem. — W jego głosie czaiła się zapowiedź łez, gdy powiedział: — Muszę tam iść. Ty zostań i jedz. Kiedy sobie pójdą, przyjdę po ciebie, żebyś mogła spędzić z nią parę chwil na osobności.

Na myśl o pozostaniu tu nagle samej, palnęła:

— Co mam zrobić? To znaczy, są jakieś dokumenty czy coś? Cokolwiek?

Zawrócił i stanął przed nią.

— Nie, jeszcze nie teraz. Maylene zostawiła bardzo dokładne wskazówki. Nie chciała, żeby cię obarczać takimi rzeczami, więc dopilnowaliśmy, żeby o wszystko zadbać zawczasu. — Odsunął jej pasmo włosów z twarzy, jakby wciąż była małym dzieckiem. — Byron zejdzie za parę minut, ale jeśli chcesz, możesz pójść do niego na górę. W domu nic się nie zmieniło. A ja pójdę do Maylene.

— Jej tam nie ma — wyszeptała Rebeka. — To tylko pusta skorupa.

— Owszem, ale i tak trzeba się nią zająć. Odeszła na zasłużony odpoczynek, Rebeko. Wierz mi. — Miał łzy w oczach. — Była wyjątkowa, zupełnie inna niż większość osób, z którymi los nas kiedykolwiek zetknął lub zetknie. Silna. Dobra. Dzielna. I wszystkie te cechy dostrzegała w tobie. Teraz ty musisz być dzielna i dać jej powód do dumy.

Rebeka pokiwała głową.

— Dobrze.

A potem została w kuchni sama ze swoim smutkiem. W pierwszym odruchu chciała szukać Byrona.

Tchórz.

Rozsądniej było zostać tu bez towarzystwa. Mieszkała samotnie od lat i sama też podróżowała. Sęk w tym, że łatwiej jej przychodziło opierać się smutkowi w obecności świadków. To właśnie Maylene, lata temu, nauczyła ją ukrywać trudne chwile: „Nie pokazuj światu miękkiego podbrzusza" — mawiała, gdy obcy ludzie albo koledzy z klasy zranili czymś Rebekę. „Siła polega częściowo na tym, by wiedzieć, kiedy należy ukrywać swoje słabości, a kiedy się do nich przyznawać. Gdy będziemy tylko we dwie, możesz płakać. Światu pokazuj się wyłącznie z podniesioną głową".

— Jestem silna. Pamiętam — szepnęła Rebeka.

Do czasu, gdy skończyła śniadanie, Byron nie pojawił się na dole, więc przeszła przez drzwi oddzielające prywatną część domu od publicznej i przyłączyła się do grupy żałobników. Przyjmując bez wzdrygnięcia ich uściski oraz skinienia głową, podeszła do ciała Maylene.

Wiem, że odeszłaś. Wiem, że tak naprawdę to nie jesteś ty.

Ciało jednak wciąż wyglądało jak jej babcia. Zniknęło znajome bystre spojrzenie, zniknął też uśmiech, ale postać nadal była Maylene.

Rebeka wiedziała, co ma powiedzieć. W torebce miała piersiówkę, ale nie dała rady jej użyć. *Nie teraz. Nie przy wszystkich.* Pamiętała słowa i zwyczaje, do których wielokrotnie odwoływała się z Maylene. *Zaraz.*

Pochyliła się i ucałowała ją w policzek.

— Teraz śpij, babciu — wyszeptała. — Śpij sobie i zostań tam, gdzie cię położę.

Rebeka trzymała się dzielnie, przyjmując kondolencje i słuchając wspomnień zupełnie obcych ludzi oraz takich, których ledwo znała. Była przy tym sama.

Byron zszedł z góry do salonu przedpogrzebowego ubrany w jeden ze swoich ciemnych garniturów. Obaj z Williamem mieli Rebekę na oku, a ona wiedziała, że w każdej chwili wybawią ją z opresji — wystarczyło tylko przesłać im błagalne spojrzenie. Na razie jednak pokręciła nieznacznie głową, gdy Byron zaczął iść w jej kierunku.

Jestem wnuczką Maylene i zrobię to, co zawsze robiłyśmy.

Razem z babcią bywała na niezliczonych pogrzebach i ceremoniach pożegnania. Teraz uprzejmie kiwała głową i spokojnie przyjmowała uściski oraz poklepywanie po ramieniu. *Dam radę.* Zdążyła zaledwie na ostatnią godzinę czuwania, lecz dłużyło się jej bardziej niż wszystkie inne. *Nawet to przy Elli.*

Na całe szczęście Cissy i jej córki wyszły tuż przed przyjściem Rebeki. „Pogrążone w żalu" — powiedział William ze stoickim spokojem.

Kiedy czuwanie dobiegło końca, William zajął się żałobnikami, a Byron podszedł do Rebeki.

— Chcesz zostać z nią jeszcze chwilę? — zapytał.

— Nie. Jeszcze nie teraz. — Rebeka rzuciła mu szybkie spojrzenie. — Później. Przy grobie.

— Chodźmy. — Byron zgrabnie ominął kilka osób, chcących z nią porozmawiać, i poprowadził ją z powrotem na prywatne zaplecze domu.

— Mogłam zostać — wymamrotała, gdy zamknął za nimi drzwi.

— Nikt w to nie wątpi — zapewnił ją. — Mamy parę minut, zanim pójdziemy na cmentarz, i pomyślałem, że przyda ci się chwila oddechu.

Poszła za Byronem do kuchni. Naczynia z jej śniadania wciąż stały na stole.

— Dziękuję. Wiem, że się powtarzam, ale naprawdę robisz dla mnie więcej, niż na to zasługuję. — Unikała patrzenia na niego, zmywając swój talerz i filiżankę.

— Nasza... przyjaźń wciąż jest dla mnie żywa — powiedział — nawet jeśli postanowiłaś nie oddzwaniać. I nigdy nie umrze. — Nie odpowiadała, więc podszedł i przejął filiżankę z jej ręki. — Beks? — Odwróciła się, a wtedy wziął ją w ramiona. — Nie jesteś sama. Masz mojego tatę i mnie — oświadczył. — Nie tylko dziś, ale zawsze, gdy będziemy potrzebni.

Rebeka przytuliła policzek do jego piersi i zamknęła na moment oczy. Jak łatwo mogłaby się poddać irracjonalnej potrzebie, aby trwać blisko Byrona! Przez całe życie nie spotkała nikogo innego, dla kogo chciałaby pozostać w jednym miejscu. Odkąd wyjechała z Claysville, przy nikim innym nie pozwalała sobie na zaangażowanie emocjonalne. *Tylko przy tobie* — pomyślała, odrywając się od niego. Nigdy się do tego nie przyznała. *Nie przed nim.* Nie należał do niej. *Nie naprawdę. Nigdy.*

Uśmiechnęła się i powiedziała:

— Pójdę się odświeżyć, zanim wyjdziemy.

Uciekając, czuła na sobie jego spojrzenie, lecz Byron nie powiedział ani słowa.

Kiedy wróciła z toalety, czekali na nią obaj z Williamem.

— Maylene nie chciała konduktu. Jesteśmy sami. Cała reszta poszła naprzód.

William wyciągnął rękę ze zmatowiałym srebrnym dzwonkiem, który Maylene nosiła ze sobą na cmentarz. Rebeka czuła się głupio na myśl, że nie chce go wziąć. Trudno zliczyć, ile razy widziała, jak William bez słowa podaje ten dzwonek Maylene. Powoli zacisnęła na nim dłoń, wkładając palec do środka, aby przytrzymać serce. Powinno dzwonić na cmentarzu, nie tutaj. Zwróciła się do Byrona. To on miał towarzyszyć jej do samochodu, którym zamierzali udać się na cmentarz, tak jak William towarzyszył kiedyś Maylene. Byron zabierze ją tam, gdzie będzie chciała. Jego obecność u boku Rebeki od jej powrotu była czymś naturalnym, właściwym — podobnie jak zaraz po przeprowadzce do Claysville lub wtedy, gdy umarła Ella, jak zawsze zresztą, kiedy się z nim widziała.

Nie mogę tu zostać. Nie mogę zostać z nim. I nie zostanę.

Zaciskając palce na dzwonku, Rebeka wsunęła się do eleganckiego, czarnego wnętrza samochodu. Sięgnęła do drzwi, skutecznie zagradzając Byronowi wejście.

— Proszę, wolałabym zostać sama.

W oczach mignęło mu poirytowanie, ale nie skomentował jej odmowy. Przybrał za to profesjonalną maskę.

— Spotkamy się na cmentarzu — powiedział, a potem zamknął drzwi auta i poszedł do karawanu, który już czekał.

Przebrnę przez to wszystko bez niego… i zaraz wyjadę.

Kiedy zabrakło Maylene, Claysville stało się dla Rebeki jednym z wielu miast. Nie było tu już jej domu. Wmówiła sobie, że jest w nim coś szczególnego, ale mieszkała już w tylu miejscach, że dobrze wiedziała — nie było między nimi żadnej różnicy. W Claysville obowiązywały dziwaczne zasady, ale to już nie miało znaczenia. Maylene odeszła i Rebeka nie widziała powodu, dla którego miałaby tu wracać. *Z wyjątkiem Byrona. I tego, że tu wciąż jest mój dom.* Rebeka patrzyła przez okno, jak karawan wyjeżdża na ulicę. Jej kierowca podążył za Williamem, wiozącym Maylene na miejsce ostatecznego spoczynku.

Kiedy szofer obszedł limuzynę i otworzył Rebece drzwi, dało się słyszeć przesadne zawodzenie. *Cissy już tu jest.*

Dzwoniąc po drodze dzwonkiem, Rebeka przeszła przez trawnik do krzeseł ustawionych pod markizą. Przypomniała sobie, że Maylene oczekiwałaby od niej nienagannego zachowania. Przygotowała wszystko, zapewne w nadziei, że uwalniając ich od stresu, uczyni ten trudny moment bardziej znośnym, ale nawet najstaranniejsze przygotowania nie mogły zaradzić przykrości, jaką miała zgotować im Cissy. Córka Maylene była zadziorna, nawet w najbardziej sprzyjających okolicznościach. Jej złośliwy stosunek do Rebeki wzbudzał w Maylene irytację, ale nikt nie potrafił wyjaśnić dziewczynie, dlaczego Cissy tak bardzo jej nienawidzi. „W końcu zmieni zdanie" — mówiła Maylene. Jak dotąd, tak się nie stało. *De facto*, niechęć Cissy doszła do takiego stopnia, że Rebeka od lat nie zamieniła z nią słowa. Nieobecność tej kobiety pod koniec czuwania stanowiła dla Rebeki cudowne wytchnienie, ale ze strony Cissy nie była to uprzejmość, a raczej wybieg, aby dotrzeć szybciej na cmentarz.

Zbliżając się do grobu, Rebeka potrząsała dzwonkiem z większą siłą. Cissy wydzierała się jeszcze głośniej.

Tylko godzinę. Potrafię ją znosić przez godzinę. Rebeka nie mogła jej stąd wyrzucić, choć bardzo tego pragnęła, więc przeszła do przodu i zajęła swoje miejsce.

Potrafię być uprzejma.

Postanowienie to osłabło nieco, gdy Cissy zbliżyła się do zamkniętej już trumny i chwyciła za wieko. Położone na nim lilie i róże zachwiały się pod ręką, której krótkie paznokcie przebiegły po drewnie niczym owady umykające przed światłem.

— Mamo, nie odchodź! — Cissy zacisnęła palce wokół uchwytu z boku trumny, tak by nikt nie był w stanie jej odciągnąć.

Rebeka ustawiła równo skrzyżowane wcześniej nogi.

Cissy wydała z siebie kolejny skowyt. Ta kobieta nie potrafiła przejść obok trumny, żeby nie zawodzić jak zmokły kot. Jej córki, Liz i Teresa, stały bezużytecznie z boku. Bliźniaczki, zbliżające się do trzydziestki, a więc niewiele starsze od Rebeki, również dotarły na cmentarz wcześniej, ale nie próbowały uspokajać matki. Tak jak Rebeka, dobrze wiedziały, że Cissy odgrywa przedstawienie.

Liz szepnęła coś do Teresy, która tylko wzruszyła ramionami. Nikt od nich nie oczekiwał, że powstrzymają matkę przed robieniem z siebie widowiska. Są osoby, których nie da się do niczego przekonać, a Cecilia Brown była właśnie jedną z nich.

Stanąwszy przy trumnie, ksiądz Ness otoczył Cissy ramieniem. Strząsnęła je, mówiąc:

— Ja jej nie zostawię. Nie zmusisz mnie.

Rebeka przymknęła oczy. Musiała tam zostać, aby wypowiedzieć właściwe słowa i dopełnić zwyczaju. Nagły impuls, żeby to zrobić, przysłonił jej wszystko inne. Nawet gdyby Maylene, przygotowując Rebekę na ten dzień, nie kazała jej przez te wszystkie lata przysięgać, że tradycji stanie się zadość, i tak czułaby teraz ten przymus, odwracający jej uwagę jak uporczywy ból. Zwyczaje, które poznała u boku babci, stanowiły tak integralną część pogrzebu, jak sama trumna. Przy każdym zmarłym, którego odprowadzały razem, piły z Maylene po trzy łyki — nie mniej i nie więcej — z flaszeczki w róże. Za każdym razem Maylene szeptała słowa nad zwłokami. Za każdym też razem odmawiała odpowiedzi na zadawane przez Rebekę pytania.

A teraz było już na nie za późno.

Wrzaski Cissy zagłuszyły pastora, usiłującego przemówić. Wielebny McLendon miał zbyt słaby głos, żeby ją przekrzyczeć. Oprócz pastora Cissy próbował pocieszyć też ksiądz, ale żadnemu z nich jakoś to nie szło.

— Pieprzyć to! — mruknęła Rebeka.

Wstała i podeszła do Cissy, zatrzymując się na skraju dołu, w którym miała spocząć trumna Maylene. Ksiądz wyglądał na równie podenerwowanego, jak ona. Napatrzył się dość często na przedstawienia Cissy, by wiedzieć, że nic nie da się zrobić, dopóki ktoś nie weźmie jej w ryzy. Zazwyczaj Maylene zajmowała się i tym, ale Maylene już nie było.

Rebeka objęła Cissy w uścisku i zbliżając wargi do jej ucha, wyszeptała:

— Zamknij się i posadź swoje dupsko. Natychmiast! — Potem puściła Cissy, podała jej zgięte ramię i dodała już normalnym głosem: — Pozwól, że zaprowadzę cię na miejsce.

— Nie! — Cissy spiorunowała ją wzrokiem.

Rebeka nachyliła się do niej ponownie.

— Łap mnie za łokieć i chodź usiąść bez gadania, jeśli nie chcesz, żebym zablokowała spadek po Maylene tak długo, aż twoje córki poumierają jako stare jędze, podobne do ciebie.

Cissy przytknęła chusteczkę do ust. Policzki jej poczerwieniały, kiedy rozglądała się naokoło. Większość zebranych mogła sądzić, że to z zażenowania, ale Rebeka nie miała złudzeń — szturchnęła właśnie grzechotnika. *I wkrótce przyjdzie mi za to zapłacić*. Tymczasem jednak Cissy dała się poprowadzić na miejsce. Przez twarz Liz przemknął wyraz ulgi, ale żadna z bliźniaczek nie popatrzyła wprost na Rebekę. Teresa wzięła Cissy za rękę, a Liz objęła matkę przez plecy. Miały już ustalone role w melodramatycznych wystąpieniach Cecilii.

Rebeka wróciła na swoje krzesło i pochyliła głowę. Po drugiej stronie rzędu Cissy zachowywała milczenie, więc poza modlitwą pastora i księdza słychać było tylko płacz żałobników i krakanie wron. Rebeka trwała w bezruchu również wtedy, gdy ksiądz Ness przestał mówić i kiedy składano trumnę do grobu, aż wreszcie poczuła delikatny dotyk na nadgarstku i usłyszała:

— Chodź, Rebeko.

Amity, jedna z niewielu osób z Claysville, z którymi Rebeka utrzymywała jako-taki kontakt, uśmiechnęła się współczująco. Ludzie wstawali i odchodzili. Twarze znajomych i tych, których Rebeka wcześniej widziała tylko przelotnie, zwracały się ku niej z wyrazem współczucia, wsparcia i pewnej niepojętej zupełnie dla Rebeki nadziei. Gapiła się na nich, nie rozumiejąc.

— Chodźmy stąd — powtórzyła Amity.

— Muszę tu zostać. — Rebeka zwilżyła językiem wyschnięte naraz wargi. — Muszę tu zostać sama.

Amity uścisnęła ją.

— Do zobaczenia w domu twojej babci.

Rebeka skinęła głową, a Amity dołączyła do rozchodzącego się tłumu. Krewni i prawie nieznajomi, przyjaciele i inni przechodzili obok, ciskając kwiaty i glinę w ziejącą w ziemi dziurę. Lilie i róże zasypały trumnę Maylene.

— Tyle piękna się marnuje — szepnęła Maylene, gdy ludzie rzucali kwiaty na kolejną trumnę. — Tak jakby trupom potrzebne były kwiatki. — Odwróciła się do Rebeki i spytała, patrząc z powagą: — Czego potrzebują umarli?

— Modlitwy, herbaty i odrobiny whisky — odpowiedziała siedemnastoletnia Rebeka. — Potrzebują strawy.

— Wspomnień. Miłości. Wolności — uzupełniła Maylene.

Rebeka powstrzymała gestem księdza Nessa i pastora McLendona, którzy chcieli przystanąć, by ją pocieszać. Przyzwyczajeni byli do dziwactw Maylene i do tego, że Rebeka towarzyszyła jej, gdy zostawała sam na sam ze zmarłymi. Dlatego i teraz dali Rebece spokój.

Kiedy wszyscy odeszli, trumnę przykryto i Rebeka została sama z Maylene na cmentarzu, otworzyła kopertówkę i wyjęła z niej pokrytą różanym wzorem buteleczkę. Podeszła do grobu i uklękła na ziemi.

— Noszę ją przy sobie, odkąd nadeszła pocztą — powiedziała do Maylene. — Zrobiłam to, co mi przykazałaś w liście.

Mieszanie wody święconej z dobrą whisky wydawało jej się niestosowne, a jednak starannie wypełniła polecenie. W spiżarni Maylene zawsze było pełno butelek wody święconej. *Woda święcona i niebiańska whisky.* Otworzyła piersiówkę, upiła łyczek a potem przechyliła ją nad grobem. Łzy ciekły jej po twarzy, kiedy mówiła:

— Wszyscy ją tu kochali. — Przełknęła drugi łyk i wzniosła flaszeczkę ku niebu, spełniając toast: — Od moich warg do twoich uszu, stary draniu. — Następnie przechyliła ją nad grobem po raz drugi. — Śpij dobrze, Maylene. I zostań, gdzie cię położyłam, zrozumiano? — Rebeka pociągnęła trzeci łyk, a potem po raz trzeci wylała na ziemię zawartość butelki. — Będę za tobą tęsknić.

I wtedy dopiero zapłakała.

13

Daisha schodziła ludziom z oczu podczas pogrzebu. Ukradła czarną bluzę z kapturem i dżinsy — *no i trochę jedzenia* — kobiecie, która tego ranka wynosiła z domu śmieci. Gdy Daisha skończyła jeść, kobieta nie wstała, choć jej serce wciąż biło. *I ciągle miała na sobie większość skóry.* Żołądek Daishy nie powinien reagować na myśl o skórze i krwi, a jednak zaburczało jej w brzuchu. Już po wszystkim wspomnienie było dość obrzydliwe, ale w trakcie... jak najbardziej w porządku.

I myśli Daishy się rozjaśniły. To było ważne. Im dłuższe miała przerwy między posiłkami, tym bardziej się dekoncentrowała. *I dematerializowała.* Czuła się, jakby ciągnięto ją i popychano naraz we wszystkich kierunkach. Wcześniej już rozpadała się, rozwiewała jak dym na wietrze.

Tego ranka stała na cmentarzu, patrząc, jak grzebią Maylene w ziemi. Pogrzeb po zabójstwie wydawał się czymś ostatecznym, trwałym, ale oczywiście takim nie był. Daisha skryła się za drzewem. Musiała tu przyjść. Na dźwięk dzwonka jej ciało samo poszło jak po sznurku, identycznie jak wtedy, gdy spotkała tutaj Maylene. Bezradna wobec tych dziwnych ciągot, niezdolna by skupić się na myślach i wspomnieniach, szarpana głodem dziewczyna poczuła, że nic nie jest w porządku. Daisha chciała wyjaśnień, pragnęła towarzystwa, chciała, żeby ktoś to wyprostował. Rozumiała ją tylko Maylene, lecz właśnie umarła.

Być może Maylene też się obudzi.

Daisha zaczekała, ale nikt nie wstał z grobu. Nikt do niej nie podszedł. Była teraz równie samotna jak wtedy, gdy żyła naprawdę. Nie pamiętała chwili, w której wyszła spod ziemi. W ogóle nie wiedziała, kiedy się ocknęła. Była jednak przebudzona i to się liczyło.

Oparła głowę o drzewo.

Wrzeszcząca kobieta dalej się awanturowała, a Grabarz patrzył na nią gniewnie. Przeczesywał wzrokiem cmentarz i zebrane tu osoby. Od czasu do czasu zawieszał spojrzenie na kobiecie, która zatrzymała się w domu Maylene.

Teraz ona jaśniała blaskiem, podobnie jak przedtem Maylene. Skóra Maylene zdawała się wypełniona światłem księżyca, magnesem, który przyciągnął Daishę, zanim jeszcze ją ujrzała. Daisha wiedziała tylko tyle, że gdzieś jest światło, za którym należy pójść. Kiedy ta nowa kobieta przechyliła flaszeczkę nad ziemią, zaczęła jaśnieć, aż całe jej ciało napełniło się blaskiem.

Reszta żałobników poszła sobie, ale nawet gdyby zostali, Daisha nie mogła ot tak podejść i zadać im pytania. Teraz była tu tylko szlochająca kobieta i czekający na nią Grabarz.

Daisha zaczęła się trząść, a jej koncentracja gdzieś ulatniać. Sama zaczęła się ulatniać, więc uciekła, zanim jej ciało ponownie się rozmyło.

14

Idąc do samochodu, Liz podtrzymywała matkę, nie tyle opiekuńczym gestem, ile dając jej sygnał: „proszę, nie rób kolejnej sceny". Cissy tolerowała jej wsparcie tak długo, jak ludzie patrzyli, ale gdy tylko dotarły do samochodu, strząsnęła ramię córki.

Liz stłumiła ulgę, podszytą poczuciem winy. Nie dało się godnie przeżywać pogrzebów, skoro każdy przypominał Liz i jej siostrze, czym nie były.

Ani wystarczająco dobre.

Ani wybrane.

Ani Opiekunkami Grobów.

Tak naprawdę Liz wcale nie chciała być Opiekunką Grobów. Wiedziała o wszystkim: o umowie i obowiązkach, lecz wiedza ta nie wystarczała, by chcieć zostać Opiekunką Grobów. Matka i siostra najwyraźniej czuły się poniżone, ale kariera polegająca na użeraniu się ze zmarłymi wcale się Liz nie uśmiechała. *Wcale a wcale*. Mówiła jak one, gdyż alternatywą było spotkanie z grzbietem matczynej dłoni, ale pragnęła tego samego, o czym marzyła większość kobiet w Claysville: poznać dobrego mężczyznę, który zgodzi się stanąć w kolejce do rodzicielstwa raczej wcześniej niż później.

Choć taki Byron byłby niezły w łóżku.

Zerknęła na niego raz jeszcze. Był zakochany w Rebece, ale to normalne w tym całym interesie Grabarza z Opiekunką Grobów. Jej babcia i ojciec Byrona mieli się ku sobie, odkąd pamiętała. *Podobne z podobnym*. Liz pokręciła głową. Mimo wszystko była przecież wnuczką Maylene i powinna się wstydzić takich lekceważących myśli, gdy babcia jeszcze na dobre nie ostygła w grobie. *Oraz lubieżnych myśli na pogrzebie.* Znowu zerknęła na Byrona.

— Spójrz na niego — mruknęła Teresa. — Nie może oderwać od niej oczu. Cóż, ja bym nie miała problemu z opieraniem się jego podchodom, gdybym była... no, wiesz.

Liz skinęła głową, ale po cichu pomyślała, że wcale by nie chciała opierać się Byronowi.

— Nie każda Opiekunka Grobów poślubia swojego Grabarza. Babcia Maylene tego nie zrobiła. Wcale byś nie musiała... być z nim.

Teresa prychnęła:

— No i dobrze. Nie wiem, czy chciałabym faceta, który posuwał obydwie nasze kuzynki.

— Ta tutaj nie jest waszą kuzynką. — Cissy delikatnie osuszała oczy. — Wasz wujek ożenił się z tamtą kobietą, ale to nie znaczy, że jej bachor został waszą krewną. Rebeka nie należy do rodziny.

— A babcia Maylene myślała...

— I była w błędzie. — Cissy uniosła obszytą koronką chusteczkę, tak by zakryć brzydki grymas, który wykrzywił jej usta.

Liz stłumiła westchnienie. Ich matka, niezależnie od swoich atutów, hołdowała przestarzałemu pojmowaniu rodziny. *Więzy krwi nade wszystko.* Cissy gorszył fakt, że Jimmy ożenił się z kobietą, która miała już dziecko, a z całą pewnością była zgorszona tym, że Rebeka wciąż przyjeżdżała tu przez kilka lat po ich rozwodzie. Rebeka przyjechała do Claysville w pierwszej klasie liceum, a wyjechała tuż przed skończeniem szkoły. Wciąż jednak wracała do miasta po tym, jak Julia zostawiła Jimmy'ego, a nawet po jego śmierci. Czy się to komuś podobało, czy nie, Rebeka była w równym stopniu wnuczką Maylene, jak bliźniaczki. I w tym właśnie tkwił problem.

Więzy krwi są istotne, szczególnie dla kogoś o nazwisku Barrow.

Liz przypuszczała, że niestety jej własna krew czyni z niej następną prawdopodobną kandydatkę do roli, której pragnęły zarówno Teresa, jak i matka. Ona sama była rozdarta między pragnieniem, by zadowolić Cissy, a własną wolnością. Oczywiście nie była tak głupia, żeby się do tego przyznać. Nie była też tak głupia, żeby nazywać Rebekę rodziną ani żeby wyrazić chęć bliższego poznania Byrona Montgomery'ego.

Z zaciętym wyrazem twarzy, Cissy ruszyła przez cmentarz.

— Znowu ma swoje humorki — rzuciła pod nosem Teresa.

— Nasza babcia, a jej matka, dopiero co umarła. — Liz nie była pewna, czy lepiej się angażować, czy też trzymać od tego z daleka. Lata praktyki w roli domowego rozjemcy sprawiały, że chciała pójść za matką, lecz równie długie unikanie matczynego jadu podpowiadało, że mądrzej będzie pozwolić, by ktoś inny został jej ofiarą.

— Ona nie płacze, Liz. Ona szuka zaczepki.

— Idziemy za nią?

Teresa przewróciła oczami.

— Cholera, nie chcę wchodzić jej pod rękę. Wiesz, że będzie jazda, kiedy Rebeka odkryje, że jest Opiekunką Grobów. Każde posiedzenie rady skończy się histerią. Proszę bardzo, idź za nią, jeśli chcesz. Ja tu poczekam. — Teresa oparła się o samochód. — Jeszcze zdążymy nasłuchać się jej wymysłów po śniadaniu.

— A może…

— Nie. Jak chcesz biec za nią, nie zatrzymuję cię, ale zaraz dojdzie do konfrontacji z jednym i drugim. A babci Maylene już nie ma, żeby ją uspokoić. Sądzisz, że ty dałabyś radę? — Teresa pokręciła głową. — Nie chcę jej złościć. Ty chyba też nie. Niech już tam oni się nią zajmą.

Byron tak się skupił na obserwowaniu Rebeki, że założył, iż wszyscy już opuścili cmentarz. Zmełł w ustach przekleństwo na widok Cissy wędrującej z powrotem w jego stronę. Za nią, obok samochodu, stały bliźniaczki i wyglądały jakby się kłóciły. Liza zamachała rękami i poszła za matką. Teresa oparła się o auto i patrzyła.

Cissy miała zacięty wyraz twarzy i Byron nastawił się na atak furii. Ona jednak minęła go jak powietrze, kierując się w stronę Rebeki.

— Cecilia! — Chwycił ją za ramię. — Daj jej chwilę.

Cissy otworzyła szeroko oczy i oblizała wargi.

— Powinna się dowiedzieć. Trzeba, żeby ktoś jej powiedział o... o tym, co się stało, a że ja jestem rodziną Maylene...

— Nie przejmuj się tym — przerwał jej. Otoczył Cissy ramieniem i poprowadził ją z powrotem w kierunku auta. — Masz wystarczająco dużo na głowie. Niech dziewczyny zabiorą cię do domu, a ja odwiozę Rebekę. — Byron popatrzył na córki Cissy. Teresa wciąż ich obserwowała, stojąc przy samochodzie, a Liz przestępowała z nogi na nogę za matką. — Elizabeth, proszę, odprowadź mamę do auta.

Cissy rzuciła mu zagniewane spojrzenie.

— Naprawdę powinnam porozmawiać z Becky. Musi wiedzieć, co się stało, a wątpię, żebyś jej powiedział. A może się mylę?

— Powiedział... — Byron pokręcił głową na nieprzyjemną myśl, że z wszystkich mieszkańców Claysville akurat Cissy musi być drugą, poza nim, osobą, która uważa, że powinno się poddać dyskusji okoliczności, w jakich zginęła Maylene. — To nie jest właściwy czas ani miejsce.

— Mamo... — zaczęła Liz.

Cissy zeszła na bok, aby zajść Byrona od drugiej strony.

— Uważam, że Becky powinna się dowiedzieć, co zaszło.

Na te słowa Liz podniosła ręce w geście kapitulacji. Była tą rozsądniejszą bliźniaczką i miała na tyle oleju w głowie, by nie chcieć paść ofiarą matczynej złości.

— Powiedziałem: nie. Nie tutaj i nie teraz. — Byron chwycił Cissy za łokieć i zaczął ją kierować w stronę samochodu.

Cissy spojrzała ze złością na córki, z których jedna tkwiła nieruchomo przy samochodzie, a druga przy niej — i poddała się:

— Świetnie. W takim razie zobaczę się z nią w domu. — Oswobodziła ramię z uścisku Byrona. — Nie dasz rady ukrywać jej przede mną, chłoptasiu.

Byron zdawał sobie sprawę, że odpowiadając na to, nie osiągnie zamierzonego efektu, więc zmusił się do grzecznego uśmiechu i zachował milczenie.

Liz rzuciła mu spojrzenie pełne ulgi i powiedziała bezgłośnie:

— Dziękuję.

Byron odwrócił się do nich plecami i pomaszerował do grobu, przy którym czekał, zanim nadeszła Cissy. Próbował nie gapić się na Rebekę, ale nie mógł też zostawić jej tu samej. Żałował, że musi powiedzieć jej, w jaki sposób zginęła Maylene, z drugiej strony nie chciał, żeby ktoś inny poinformował ją o tym mimochodem lub złośliwie.

Po lewej stronie zamajaczyło coś czarnego, lecz kiedy się odwrócił, nikogo ani niczego nie było. Oparł się zatem o drzewo przy grobie i czekał. Nigdy wcześniej nie przyszło mu do głowy, że sprawy związane ze śmiercią w Claysville są dziwne. Po przeprowadzce do Chicago stwierdził ze zdumieniem, że nie ma tam instytucji ostatniego żałobnika. Pomyślał, że może to cecha mniejszych miast, lecz półtora roku później, gdy zdążył już pomieszkać w Brookside i Springfield, zorientował się, że nie chodzi o wielkość miasta. Claysville po prostu było wyjątkowe w kwestii podejścia do zmarłych. W kolejnych podróżach skupiał się na tym temacie, aż na kilka miesięcy został kimś w rodzaju turysty pogrzebowego. Nigdzie, stwierdził, nie robili tego, co w Claysville. Tutaj w ceremonii przy grobie uczestniczyli zwykle przedstawiciele kilku religii. Tutaj z wielką starannością dbało się o cmentarze: kosiło, przycinało i dosiewało trawę. Tutaj w kondukcie żałobnym szła kobieta z dzwonkiem.

W dzieciństwie sądził, że Maylene pracuje dla firmy „Montgomery i Syn". Jako nastolatek myślał po prostu, że babcia jego dziewczyny jest nieco dziwna. Miała jakieś swoje zwyczaje związane z ostatnim pożegnaniem, a ludzie w mieście przywykli do tego, że właśnie ona żegna jako ostatnia absolutnie wszystkich zmarłych w Claysville. Teraz Byron nie był pewien, co o tym sądzić, zwłaszcza że Rebeka zaczynała niejako wchodzić w rolę ostatniej kobiety o nazwisku Barrow.

O czym nie wiem?

Podniósłszy się z klęczek, Rebeka zebrała się w sobie i odwróciła w stronę wyjścia. Wtedy dopiero zauważyła Byrona, który wyszedł z cienia drzewa i zbliżał się do niej.

— Myślałam, że wszyscy już poszli, dopóki nie usłyszałam... — machnęła ręką w kierunku wzgórza — ... że jest jakieś zamieszanie.

Byron potarł twarz dłonią.

— Cissy była tu z bliźniaczkami, no i...

— Dziękuję. — Rebeka zarumieniła się. — Wątpię, żeby jakakolwiek rozmowa między nami dobrze się skończyła. Nie wykazałam się nadmiarem cierpliwości w stosunku do niej.

Byron zawahał się.

— Chciała ci powiedzieć... Chciała, żebyś to od niej...

— Usłyszała o tym, co ukrywasz. — Podniosła głowę i spojrzała na niego znacząco. — Nie wspomniałeś słowem o chorobie Maylene. Wiem, że to przyszło nagle. Nie chciałeś mi powiedzieć ani wczoraj, ani dziś rano. William też milczał na ten temat, tak samo jak ludzie obecni na czuwaniu. No więc, co przede mną ukrywasz?

Odkąd się to stało, próbował wymyślić sposób, w jaki najlepiej przekazać wiadomość Rebece. Nie dało się jednak powiedzieć tego delikatnie.

— Maylene została zamordowana.

Rebeka myślała, że jest przygotowana na każde słowa Byrona i że już nic nie może jej bardziej zaboleć. Była w błędzie. Kolana ugięły się pod nią i, gdyby nie Byron, upadłaby na ziemię.

Objął ją w pasie i podtrzymał.

— Tak mi przykro, Beks.

— Zamordowana? — powtórzyła.

Pokiwał głową.

— Niestety.

— Ale... Właśnie ją pochowaliśmy! — Wysunęła się spod jego ramienia i machnęła ręką za siebie, wskazując miejsce spoczynku Maylene. — A co z sekcją zwłok? Nie można jej zrobić, gdy ona tam... leży. Powiedz mi, co...

— Nie jestem w stanie powiedzieć ci niczego. — Byron przeczesał włosy w znajomym geście wyrażającym frustrację. — Próbowałem wydobyć coś od Chrisa, ale nie ma żadnych odpowiedzi.

— I mówisz mi o tym dopiero po pogrzebie?

— Upłynęło czterdzieści osiem godzin, Beks. Gdybyśmy jej nie pochowali... — Spojrzał na świeżo skopaną ziemię za plecami Rebeki. — ... trzeba byłoby ją zabalsamować. Myślisz, że wyraziliby zgodę? Przecież w Claysville to nielegalne.

Rebeka wytarła w spódnicę ręce ubrudzone ziemią z cmentarza.

— Dobrze wiesz, że to też jest popieprzone. Nigdzie indziej nie obowiązują tak dziwaczne prawa pogrzebowe. Mam wrażenie, że poza Claysville w ogóle nie ma czegoś takiego jak prawa pogrzebowe.

— Ależ są, tylko po prostu inne. — Zacisnął wargi, co, jak zapamiętała, świadczyło o tłumionej złości. — Tutaj zmywa się miejsce zbrodni octem i bielinką. Tutaj usuwa się ciało i przywraca domowi wygląd nietkniętego.

— Domowi? — Poczuła, że się chwieje. — Została zabita w domu?

Znowu podtrzymał ją za łokieć.

— Niespecjalnie udało mi się „przekazać ci to delikatnie", prawda?

Rebeka usiadła na trawie.

— Jak mogli mi o tym nie powiedzieć? Jak ty mogłeś?

Byron usiadł przy niej. Bez złośliwości, ale z nieznacznym przekąsem, spytał:

— A kiedy niby miałem to zrobić? Przy taśmociągu z bagażem, wtedy, gdy byłaś zmęczona podróżą i nadawałaś się tylko do spania czy teraz, podczas ceremonii?

— Nie. — Rebeka skubała trawę. — Po prostu... Dlaczego nikt mi niczego nie mówi? Rozumiem, że chcieliście być delikatni. Naprawdę. W innych okolicznościach nawet byłabym wdzięczna, ale kiedy ktoś został za-mor-do-wa-ny, powinnam chyba o tym wiedzieć? Ktoś powinien był zadzwonić, czy coś?

— Nie wiem. — Nabrał powietrza i opowiedział jej, jak poszedł do domu Maylenė w nadziei, że znajdzie jakiś trop, wskazówkę, cokolwiek — na próżno. A potem dodał: — Przez nasze prawo wszystko dzieje się zbyt szybko, a ja jestem tylko przedsiębiorcą pogrzebowym, nie detektywem.

— Jasne. — Wytarła dłonie w sukienkę. — To, że już wiem, przecież mi jej nie wróci. Teraz muszę jakoś przeżyć dzisiejszy dzień, a przynajmniej to nieszczęsne śniadanie.

Byron wstał i pomógł wstać Rebece. Wciąż trzymając jej dłoń w swojej, spojrzał wprost na dziewczynę i oświadczył:

— Wystarczy słowo. Jestem tu, choć próbowałaś mnie odsunąć tak daleko, bym wypadł z kręgu przyjaciół. Obiecałem, że zawsze będę przy tobie i nic się nie zmieniło.

Rebeka znieruchomiała i popatrzyła na niego. Owszem. Gdy Ella umarła, przytulił ją i powiedział dokładnie to, co przed chwilą. Przez pierwsze tygodnie po śmierci Elli Byron był dla Rebeki liną ratunkową, a kiedy jej matka stwierdziła, że trzeba się wyprowadzić, na myśl o rozstaniu z Byronem serce Rebeki o mało nie pękło na pół.

— To było dawno temu — powiedziała nieco bez sensu.

Puścił jej dłoń.

— Takie rzeczy są bezterminowe, nie sądzisz?

Czegokolwiek bym nie pragnął.

— Ella też byłaby wdzięczna — wymamrotała, ruszając z miejsca.

Idąc obok, Byron pokręcił głową.

— Nie robię tego dla Elli. Jestem tu dla ciebie.

Przez moment Rebeka poczuła, jak ciężko było stracić jego przyjaźń. Tamtego dnia straciła ich oboje. Wtedy jeszcze o tym nie wiedziała, lecz utrata Elli prowadziła do utraty Byrona. Niedługo po śmierci Elli matka Rebeki porzuciła Jimmy'ego i obie się wyprowadziły. Od tej pory Julia z niezadowoleniem patrzyła na kontakty Rebeki z Byronem. Nigdy nie próbowała odciągnąć córki od Maylene, ale wystarczyło wspomnieć Claysville lub kogokolwiek z jego mieszkańców i konflikt był gotowy.

Jak gdyby nic z tego się nie zdarzyło.

Spojrzała na Byrona.

— Ależ jesteśmy przyjaciółmi. Wiem o tym. Może nie takimi jak dawniej, ale... Dużo się zmieniło.

— Owszem — przytaknął tym neutralnym tonem, jaki przybierał, gdy oboje podejrzewali, że Rebeka zaraz powie coś, co doprowadzi do kłótni.

Nie tym razem.

Cichutko przyznała:

— Czasami myślę o przeszłości... o nas wszystkich. Sądzę, że Maylene doskonale wiedziała, co robimy, za każdym razem, kiedy nam się zdawało, że jesteśmy tacy sprytni. I twoja mama też.

— Były dobrymi osobami, Beks. Tak właśnie zapamiętałem mamę. Gdyby mi ktoś kiedyś powiedział, że zatęsknię za jej surowością tak samo, jak za resztą... — Pokręcił głową, ale już się uśmiechał. — W ten sposób sobie radzę. Nie przestaję za nią tęsknić, lecz wspominam jej dobre i złe strony. Tak samo jak z Ellą. Nie była aniołem, za jakiego chciałabyś ją uważać.

Rebeka przystanęła.

— Wiem. Po prostu myślałam... Odgadłam, że właśnie w ten sposób o niej myślisz. Ale z nas para, co?

— Pamiętam jak się kłóciłyście i że za każdym razem, gdy zostawała sama w moim pokoju, podkradała mi papierosy i inne rzeczy ze schowka. A pamiętasz tę bójkę po drugiej klasie? Wcale się wtedy nie broniła. Byłem przy tym. Pierwsza zadała cios. —

Roześmiał się. — Nikt nie był tak wybuchowy, jak ona. Nie pozwoliła, żeby ktokolwiek był lepszy w piciu, paleniu i przeklinaniu niż Ella Mae Barrow. Kochałem ją, ale też dobrze wiedziałem, kim jest. Nie oparła się wyzwaniu, ale potrafiła zrezygnować z imprezy, żeby sadzić kwiatki z moją mamą. Przeklinała tak, że chyba się rumieniłem, i śpiewała sama dla siebie, ale w kościele ruszała tylko wargami, bo nie była pewna swojego głosu. Nie ma sensu stawiać ołtarzyków, szczególnie iluzji.

— Była taka pełna życia. — Rebeka spojrzała w bok, zatrzymując się wzrokiem na płytach nagrobnych Jimmy'ego i Elli. — Nie pojmuję, jak ktoś taki mógł świadomie wybrać śmierć.

— Ja też nie, ale wiem jedno — ani ona, ani Maylene, ani twój tata nie chcieliby, żebyś wspominała ich jako kogoś, kim nie byli. — Byron puścił ją przodem w kierunku ostatniej czekającej limuzyny. — Kochać kogoś oznacza przyznawać, że ma i dobre, i złe strony.

Otworzył przed nią tylne drzwi, a ona wśliznęła się do samochodu, nim zdążył dostrzec w jej oczach panikę z powodu znajomego tematu.

16

Daisha weszła do budynku, przekraczając próg z pewnością osoby, która wie, że jest bezpieczna. Nieczęsto się tak czuła. Po latach nerwowego podrygiwania na byle dźwięk, pewność jej nowego życia uderzała do głowy.

Znajdowała się w szatni, przedpokoju dla żałobników, którzy nie zdążyli się przygotować do czuwania. Nawet tutaj beżowa wykładzina i bujne zielone rośliny obliczone były na to, by tworzyć uspokajającą atmosferę.

Za drzwiami stał człowiek, którego szukała. Pan Montgomery wiedział, że jest inna, poznała to po ostrożności, z jaką jej się przyglądał. Nikt w mieście — poza Maylene — nie patrzył na nią w ten sposób.

— Nie powinnaś tu przychodzić — powiedział.

Jej ciało wiedziało, że musi tu przyjść, podobnie jak wiedziało, że musi odszukać Maylene. Szła przez wiele dni, nie mając pojęcia, dokąd zmierza ani dlaczego. Wiedziała tylko, że zdąża tam, gdzie otrzyma pomoc. Miejsce jej ciała było w Claysville.

— No ale przyszłam — odpowiedziała panu Montgomery'emu.

Weszła do sali pożegnań, gdzie czekał. Kiedyś żegnała tu pewnego wujka, który zginął w wypadku po nadużyciu alkoholu i kto wie, czego jeszcze. Pomieszczenie pachniało tak samo, jak wtedy — w powietrzu unosiła się woń kwiatów i czegoś słodszego. Myślała wtedy, że ten mdlący, przesłodzony odór to zapach śmierci. A potem umarła. Teraz już wiedziała, że śmierć pachnie niekiedy miedzią i liśćmi.

— Mogę ci pomóc. — Jego głos brzmiał pewnie i dodawał otuchy.

— Jak?

— Pomogę ci się dostać tam, gdzie powinnaś być — powiedział William. Gdyby nie lekkie drżenie rąk, Daisha pomyślałaby, że nie robi na nim wrażenia.

Pokręciła głową.

— Tamta kobieta, która próbowała...

— Zabiłaś Maylene.

— Chciała mnie nakarmić — szepnęła Daisha.

William podniósł głos:

— Więc ją zamordowałaś.

Zmarszczyła brwi. Nie tak miało to wyglądać. Nie spodziewała się, że będzie tak surowy. Maylene taka nie była.

— Co jeszcze mogłam zrobić? — Nie protestowała. Pytała. William jednak zdawał się tego nie dostrzegać. A Maylene owszem. Zrozumiała, zanim umarła.

Maylene zaproponowała Daishy whisky z wodą.

— Jestem za młoda na coś takiego.

Maylene uśmiechnęła się.

— Tamte zasady raczej cię już nie dotyczą.

— Dlaczego?

— Dobrze wiesz, dlaczego — powiedziała Maylene łagodnie, lecz stanowczo. — Wypij. To ci pomoże.

Daisha wzięła szklankę i wychyliła jej zawartość. Nie paliła jak typowa whisky, raczej spływała ciężko niczym jakiś syrop, po gardle aż do żołądka.

— Paskudztwo. — Rzuciła szklanką w ścianę.

Maylene nalała kolejną i wzniosła ją jak do toastu.

— Chyba mnie w końcu dostaniesz, stary draniu. — Opróżniła szklankę i spojrzała na Daishę. — Daj sobie pomóc.

— Przecież mi pomagasz.

— Potrzebuję twojego zaufania. Gdybym wiedziała, że... odeszłaś, zaopiekowałabym się twoim grobem. Wciąż jeszcze możemy to zrobić. Powiedz mi tylko, gdzie...

— Moim grobem. — Daisha cofnęła się. Prawda, która dotąd nie przybrała konkretnej formy, nagle ją uderzyła. Moim grobem. Spojrzała na swoje ręce. Paznokcie miała brudne. Ale przecież znikąd nie wypełzała. Być może nie pamiętała wszystkiego, ale tego akurat była pewna. — Nie byłam w grobie.

— Wiem. — Maylene nalewała kolejną porcję, przechylając nad szklanką obie butelki naraz. — Dlatego tak bardzo chce ci się pić. Umarli zawsze tak mają, jeśli nie zadba się o nich we właściwy sposób.

— Ale ja... — Daisha wlepiała w nią wzrok. — Ja nie jestem...

Maylene odkroiła grubą kromkę chleba, położyła ją na talerzu i polała miodem. Przesunęła talerz w stronę dziewczyny. Czubkami palców niemal dotykała rękojeści noża.

— Jedz.

— Ja nie... Jak mogę nie żyć, skoro jestem głodna? — Daisha jednak wyczuła prawdę w słowach Maylene. Ona wiedziała.

Kobieta wskazała głową talerz i szklankę.

— Jedz, dziecko.

— Nie chcę być martwa.

— Wiem.

— I nie chcę leżeć w grobie. — Daisha odsunęła się gwałtownie od stołu. Krzesło upadło tyłem na podłogę. Maylene nie reagowała.

— Ale tobie właśnie o to chodzi, nie? — Dziewczyna nagle zrozumiała. Wiedziała, dlaczego tu przyszła, wiedziała, dlaczego starsza pani daje jej whisky i chleb.

— Takie jest moje zadanie. — Maylene wstała. — Pilnuję, żeby umarli pozostawali na swoim miejscu, a jeśli się budzą, odsyłam ich z powrotem. Nie powinni byli cię zostawiać poza Claysville. Nie powinni byli cię…

— Zabijać. Nie należało mnie zabijać. — Daisha cała się trzęsła. W głowie jej huczało, jakby miała tam brzęczący głośno rój pszczół, i nie mogła pozbierać myśli. — Tego właśnie chcesz. Chcesz mnie zabić.

— Ty już nie żyjesz.

Zanim się spostrzegła, klęczała nad Maylene na twardej podłodze.

— Nie chcę być nieżywa.

— Ja też nie — uśmiechnęła się Maylene. Krew ciekła jej z nacięcia przy oku. — Ale ty, moje dziecko, już jesteś martwa.

— Dlaczego ty? Dlaczego przyszłam właśnie do ciebie? Nie mogłam się powstrzymać — wyszeptała Daisha.

— Jestem Opiekunką Grobów. To moje zadanie. Umarli przychodzą do mnie, a ja im pomagam.

— Odsyłasz nas z powrotem.

— Słowa, picie i jedzenie — mruknęła Maylene. — Dałam ci wszystkie trzy. Gdybyś została tu pochowana…

Daisha weszła powoli w głąb sali. Przez cały czas obserwowała Williama. Nie wyglądał groźnie, ale pewności mieć nie mogła.

— On nie wie, kim jestem... ten drugi Grabarz. Nie ma pojęcia o całej tej sprawie — domyśliła się.

Zrobiła krok naprzód. William się nie cofnął, ale napięcie jego ciała sugerowało, że chciałby. Oczy mu się zwęziły.

— Ich do tego nie mieszaj.

Daisha przeciągnęła ręką po oparciu krzesła stojącego obok.

— Nie mogę. I dobrze o tym wiesz. W pewnych sprawach nie mamy wyboru.

— Możemy to zakończyć, nim komuś stanie się krzywda. — William wyciągnął ręce po bokach, jakby chciał jej pokazać, że nie jest uzbrojony. — Nie chcesz przecież krzywdzić ludzi? A zrobisz to, jeśli nie pójdziesz teraz ze mną. Wiesz o tym dobrze.

— Nie jestem zła — szepnęła.

— Wierzę ci. — Wyciągnął do niej rękę i skinął przywołująco palcami. — Możesz zrobić co należy tu i teraz. Chodź tylko ze mną. Pójdziemy spotkać się z osobami, które mogą nam pomóc.

— Z nią? Z nową Opiekunką Grobów?

— Nie, nie z nią. Sami damy sobie radę, ty i ja. — Zrobił następny krok w przód z wciągniętą ręką. — Maylene dała ci jeść i pić, prawda?

Daisha odparła podejrzliwie:

— No. Ale nie dość. Jestem taka głodna.

— Chcesz, żebym ci coś przygotował? — Oddech Williama stał się nierówny. — Dałoby to coś?

Wcale nie chcąc, Daisha chwyciła go za rękę i przyciągnęła do siebie. Był bardzo blisko. Nie miała takiego zamiaru, a jednak się ruszyła. Potrząsała głową, a on zadrżał. *Zupełnie jak Maylene.* Daisha wbiła mu zęby w nadgarstek. Wydał z siebie dźwięk, skargę zranionego zwierzęcia.

Wyjął coś z kieszeni i próbował wbić to w jej ramię. *Igła.* Dał jej nadzieję, a teraz usiłował zrobić jej krzywdę. *Trucizna.* Odepchnęła go.

— To nie było miłe.

Przyciskał krwawiącą rękę do piersi. Czerwone kropelki spadły na podłogę, a jeszcze więcej wsiąkło mu w koszulę.

— Daj sobie pomóc — powiedział, sięgając po igłę, która wypadła mu z ręki. — Proszę, dziecko, pozwól, żebym ci pomógł.

Daisha nie mogła oderwać wzroku od jego nadgarstka z rozerwaną skórą.

— Ja to zrobiłam — wyszeptała.

— Możemy wszystko naprawić. — Podniósł igłę. Był blady i upadł na podłogę, tak że częściowo klęczał, a częściowo siedział przed dziewczyną. Wyraźnie cierpiał, a jednak spróbował złapać ją za przegub ręki. — Proszę. Mogę... ci pomóc.

— Nie. — Otarła usta grzbietem dłoni. Myśli stały się jaśniejsze. Wszystko nabierało sensu, kiedy nie była tak głodna. — Chyba nie chcę takiej pomocy, jak twoja.

Ułożył wygodniej krwawiące ramię i próbował wstać.

— Nie jest dobrze. Z tobą nie jest dobrze. Nie powinnaś tu być.

— Ale jestem. — Daisha popchnęła go na podłogę.

Wciąż była głodna, ale lęk przed nim był większy od głodu. *On nie rozumie*. Lęk oznaczał rozpad, a to jej się nie podobało. Nie chciała na to pozwolić. Nawet jeśli nie mogła decydować w sprawie swojej śmierci czy późniejszego przebudzenia, teraz mogła podjąć parę decyzji. Daisha opuściła po cichu salę i zamknęła za sobą drzwi. William nie poszedł za nią. Przemknęło jej przez myśl, czy nie zajrzeć do kobiety, która nuciła w biurze, ale pozostawanie dłużej w tym miejscu nie byłoby rozsądne. William pewnie nie miał na tyle siły, aby ją zatrzymać, ale miał rzeczy i ludzi, zdolnych wyrządzić jej krzywdę.

Daisha wymknęła się z budynku. Ktoś inny ją nakarmi, ktoś, kogo nie będzie się bała. Znajdzie tego kogoś, a potem zadecyduje, co dalej.

Rebeka była wdzięczna Byronowi za milczenie przez krótki odcinek, gdy jechali do domu Maylene. Gdzieś w głębi duszy buntowała się przeciwko łatwości, z jaką zawsze podejmowali temat w miejscu, w którym go porzucili. Początkowo Byron był jej tajemnicą i wyrzutem sumienia. *A Ella wiedziała*. Rebeka nie planowała niczego, gdyż kochała swoją przybraną siostrę. *Jedna noc. Jeden pocałunek. I tyle*. Nie powinna była, z miejsca o tym wiedziała, ale to zdarzyło się tylko raz. *Nie miało prawa się powtórzyć. Nie moglibyśmy*... Minęły lata, nim mogła rozmawiać z Byronem bez poczucia winy. A potem, pewnej nocy, zbyt wiele drinków i długo niezaspokajanego pragnienia pchnęło ją za linię, której przysięgła nie przekraczać. Po wszystkim Byron stał się dla niej jedynym nałogiem nie do pokonania, lecz za każdym razem, gdy wchodził do domu, myślała o swojej siostrze. *Ella wiedziała, co ja czuję i co on czuje, i umarła z tą wiedzą*.

Samochód się zatrzymał. Byron otworzył drzwi i wysiadł.

— Gotowa? — zapytał.

— Niespecjalnie.

Rebeka wzięła głęboki wdech i weszła za nim na werandę, a potem do środka domu babci. *Mojego domu*. Nie chciała wiedzieć, gdzie konkretnie umarła Maylene, ale sam fakt, że stało się to tu, sprawiał, iż ciężko było się nie zastanawiać. *Później*. Później zacznie zadawać pytania — Byronowi, szeryfowi McInneyowi, Williamowi.

Cissy siedziała w fotelu bujanym Maylene i, sądząc po jej minie, nie była przyjaźnie nastawiona. Posłała Rebece i Byronowi długie, gniewne spojrzenie, gdy weszli do pokoju.

— Ciociu Cissy — wymamrotała Rebeka.

— Becky. — Cissy trzymała filiżankę z herbatą w jednej ręce, a spodek w drugiej. Jadowitym tonem stwierdziła: — Zakładam, że ci powiedział.

Rebeka zamarła. To nie był czas ani miejsce.

— Proszę, nie...

— Moja matka została zabita tu, w swoim domu. W moim domu... O, tam. — Cissy zamknęła na sekundę oczy, a potem otwarła je, by spojrzeć wrogo na Rebekę. — Znaleźli ją tam, w kuchni. Czy o tym też ci powiedział?

— Cecilia! Proszę, nie teraz. — Daniel Greeley, jeden z członków rady, wszedł do pokoju. Rebeka widziała go kilka razy, kiedy odwiedzała Maylene, i teraz ucieszyła się z jego obecności. Stanął jak wartownik przed Cissy.

— Ach, a więc ja mogę o tym wiedzieć i moje córki także, ale ją należy chronić? — Cissy wstała tak gwałtownie, że bujak z trzaskiem uderzył o ścianę. Jej oczy ciskały błyskawice, gdy zwróciła się do Rebeki: — Ty nawet nie należysz do rodziny. Nie musisz tu być. Powiedz po prostu, że tego nie chcesz. Tyle wystarczy.

Ucichły wszelkie rozmowy. Ludzie zaczęli taktownie opuszczać pokój albo odwracać się tyłem, rzekomo nie słysząc ich konwersacji. Cissy mówiła jednak tak głośno, że nie dało się jej nie słyszeć.

— Mamo. — Liz podeszła bliżej. — Jesteś zdenerwowana i...

— Gdyby miała jakieś zasady, już by jej tu nie było. — Cissy spojrzała nienawistnie na Rebekę. — Oddałaby prawowitej rodzinie Maylene to, co jej się słusznie należy.

Przez chwilę Rebeka była tak zdumiona, że nie reagowała. Poczuła odrazę na myśl, że wrogość Cissy bierze się z tak małostkowej przyczyny jak pieniądze i rzeczy. Czy złość, jaką Cissy latami demonstrowała wobec Rebeki i jej matki, wynikała z chciwości?

— Wynoś się — powiedziała Rebeka cicho. — Natychmiast.

— Proszę?

— Wynoś się. — Rebeka zostawiła Byrona i podeszła do Cissy, choć nie za blisko. Trzymała ramiona przy sobie, żeby nie złapać tej kobiety za frak i nie wyrzucić jej za drzwi. — Nie zamierzam stać tutaj w domu Maylene i patrzeć, co wyprawiasz. Rozumiem, że jesteś zła o to, co było na pogrzebie, ale coś ci powiem. Widziałam, jak Maylene robi dokładnie to samo, kiedy zaczynałaś się wydzierać, tyle że teraz już nie może ci zabronić robić z siebie widowiska.

Obie bliźniaczki stały teraz przy matce. Teresa wzięła ją za rękę gestem, który równie dobrze mógł oznaczać wsparcie, jak i zakaz. Liz znieruchomiała z ramionami skrzyżowanymi na piersi. Siostry milczały, podobnie jak reszta obecnych w pokoju.

Rebeka ani drgnęła.

— Nigdy nie chciałam, żebyś mnie nienawidziła, i Bóg mi świadkiem, że próbowałam traktować cię grzecznie, ale teraz mam to gdzieś. Jedyne, co mnie w tej chwili obchodzi, to twój brak szacunku dla Maylene w jej własnym domu. Wybieraj: albo będziesz się zachowywać przyzwoicie, albo stąd wyjdziesz.

Cissy wyrwała się Teresie i podeszła do Rebeki. Powiedziała już ciszej:

— Dam ci raz na zawsze spokój, jeśli zrzekniesz się prawa do spadku po mojej matce. Po prostu się wycofaj, Becky.

Rebeka zmarszczyła brwi. *Zrzec się prawa do spadku?*

— Cissy? — Szeryf podszedł do nich. — Co powiesz na łyk świeżego powietrza?

Rebeka nie czekała, aż Cissy z nim wyjdzie. Odwróciła się i weszła do kuchni. Pełno tam było ludzi, znajomych i nie. Niezbyt często przyjeżdżała do domu, a od czasu, gdy tu mieszkała, upłynęło wiele lat. Przy każdej wizycie Maylene chciała jednak, by Rebeka wszędzie jej towarzyszyła. Tym sposobem poznała całkiem sporo mieszkańców Claysville, choć tak naprawdę mieszkała tu bardzo niedługo.

— Drogie panie. — Byron przyszedł za nią do kuchni. — Czy możemy was na chwilę przeprosić?

— No więc, poszło nawet nieźle. — Zanim popatrzyła na Byrona, Rebeka zmusiła się do przybrania miny w stylu „jeszcze się trzymam". Wiedziała, że i tak ją przejrzy, ale chciała udawać, że nie ulega tradycyjnej słabości, przez którą zawsze opuszczała przed nim gardę.

Byron prychnął.

— Czekała na to.

— Zapytałabym dlaczego, ale nie sądzę, żebyś wiedział coś więcej ode mnie. — Rebeka patrzyła na podłogę w kuchni. — Nie ma chodnika. Babcia zginęła właśnie tu i dlatego musieli usunąć chodnik, prawda?

— Nie rób sobie tego, nie teraz. — Byron otoczył ją ramionami.

— To znaczy „tak". — Rebeka poddała się jego objęciom. — Nie rozumiem, dlaczego Cissy chce mnie zranić. Nie chcę wiedzieć, że Maylene... — Na moment przymknęła oczy. — Po prostu nie chcę, żeby nie żyła.

— Tego nie potrafię zmienić. — Przytulał ją przez kilka chwil, a kiedy poczuł, że się nieco rozluźniła, zapytał: — Chcesz, żebym skopał Cissy tyłek?

Rebeka zaśmiała się odrobinę, ale jej śmiech nie do końca stłumił szloch.

Stali tak nadal, gdy parę minut później do kuchni weszła Evelyn. Była od nich starsza zaledwie o kilka lat, lecz zawsze miała w sobie coś macierzyńskiego. Kiedy Byron zleciał ze swojego pierwszego motoru podczas wyścigów wokół zbiornika, to właśnie Evelyn stała nad nim, aż Chris wydusił z niego obietnicę, że pójdzie do lekarza, a z Elli i Rebeki, że co trzy kwadranse będą go budzić telefonem, aby upewnić się, że nie ma wstrząśnienia mózgu. Jako żona szeryfa i matka czworga dzieci, Evelyn tym bardziej sprawdzała się w roli opiekunki.

— Cissy i jej córki przyznały, że najlepiej będzie, jeśli pójdzie odpocząć do domu — powiedziała.

Rebeka zwróciła się ku niej ze łzawym uśmiechem.

— Dziękuję.

Evelyn machnęła ręką.

— To nie ja, słonko. Christopher ma dobrą rękę do trudnych kobiet. — Ściszyła głos: — Musiał się wprawiać na siostrach. W jego rodzinie wszystkie babki są nerwowe.

— W takim razie jemu też proszę podziękować. — Rebeka roześmiała się leciutko. Kiedy tu mieszkała, rodzina McInneyów była mocno zamieszana w zakłócanie spokoju i, według Maylene, Chris został szeryfem między innymi dlatego, że znał wszystkich pieniaczy — albo nawet był z nimi spokrewniony.

— Wszystko będzie dobrze, Rebeko. — Evelyn odsunęła krzesło od stołu. — A najlepiej zacząć od jedzenia. Żałoba wyczerpuje, a nie da się zregenerować sił o pustym żołądku. No, dalej. — Klepnęła w krzesło. — Siadaj.

Rebeka usiadła posłusznie. Evelyn powiedziała do Byrona:

— A ty rozejrzyj się za swoim ojcem. Nieźle to ukrywa, ale on też przeżywa trudne chwile. Byli z Maylene nierozłączni jak Flip i Flap. — Zrobiła w kierunku Byrona gest, jakby odganiała muchę. — No, już. A ja tu z nią zostanę przez jakiś czas.

Byron zerknął na Rebekę, która skinęła głową. Szukanie oparcia w Evelyn nie było tak niebezpieczne, jak w przypadku Byrona. Tu nie groziły jej nieporozumienia i konflikty. Evelyn po prostu była miła. Najprawdopodobniej zrobiłaby to samo dla każdej z obecnych w tym domu osób, gdyby opłakiwały kogoś bliskiego.

— Będę tu niedaleko — powiedział Byron.

Evelyn zaczęła nakładać jedzenie na talerz dla Rebeki, wypełniając kuchnię taką samą beztroską paplaniną, z jaką Maylene zagadywała niegdyś wszelkie zmartwienia wnuczki. Właśnie dlatego to robi, uświadomiła sobie Rebeka. Uśmiechnęła się do niej z wdzięcznością.

— Dziękuję.

— Cii. — Evelyn poklepała ją po ręce.

W ciągu następnej godziny przez kuchnię przewinęło się sporo ludzi. Opowiadali przeróżne historyjki o Maylene, z których większość dotyczyła rozmów w tym właśnie pomieszczeniu, i ogólnie pomagali Rebece zapomnieć, że to tu umarła jej babcia.

Naraz Rebeka poczuła szarpnięcie, zupełnie jakby ktoś ją ciągnął na niewidzialnym sznurku. Cofnęła się do salonu, próbując zrozumieć to nieznajome uczucie w sercu. Była już wcześniej w żałobie, lecz smutek nie zmuszał jej do wkraczania na niewidzialne ścieżki.

— Beks? — Amity podeszła do niej. — Rebeka? Co robisz?

Zignorowała jej pytanie i poszła dalej. Otworzyła drzwi i wyszła na werandę. Czuła, że powinna coś powiedzieć, wytłumaczyć się jakoś, ale wewnętrzny przymus nakazywał jej iść dalej.

Amity poszła za nią.

— Co też ci... O, bogowie! — Odwróciła się i wbiegła z powrotem do domu, krzycząc: — Szeryfie? Daniel? Ktokolwiek!

Na ziemi leżała nieznajoma dziewczynka. Dziecko miało w ramieniu kilka długich ran ciętych, co najmniej jedną szarpaną w barku i otarte nogi, jak gdyby ktoś je wlókł po ziemi. Leżało z zamkniętymi oczami i odwróconą twarzą.

Jak w transie, Rebeka uklękła przy dziewczynce, żeby wymacać puls. Był. Słaby, ale wyczuwalny. Ze wszystkich sił próbowała skupić się na dziecku. *To nie jej szukałam.*

— O Boże! — zaszlochała jakaś kobieta, zapewne matka dziewczynki, wpychając się przed Rebekę i biorąc małą w ramiona. — Wezwijcie karetkę! O mój Boże! Hope...

Szeryf McInney pomógł kobiecie wejść na werandę.

— Obejrzę ją.

Zjawili się zaraz ksiądz Ness i Lady Penelope, miejscowa spirytystka. Evelyn dyrygowała zebranymi. Ktoś wyszedł z domu z kuchenną ściereczką, z której zrobił prowizoryczny bandaż na ramię dziecka. Sytuacja wydawała się w miarę opanowana, ale poczucie przymusu nie opuszczało Rebeki.

To się oddala.

Rebeka minęła dziecko i grupę ludzi, stojących na podwórku. Za sobą miała niewielki las, którego przednią granicę wyznaczały drzewa, rosnące na gołym gruncie. Maylene zawsze usuwała stamtąd podszycie. Poza tym frontowym kawałkiem, las rósł na dziko. *To coś uciekło właśnie tam.* Rebeka powiodła wzrokiem po lesie i zaroślach, szukając ruchu, oczu — czegokolwiek, co mogłoby świadczyć o obecności zwierzęcia, które zaatakowało dziecko.

Ale dlaczego miałabym wyczuwać obecność zwierzęcia?

Z boku nadszedł Byron.

— Ratownicy już jadą. Evelyn po nich zadzwoniła, gdy tylko usłyszała Amity. Baza jest niedaleko, więc powinni tu być za parę minut. — Urwał i spojrzał na Rebekę. — Beks? Wszystko w porządku?

Patrzyła na cienie przed sobą.

— Widzisz tam coś?

— Nie.

— A widziałaś? — Ogarnął wzrokiem zagajnik. — Pumę? Jakiegoś psa?

— Nie, niczego nie widziałam. — Miała wrażenie, że mówi nieswoim głosem, jakby słowa rozbrzmiewały wokół niej echem.

Przez jakiś czas stali oboje w milczeniu. A potem szarpanie, które wyciągnęło Rebekę na zewnątrz, naraz ustąpiło. Potarła ramiona rękami, próbując rozmasować dziwne mrowienie skóry.

— Na zewnątrz było kilkoro dzieci. Czy wszystkie wróciły? Nie znam wielu z tych ludzi. Zakładam, że rodzice to sprawdzili, ale... sama nie wiem. — Mówiła cicho, żeby nie spłoszyć tego, co mogło czaić się między drzewami, i jednocześnie nie siać paniki, gdyby ktoś ich podsłuchał. — Upewnisz się?

— Jasne. Zapytam Chrisa. A ty...

— Daj mi chwilę — odparła.

Najwyraźniej dopadła ją trauma ostatnich dwóch dni. *Jeszcze wczoraj byłam w Kalifornii.* Teraz była na śniadaniu po pogrzebie babci i wypatrywała w lesie zwierzęcia, które zaatakowało dziecko. Żałoba nie jest za każdym razem taka sama, więc jeśli Rebeka zachowywała się irracjonalnie, nie było w tym nic dziwnego. *Ale tamto nie było żalem.* Nie wiedziała jednak, czym mogło być ani czy chce się tego dowiedzieć. Chciała natomiast wywalić stąd wszystkich, iść na górę, złapać strzelbę i zaczaić się na werandzie na tego wielkiego kota czy zdziczałego psa, który pogryzł dziewczynkę.

Podjechali ratownicy. Za nimi nadszedł William Montgomery i ten młody rabin, który sprowadził się do miasta kilka lat temu. William natychmiast odszukał wzrokiem Byrona, a potem Rebekę.

Rabin podszedł do matki dziecka, lecz William ominął zebranych wokół nich ludzi i zbliżył się do Rebeki.

— Dobrze się czujesz?

— Tak. — Gestem wskazała na tamtych. — Jakieś zwierzę pogryzło dziewczynkę.

Daniel wkroczył do akcji, usuwając z drogi gapiów. Przystanął i rzucił Rebece i Williamowi niemal oskarżycielskie spojrzenie.

Rebeka wzdrygnęła się. Nie była gapiem, ale też nie było z niej wielkiego pożytku — jak zresztą z wszystkich innych. Opatrzyli ranę i wezwali pomoc, niczego więcej nie dało się zrobić. *A on czego się spodziewał?*

— Może pójdziesz do domu, Beks? — zapytał William.

Nie dało się elegancko odrzucić jego propozycji, poza tym nie chciała się z nim sprzeczać. William był jedyną — poza nią — osobą, którą strata Maylene dotknęła równie boleśnie. A zatem Rebeka spełniła jego prośbę.

Poszła w stronę Byrona, a gdy już była blisko, usłyszała końcówkę jego słów:

— ... zupełnie jak Maylene — powiedział cicho do Christophera. — Więc nie każ mi się uspokoić, Chris.

Rebeka zbladła. *Jak Maylene?* To nie miało sensu. Byron powiedział, że Maylene została zamordowana, a przecież zwierzęta nie mordują ludzi.

— Byron?

Spojrzał przez ramię.

— Beks? — Przesunął ręką po twarzy. — Nie wiedziałem, że stoisz za mną.

Przeniosła wzrok na szeryfa, który w milczeniu pokręcił głową, i z powrotem na Byrona.

Lady Penelope podeszła bliżej i objęła Rebekę. Spirytystka brzmiała łagodnie, lecz stanowczo:

— Wejdź do środka. To był stresujący poranek. Evelyn nastawiła już czajnik. Co powiesz na filiżankę herbatki ziołowej? Przyniosłam kilka mieszanek, które dobrze ci zrobią na nerwy.

Rebeka delikatnie wysunęła się spod jej ramienia.

— Zacznijcie beze mnie. Potrzebuję paru chwil.

Nadszedł pastor i rzucił Penelope pytające spojrzenie. Rebeka udała, że go nie zauważyła. Penelope pokręciła głową.

Szeryf McInney powiedział:

— Tutaj już nic więcej nie możemy zrobić, ale pewnie możemy się na coś przydać Evelyn. Chodźmy, pastorze. — Zerknął na Penelope. — Lady P.

Penelope szybko objęła Rebekę i szepnęła:

— Byron to dobry człowiek, Rebeko. Możesz mu zaufać... I sobie też. — Odsunęła się i z nieprzejednanym uśmiechem zwróciła do pastora: — Czy udało się spokojnie odprowadzić Cecilię? Jakoś mi to umknęło.

— Oczywiście. Dziękuję za ostrzeżenie — mruknął wielebny McLendon.

Wszyscy troje weszli do środka. Drzwi zamknęły się z lekkim trzaskiem i Byron z Rebeką zostali na werandzie sami. Byron zaczął:

— Jeśli chodzi o to, co powiedziałem Chrisowi...

— Nie, nie mogę. Nie teraz. Nie jestem w stanie już dziś niczego przyjąć. — Pokręciła głową. — Proszę...

Byron otoczył ją ramieniem i razem patrzyli, jak ratownicy ładują nosze do karetki. Za nimi weszła matka z rabinem.

Rebeka oparła się o Byrona.

Rabin wychylił się z pojazdu, mówiąc coś do księdza Nessa i Williama, a potem zamknięto drzwi. Ksiądz stał tyłem do domu, kiedy karetka opuszczała podjazd, a William podszedł do nich na werandę. Jedną rękę trzymał w dziwnej pozycji, ale przez chwilę milczał. Wyglądał na zmęczonego i jakby starszego niż rano, a jednak uśmiechnął się ciepło do Rebeki.

— Maylene byłaby dumna, widząc, jak dzielnie się trzymasz. Jesteś silniejsza, niż sądzisz.

— Nie czuję się silna, ale dobrze, że to przynajmniej tak wygląda.

— Mae wiedziała, co mówi, a ja nigdy nie miałem powodów, by wątpić w jej słowa na twój temat... na temat was obojga. — Spojrzał przelotnie na Byrona, a potem wyjął z kieszeni marynarki grubą kopertę i podał ją Rebece. — Prosiła, żebym ci to przekazał.

Przyjęła kopertę.

— Dziękuję.

Skinął głową, a potem spojrzał w bok na księdza Nessa, który właśnie podszedł do werandy i stanął na najniższym stopniu, mówiąc:

— Są granice, do których możemy to przeciągać, Williamie. Lada moment rada będzie interweniować.

— Wiem. — Twarz Williama była zmizerowana i zbolała, a postawa zdradzała napięcie. — Właśnie nad tym pracuję. — Rebeka wymieniła z Byronem nierozumiejące spojrzenie, lecz nim zdążyli zadać jakiekolwiek pytania, William powiedział do syna: — Musimy o czymś porozmawiać. Chciałbym, żebyś poszedł teraz ze mną.

— Teraz? Ale Rebeka...

— Dam sobie radę — zapewniła ich obu. Podeszła, wspięła się na palce i pocałowała Williama w policzek. — Dziękuję za wszystko.

— Maylene miała rację co do ciebie, Rebeko — wyrosłaś na wspaniałą kobietę. Byron ma szczęście, że jesteś przy nim. — William zamknął ją w mocnym uścisku. — Z czasem będzie ci łatwiej, wierz mi.

Odsunął się i patrzył na nią w milczeniu, a ona nie miała sumienia sprostować, że ona i Byron nie są... że się myli co do ich relacji. Powiedziała tylko:

— Dziękuję. — Zwróciła się do Byrona: — Do zobaczenia jutro.

A potem uciekła do domu, zanim poczuła przymus, by rozmyślać o słowach Williama lub o pełnym nadziei wyrazie twarzy Byrona, kiedy usłyszał, że zobaczą się jutro.

18

Byron w milczeniu szedł za ojcem. William nie chciał rozmawiać w domu Rebeki, a Byron niespecjalnie miał ochotę się wykłócać, więc oto w ciszy towarzyszył ojcu do zakładu pogrzebowego. Nie zatrzymali się w prywatnej części budynku. William sięgnął do drzwi oddzielających mieszkanie od reszty pomieszczeń i wzdrygnął się, kiedy je otwierał.

— Dobrze się czujesz? — Byron wyciągnął rękę, lecz ojciec zrobił unik.

William zawołał:

— Elaine, będziemy w piwnicy. Na biurku masz notatki.

Elaine wytknęła głowę z gabinetu.

— Większość spraw jest już załatwiona.

— Oczywiście. — William zatrzymał się na chwilę i przesłał uśmiech kierowniczce biura. — Dziękuję ci... za wszystko.

— Przesyłka, którą zamówiłeś, przyszła wcześniej. Zajmę się nią.

— Dobrze. — William skinął głową, nim ruszył dalej. Przystanął przy drzwiach do swojego gabinetu, wyjął klucz i zamknął zamek. Nie włożył jednak kluczy do kieszeni, lecz podał je synowi. — Przechowaj je u siebie.

— Dlaczego?

Byron wziął klucze i trzymał je w dłoni. Ojciec zignorował jego pytanie.

— Chodźmy — powiedział.

Byron stał na korytarzu. Z każdym dniem rosła lista rzeczy, które nie miały sensu, ale wszystkie naraz stały się nieistotne, gdyż zauważył, że William coraz ostrożniej układa ramię na piersi.

— Co ci się stało w rękę?

— Nic takiego. Nie o tym trzeba teraz rozmawiać. — William otworzył drzwi do piwnicy i wszedł na schody.

Byron wetknął klucze do kieszeni i poszedł na dół za ojcem.

— Co się dzieje?

William otworzył drzwi od magazynku i włączył światło.

— Zamknij drzwi.

Byron pociągnął za klamkę.

— Na klucz.

— Martwię się, tato. — Byron przekręcił klucz w zamku. — O co chodzi? Chcesz mi coś powiedzieć?

William zaśmiał się nerwowo.

— Niespecjalnie. Ale doszliśmy do momentu, w którym dłużej nie mogę już tego przed tobą ukrywać.

— Czego? Tato? — Byron stanął obok ojca i sięgnął znowu do ręki, którą William trzymał przy sobie.

— Przestań.

— Przestanę, jeśli powiesz mi, co ci się stało w rękę. — Byron spojrzał na poszarzałą twarz ojca. — Czy to zawał, czy...

— Nie. Zacznijmy od początku. — William przerwał i, gdy Byron niechętnie skinął głową, ciągnął dalej: — Dawno temu założyciele miasta zawarli ugodę, która obowiązuje do dziś. Zgodnie z jej warunkami, niektórzy z nas są obarczeni szczególną odpowiedzialnością. Niewielu wybranych może zadawać pytania, które nie przysługują innym. — Spojrzał wymownie na Byrona. — Ale to również oznacza, że odpowiadamy za bezpieczeństwo w mieście w razie kłopotów. To my stoimy pomiędzy żywymi i umarłymi. Status Grabarza to wielki zaszczyt, synu.

— Wiem.

Byron był coraz bardziej wystraszony. Z każdą minutą ojciec wydawał się tracić wątek. *Czy to przypadkiem nie udar powoduje brak logiki w myśleniu pacjenta?* Byron nie próbował nigdy stawiać diagnozy. Jego „pacjenci" już nie żyli, kiedy trafiali do niego. Ból w ramieniu też może być objawem udaru. Podszedł do ojca.

— Tato, chodźmy na górę. Zadzwonię do doktora Peffermana.

William nie słuchał.

— Mówię ci to, o czym powinieneś wiedzieć. Chciałbym, żeby nie było to dla ciebie takim szokiem, synu. Bardzo mi przykro.

— Co ty wygadujesz?

Byron rozważał, czy nie pobiec na górę, żeby wezwać karetkę. W zachowaniu ojca nic się nie zgadzało. *Czy to żal? Zaprzeczenie? Zawał? Wylew?* Byron próbował przypomnieć sobie inne objawy, poza bólem w ramieniu, ale nie dał rady.

— Słuchaj. Skup się. — William przeciągnął dłonią po powierzchni jasnoniebieskiej szafki z metalu, stojącej przy ścianie w głębi.

— Na czym?

Szafka szczęknęła i przesunęła się na bok, odsłaniając tunel. William dodał:

— I zaufaj swoim instynktom.

— O kur...

— Nie. — William zgromił syna spojrzeniem. — Z szacunkiem tu proszę.

— Tutaj? — Byron stanął ramię w ramię z ojcem. W całym wachlarzu odpowiedzi, jakie wymyślał na niezliczone nurtujące go pytania, nie było miejsca na tunel za szafką w składziku. — Co znaczy „tutaj"? Dokąd to prowadzi?

William wszedł do tunelu i zdjął ze ściany pochodnię, która wyglądała jak przeniesiona ze średniowiecznego lochu — szare szmaty nawinięte na kawał zeschłego drewna. Pochodnia naraz zapłonęła, jakby ktoś przekręcił włącznik. *Pochodnie tak nie robią.* Pod dotykiem ojca zjawił się płomień, który rzucał mdły blask w głąb tunelu. Dołem ciągnęło się coś, co wyglądało na opuszczony tor kolejowy, poprzerastany mchem i przykryty ziemią. Ściany przypominały wyciosane w skale wejście do jaskini. Nieczynne chodniki w kopalniach węgla, które Byron penetrował kiedyś ze znajomymi grotołazami, były może bardziej niebezpieczne. Ale tylko trochę.

Byron gapił się na odkrycie, a potem na ojca.

— Czy to tunel z czasów Prohibicji? Wojny? Z... sam nie wiem. Co to jest? I jak się to ma do twojej ręki? Czy zraniłeś się, penetru...

— Nie. To wejście do krainy umarłych — przerwał mu William.

— Co takiego? — Byron wpatrywał się w ojca wielkimi oczami. Montgomery z żalu popadł chyba w jakąś demencję, doznał szoku lub czegoś podobnego. — Chodźmy na górę, tato. Może się przejedziemy i…

— Chodź. — William przywołał go gestem. — Nie zwariowałem. Wiem, że to wydaje się… Wiem dokładnie, jak dziwne to się może wydawać, ale musisz teraz pójść ze mną. Umarli wcale nie stają się bardziej cierpliwi przez to, że mają do dyspozycji całą wieczność. Wejdź do tunelu.

Byron zawahał się. Było to najprawdopodobniej stare, nieużywane przejście, droga ewakuacyjna czy coś w tym stylu. Tunele do świata umarłych nie istniały.

To nieprawda. To… W mroźnym powietrzu pojawiły się twarze. Ręce wyciągały się w stronę jego ojca w — Byron sam nie wiedział — powitalnym czy złowrogim geście. Przerażenie chwyciło go za gardło, gdy upiorne postaci rzuciły się w stronę Williama. Byron wszedł do tunelu i stanął przed ojcem.

— Tato?

William nachylił się do syna i krzyknął mu w ucho:

— Trzymaj się mnie. Oni nie zawsze są tacy.

Oni?

Montgomery wszedł długim krokiem w ciemność, wirującą przed nimi. Jeśli nawet coś powiedział, słowa uniósł wiatr, który nadleciał i szarpnął mężczyznami z taką siłą, jak zęby zagłębiające się w skórę. Był jak zimny oddech na szyi Byrona i mokre, lepkie rzeczy na jego wargach. Wyjący wiatr nie zgasił pełgającego płomienia pochodni, ale zmroził powietrze. Szron wypełzł na ściany, pokrywając je rosnącymi białymi kryształkami. I nagle zawodzący wiatr ucichł tak raptownie, jak się zerwał. Rozwiały się ręce i głosy, a Byron zaczął się zastanawiać, czy je sobie wymyślił.

Mam halucynacje?

— Chciałeś odpowiedzi — powiedział William, wydychając obłok białej pary. — No to zaraz dostaniesz kilka.

Byron podskoczył na dźwięk zatrzaskujących się za nim drzwi. W tym samym czasie otoczenie zaczęło się zmieniać. Mroczny tunel pociemniał jeszcze bardziej, a potem zajaśniał światłem; na końcu pojawiła się otwarta przestrzeń.

Z boku ojciec powiedział tylko:

— Czasem jest długi, a czasem krótki. Kiedy to trwa tak krótko, to znaczy, że chcą rozmawiać od razu.

Byron odwrócił się za czymś, co śmignęło obok i zniknęło w cieniu pod ścianą.

— Oni?

— Umarli, synu. — William zaczął iść w kierunku budynków rysujących się mgliście na końcu tunelu. W miarę jak szli, a może w miarę upływu czasu, drewniane witryny sklepów stawały się wyraźniejsze. — To jest ich świat. Czekają, żeby cię poznać.

— Umarli? — Byron patrzył badawczo w ciemność tunelu, próbując zobaczyć to, co się w nim schowało, ale pochodnia w ręce ojca oświetlała tylko niewielki krąg przestrzeni. Nawet gdyby rzucała światło dalej, stwierdził, chyba niewiele by to pomogło. Powiedział z rezerwą w głosie: — Przyszliśmy tutaj zobaczyć się ze zmarłymi, którzy chcą mnie poznać.

— Nie wszyscy — mruknął William. — Są i tacy, których tu nie spotkamy. Na przykład twoja matka. Jeżeli będziesz mieć dzieci, które umrą... albo bliscy przyjaciele... lub inni Grabarze.

— Mówisz, że jesteśmy w krainie umarłych... czyli mamy pod domem piekło. — Byron mówił cicho, ale absolutna cisza panująca w tunelu sprawiała, że jego głos i tak rozbrzmiewał echem.

— Ani piekło, ani niebo. — William przeważnie patrzył na drogę przed sobą, ale parę razy przesunął wzrokiem wzdłuż ścian, jakby też zobaczył coś na skraju światła. One być może są gdzie indziej, a to jest jedyne miejsce, gdzie możemy dotrzeć.

— My?

— Jesteś następnym Grabarzem, Byronie. — William przystanął na moment, zaciskając rękę na pochodni. Światło zatańczyło mu na twarzy. — Chciałem przekazać ci to w inny sposób, ale zobaczyć znaczy uwierzyć. Musisz to zobaczyć, a potem... potem możemy porozmawiać.

William przyspieszył, a Byron miał dwa wyjścia: albo ruszyć za nim, albo zostać samemu w ciemności.

Umarli.

Byron przełknął parę słów, które, był tego pewien, nie miały nic wspólnego z szacunkiem, jakiego ojciec domagał się dla tego miejsca. Nie wiedział, co jest dziwniejsze — czy fakt, że ojciec prowadzi go na spotkanie z umarłymi, czy poczucie rozczarowania na myśl, że takie rzeczy działy się w jego domu przez te wszystkie lata. Czym innym było chowanie butelczyny w tajemnej skrytce lub ukrywanie flirtu albo hobby. To tutaj było całym światem.

Na końcu tunelu William przystanął i zatrzymał Byrona gestem wyprostowanej do tyłu ręki.

— Chcę, żebyś kogoś poznał.

Po raz pierwszy brzmiał nieswojo. Głos mu drżał od czasu do czasu, a rozpostarte palce też zdawały się gotowe, by zadrżeć. Nic takiego nie nastąpiło, lecz Byron znał ojca na tyle, żeby odczytać sygnały podenerwowania.

William umieścił pochodnię w otworze w ścianie i gdy wypuścił ją z ręki, momentalnie zgasła. Wyszedł z tunelu i powiedział:

— Charlie.

Na tle miasta, które wyglądało na osadę górniczą w pełni rozkwitu, stał człowiek zupełnie niepasujący do prymitywnych budynków w otoczeniu. Mężczyzna ten, prawdopodobnie Charlie, miał na sobie garnitur w stylu lat trzydziestych dwudziestego wieku, łącznie z jedwabną chusteczką w butonierce, fedorą o szerokim rondzie i jedwabnym krawatem. Byron podejrzewał, że chusteczka i krawat stanowią komplet, ale wszystkie kolory nagle zniknęły, a świat przybrał różne odcienie szarości.

— Trochę wam to zajęło. Ruszaj się, synu — powiedział Charlie. — Musimy obskoczyć parę miejsc i spotkać się z różnymi ludźmi.

William otworzył usta, by odpowiedzieć, ale Byron go ubiegł:

— Co? Dlaczego?

Charlie zatrzymał się i uśmiechnął szeroko.

— Bo alternatywa raczej ci się nie spodoba. Być może jesteś gotów, by zostać nowym Grabarzem, ale on — wskazał na Williama niezapalonym cygarem — jeszcze nie zakończył życia, więc ciągle mamy czas na wyznaczenie innego, jeśli okażesz się nierozgarnięty.

William położył dłoń na ramieniu syna. Byron obejrzał się i zobaczył krew, przeciekającą przez rękaw ojcowskiej marynarki. Ten widok przestraszył go bardziej niż wszystko inne.

— Co się stało?

William zignorował pytanie. Nie patrząc na Byrona, powiedział:

— Ja już długo nie zabawię po tamtej stronie, Charlie. Obaj wiemy, że przyszedł czas na zmiany.

Charlie skinął głową. Coś jak żal przemknęło mu przez twarz, lecz zniknęło, zanim na dobre się pojawiło. Zmarły mężczyzna zatoczył gest dłonią, w której wciąż trzymał niezapalone cygaro.

— Zarezerwowałem stolik.

— Tato? — Byron podciągnął rękaw ojca. Nasiąknięty krwią bandaż zakrywał mu nadgarstek. — Cholera. Trzeba cię zabrać do szpitala.

Charlie spojrzał na ramię Williama, a potem w jego oczy.

— Potrzebujesz doktora?

— Nie. — William delikatnie wyzwolił się z uścisku syna. — To może zaczekać.

Charlie i William wymienili nieodgadnione spojrzenie, a potem Charlie pokiwał głową:

— Jak wolisz.

Odwrócił się i wkroczył w szary krajobraz. William dał znak

Byronowi, aby pójść za nim. Byron chciał zabrać ojca i opuścić to miejsce, lecz ufał Williamowi, więc niechętnie pomaszerował za Charliem.

Sadza wygląda inaczej, kiedy wszystko jest w odcieniach szarości — takie było pierwsze odkrycie Byrona, gdy szedł przez miasto, które nie wyróżniało się ani zabytkami, ani nowoczesnością. W miarę jak wchodzili głębiej na jego teren, drewniane budynki ustępowały domom z cegły i konstrukcjom ze szkła oraz stali.

Ciągnięte przez konie dwukółki i okazałe powozy zgodnie dzieliły drogi z rowerami, fordami T i thunderbirdami z lat pięćdziesiątych minionego wieku. Oprócz pojazdów, zróżnicowane było także ubranie: kobiety w stroju z lat dwudziestych paradowały obok punkówek i pań odzianych w suknie z *belle époque*. Choć takie współistnienie epok miało swoje piękno, było w nim coś niepokojącego.

Ulice, witryny sklepów i okna wypełniał tłum ludzi, z których większość przyglądała im się z nieukrywaną ciekawością. Byron zauważył znaczną ilość broni palnej, noszonej na wierzchu i niekoniecznie w kaburze. Widział też kobiety z dziećmi — w wózkach niemowlęcych lub uczepionymi matczynej spódnicy. Pary, w których ubranie mężczyzny i kobiety nie zawsze było z tej samej epoki, rozmawiały lub, okazując sobie publicznie uczucie, przesuwały granice przyzwoitości, niezależnie od zasad panujących w okresie, który reprezentowali ubraniem.

— Dawno już nie mieliśmy tutaj turysty. — W głosie Charliego pobrzmiewało rozbawienie.

— On nie jest turystą — powiedział William. — Należy do tego miejsca w równym stopniu, jak każdy z nas.

— To się dopiero okaże, prawda? — Charlie przystanął na skrzyżowaniu i przechylił głowę, trzymając cygaro w zębach. Jezdnia była zupełnie pusta. Podniósł rękę i gestem kazał im zaczekać. — Chwileczkę.

Jakieś sześć uderzeń serca później przez skrzyżowanie tuż przed nimi przejechał błyskawicznie pociąg. Nie wydawał absolutnie żadnego dźwięku, a i na drodze nie było żadnych torów czy szyn. Za moment pociąg był już tylko kropką w oddali.

Charlie wyjął zegarek z kieszeni kamizelki, zerknął i schował go z powrotem, a następnie wszedł na jezdnię, na której nagle zrobiło się tłoczno.

— Teraz już droga będzie wolna.

— Ponieważ przejechał pociąg? — zapytał Byron.

Charlie zmierzył go wzrokiem, a potem spojrzał na Williama.

— Chłopak nie jest za bardzo bystry, co?

William uśmiechnął się, ale nie był to przyjazny uśmiech.

— Podejrzewam, że jest bardziej niż wystarczająco inteligentny, aby spełniać swoje zadanie lepiej niż ja. Jeśli szukasz zaczepki do kłótni, Charles, możemy się tym zająć po rozmowie.

Po chwili pełnej napięcia Charlie roześmiał się.

— Z przyjemnością cię tu powitam, bracie, kiedy tylko ci pasuje. Może nawet zechcesz zostać tu z nami na dłużej?

William pokręcił głową.

— Wybieram się tam, gdzie jest Ann, a wątpię, żebym znalazł swoją żonę tutaj.

Charlie zatrzymał się przed szklanymi drzwiami, na których wymalowano napis: „Tawerna Tip-Top Pana S". Chwycił mosiężną sztabę, która służyła za klamkę, otworzył drzwi szarpnięciem i gestem zaprosił ich do środka. Gdy William przechodził przez próg, Byron usłyszał, jak Charlie pyta cicho:

— A co z twoją Opiekunką Grobów?

— Przestań! — William uniósł pięść, jakby chciał uderzyć Charliego.

— Spokojnie, chłopcze. — Groźba w jego głosie zabrzmiała jak chrzęst żwiru. Twarz mu nie drgnęła, ale wyszczerzył zęby, zaciśnięte wokół cygara. — Twoja Opiekunka Grobów jest bezpieczna, ale nie może pójść dalej, dopóki ty tu nie trafisz. Takie są zasady.

Byron stanął przed ojcem, w nadziei, że rozładuje napięcie między mężczyznami.

— Kto to taki Opiekunka Grobów?

Między jednym a drugim krokiem przez twarz Charliego przemknęła mieszanka emocji — zaskoczenie, powątpiewanie, a na koniec rozbawienie.

— Niczego chłopcu nie powiedziałeś, kolego? — Urwał i spojrzał wprost na Williama. — A tamtej?

William rozprostował pięść, trzymaną przy sobie.

— Maylene i ja postanowiliśmy dać im spokój tak długo, jak to możliwe.

— A teraz Maylene nie żyje. — Charlie gwizdnął.

W tym momencie Byronowi skończyła się cierpliwość.

— Czy ktoś zechce mnie oświecić w temacie?

— Oj, chłopcze, nie chciałbym być w twojej — Charlie zmierzył go wzrokiem — bladej skórze za żadne skarby świata. Ale zapłaciłbym niemało za dobre miejsce na widowni tego przedstawienia. Wielka szkoda, że nie mogę się stąd wyrwać.

A potem przemaszerował obok Byrona w głąb ukrytego w cieniu wnętrza baru, które wyglądało, jakby czasy świetności miało dawno za sobą. Ściany pokrywała wyblakła, miejscami postrzępiona tapeta. Odsłonięte rury biegły przez całą długość sufitu, a znaczna część pokrytych aksamitem sof zdążyła się pozapadać. Przy wejściu urządzono niewysoką scenę, na której stały perkusja i mały fortepian — jedyne w tym miejscu przedmioty bez oznak zużycia, zniszczenia lub zaniedbania. W lokalu rozstawiono stoły przykryte obrusami, a wokół nich krzesła z wysokim oparciem. Na każdym stole migotał płomień świeczki. W głębi pomieszczenia znajdował się długi drewniany bar i drzwi z kotarą, która, podobnie jak obrusy, była miejscami przetarta. Całość prezentowała coś w rodzaju zmęczonej elegancji, w której pobrzmiewało echo lepszych czasów. Jedno, czego brakowało lokalowi, to klienci. Poza kelnerką i barmanem, w całym pomieszczeniu nie było nikogo.

— A oto i nasz stolik.

Charlie zamaszystym gestem skierował ich na miejsce niedaleko wejścia. Na środku stołu Byron zauważył plakietkę z napisem „Zarezerwowane dla Pana S i jego gości".

William zerknął na kelnerkę, która przyszła za nimi do stolika.

— Szkocką. Trzy razy.

Spojrzała na Charliego.

— Panie S?

Panie S? Byron popatrzył na mężczyznę, który ich tu przyprowadził, na plakietkę przed sobą i na ojca.

Charlie — Pan S — skinął głową.

— Z moich zapasów.

Kelnerka odeszła bezszelestnie.

— I pilnuj, żeby nam szklanki nie wysychały — zawołał za nią Charlie, a potem poklepał Byrona po ramieniu. — Szkocka bardzo ci się przyda.

19

Daisha stała przed zakładem pogrzebowym, gdy nagle odczuła bardzo silne przyciąganie. Gdzieś w tym budynku ukryto głęboką jamę, która właśnie się otwierała. Daisha nie zdawała sobie wcześniej sprawy z jej istnienia, ale teraz już wiedziała. To coś chciało ją połknąć w całości, wciągnąć tam, dokąd szli nie-żywi zmarli, i zatrzymać na zawsze.

Zrobić ze mnie prawdziwą umarłą.

Poczuła coś na kształt samotności, kiedy tak stała, próbując nie złapać za drzewo, rosnące obok. Raz go widziała, syna Grabarza, gdy wspiął się na nie i balansował na jednej z gałęzi, by dosięgnąć latawca, zaplątanego w koronie. Miał wtedy kilkanaście lat, a kiedy zeskoczył na ziemię i oddał latawiec dzieciakom, wśród których była Daisha, nie patrzył na nie jak na kogoś gorszego, bo z biedniejszej rodziny niż jego własna, nie patrzył na nią, jakby się jej brzydził. Tamtego dnia był dla niej bohaterem.

A nie potworem.

Teraz, gdyby się dowiedział, kim jest Daisha, zabiłby ją, kładąc kres wszystkiemu.

Mijały godziny, a ona stała, usiłując oprzeć się pokusie, by wejść do budynku i odnaleźć wewnątrz nienasyconą paszczę otchłani.

Potrzebowała trzech rzeczy, aby się nie rozwiać: jedzenia, picia i słów. To, czego pragnęła, odkąd obudziła się martwa, było dziwne, niemniej jednak łaknęła tych rzeczy tak, jak niegdyś potrzebowała powietrza. Ciało i krew nietrudno było zdobyć, ale ze słowami sprawy miały się inaczej. Zanim umarła, Daisha nigdy nie była szczególnie biegła w sztuce konwersacji, a teraz rozmowy przychodziły jej z jeszcze większym trudem.

Nagle zjawiła się jakaś nieznajoma kobieta. Szła zdecydowanym krokiem, jakby dobrze znała swój cel, jakby w ogóle znała się na rzeczy. Była zaledwie parę lat starsza od Daishy, a młodsza nawet od nowej Opiekunki Grobów.

Dziewczyna szła za nią przez kilka minut, patrząc, jak co jakiś czas przystaje. Idąc, kobieta mocowała zszywaczem kartki do słupów, a w malutkich słuchawkach wetkniętych w uszy pulsowała jej jakaś muzyka. Do Daishy docierały wyłącznie basy.

Podeszła do kobiety, stanęła przed nią i powiedziała:

— Chyba się zgubiłam.

Ona zaś wydała z siebie cichy pisk i wyszarpnęła słuchawkę z ucha.

Przestraszona Daisha cofnęła się szybko.

— Przepraszam. Nie słyszałam, że podchodzisz. — Nieznajoma zarumieniła się. — Chyba nie powinnam słuchać tak głośnej muzyki.

— Dlaczego?

Kobieta podniosła plik ściskanych w garści kartek.

— W okolicy grasuje… yyy… dzikie zwierzę.

— O! — Daisha rozejrzała się. — Nie miałam pojęcia.

— Jestem w radzie miasta. Usiłujemy zawiadomić mieszkańców, ale to trochę trwa. — Uśmiechnęła się z zażenowaniem. — Chciałam zaczekać, ale mam plany na później i... Przepraszam. A co ciebie to może obchodzić. — Urwała ze śmiechem. — Jestem żałosna, prawda? To nerwy.

— Może pomóc? — Daisha wyciągnęła rękę. — Jeśli tu naprawdę jest jakiś zwierz, ja też nie chcę być sama.

— Dziękuję. — Nieznajoma wręczyła jej kilka ulotek. — Jestem Bonnie Jean.

— Zawieszę jedną na tym słupie. — Daisha ruszyła w stronę latarni.

— Zaczekaj! — Kobieta poszła za nią. — Zapomniałaś zszywacza.

— Przepraszam. — Daisha maszerowała, aż oddaliły się od pustej już ulicy i weszły w mrok.

— W porządku — powiedziała Bonnie Jean. — Jeśli się pospieszymy... Mam randkę.

W porządku. To były te słowa. Daisha usłyszała przyzwolenie. *W porządku. Jak Maylene. Ona chce mi pomóc.*

— Dziękuję — wyszeptała dziewczyna, zanim jeszcze przyjęła pomoc Bonnie Jean.

Po wszystkim Daisha szła opustoszałymi ulicami, żałując, że Maylene już nie ma. *Opowiedziałaby mi różne historie. Bonnie Jean niczego mi nie opowiedziała, a potem była już pusta.* W parę chwil znieruchomiała, podczas gdy Daisha jadła. Nie podzieliła się z nią żadnym słowem, lecz zmarnowała resztkę tchu na pojękiwania, a potem w ogóle przestała wydawać dźwięki.

20

Rebeka siedziała za biurkiem Maylene. Z boku podkładki ułożono w stos papiery, a na ostatniej, wierzchniej kartce nagryzmolono notatkę „Odebrać pomarańcze". Rebeka machinalnie przeciągnęła palcami po drewnie biurka. Maylene nie pozwalała nikomu go odmalować, tłumacząc, że siatka rys i wytartych przez lata użytkowania śladów czyniła mebel jej osobistym sprzętem. „Lata zapisują opowieści na każdej powierzchni" — mawiała. Pokój, sypialnia Maylene, wypełniony był opowieściami.

Frywolitki na powłoczkach poduszek i delikatnych okrągłych serwetkach umieszczonych na komodzie zrobiła jeszcze prababka Maylene. Wyraźny ubytek w nogach łóżka z baldachimem, w stylu epoki Tudorów, powstał, gdy mały Jimmy walnął w nie jednym ze swoich samochodzików.

Rodzina.

Czasami Rebece wydawało się dziwne, że zna aż tyle szczegółów z drzewa genealogicznego ojczyma, a na temat własnego ojca biologicznego nie wie nic. Jimmy jednak stanowił część jej życia, a tamten człowiek był zaledwie nazwiskiem w jej metryce. Jimmy był jedynym prawdziwym ojcem, jakiego miała, choć zaistniał w jej życiu tylko na kilka lat, zaś po jego śmierci Maylene została najbliższą krewną Rebeki. Dziewczyna była dość blisko ze swoją matką — dużo rozmawiały, odwiedzały się nawzajem i relacje dobrze im się układały, lecz nigdy nie łączyła ich taka więź, jaka zbliżyła Rebekę i Maylene.

A teraz to już przeszłość. I Maylene jest przeszłością.

Przeciągnęła ręką po blacie biurka. W pokoju Maylene opowieści wisiały w powietrzu jak duchy i Rebeka pożałowała, że nie może ich jeszcze raz usłyszeć, że nie może usłyszeć tych, którymi Maylene nie zdążyła się z nią podzielić, i że nie może raz jeszcze usłyszeć głosu babci.

Zamiast tego całymi godzinami musiała wysłuchiwać od ludzi, jak bardzo będzie im brakowało Maylene. *Oż kurde, serio?* Uśmiechała się, słysząc, że Maylene była wspaniałą osobą. *Jakbym tego nie wiedziała.* Ze wszystkich sił powstrzymywała się, żeby nie wrzeszczeć, kiedy ją zapewniali, że wiedzą, jakie to dla niej trudne. *Ciekawe skąd?*

Po dłuższej męce, Rebeka uciekła się w końcu do grubiaństwa

bez owijania w bawełnę, aby pozbyć się z domu ostatnich żałobników. Nie dlatego, żeby nie doceniała uprzejmej troski sąsiadów i znajomych Maylene... No dobrze, być może miała im trochę za złe. Maylene nigdy tak do końca nie była akceptowana przez lokalną społeczność. Owszem, wszyscy byli grzeczni, ale nigdy na przykład nie wpadali tak po prostu na herbatę i ciasto. Z jakichś niezrozumiałych dla Rebeki przyczyn, miejscowi zawsze traktowali Maylene i jej rodzinę z rezerwą.

Chociaż Maylene nigdy się nie skarżyła. Właściwie nawet tłumaczyła ten szczególny dystans, z jakim miasto podchodziło do Barrowów. „Mają swoje powody, złotko" — mawiała za każdym razem, gdy Rebeka poruszała ten temat. Dziewczyna jednak nie była skłonna przyjąć ot tak, że istnieją przyczyny, dla których ktoś mógłby nie chcieć widywać Maylene przy swoim stole.

Martwota domu, pomimo wszystko, działała na nią kojąco. W domu Maylene — *w moim domu* — było coś, co zawsze uspokajało Rebekę, nieważne jak bardzo czuła się smutna czy zdenerwowana. Nawet teraz przebywanie w tym starym wiejskim domostwie łagodziło stratę Maylene bardziej, niż Rebeka mogła się tego spodziewać. Raz jeszcze pogładziła powierzchnię biurka i otworzyła kopertę, którą otrzymała od pana Montgomery'ego.

kwiecień 1993

Nie powiem, Beks, żeby pisanie tego listu sprawiało mi przyjemność, tak samo jak Tobie nie będzie miło go czytać. Nie sądzę, żebym w najbliższym czasie była w stanie rozmawiać o tych sprawach. Jeżeli to się zmieni... być może przybędzie mi kiedyś odwagi. Jeśli nie, spróbuj potraktować mnie życzliwie, kiedy odejdę.

Jesteś tak samo moją ukochaną wnuczką, jak ~~jest~~ była Ella Mae. Ty jednak jesteś silniejsza. Nigdy nie wątp w tę siłę. Nie ma w tym nic niewłaściwego, żadnego braku szacunku wobec Elli Mae.

Kocham ją, lecz nie biorę jej za kogoś, kim nie była. Tobie też nie wolno tego robić. Pewnego dnia możesz ją znienawidzić za wybór, jakiego dokonała. Pewnego dnia możesz znienawidzić też mnie. Mam nadzieję, że przebaczysz nam wszystkim.

Wszystko, co mam, wszystko, czym jestem i wszystko, co należało do kobiet przede mną — przekazuję Tobie. Wszelkie papiery są w porządku. Cissy i dziewczęta wiedzą od lat. Twoja matka również. Po śmierci Elli Mae, Ty zostałaś moją jedyną spadkobierczynią. Dom z zawartością i w ogóle wszystko jest teraz twoje i tylko twoje. Dobre i złe strony, niestety, stanowią nieodłączną część tej umowy. Poprosiłabym o Twoją zgodę, gdybym miała jakiś wybór, ale teraz Ty jesteś moim jedynym wyborem. Sądziłam niegdyś, że to Ty i Ella Mae będziecie podejmować tę decyzję między sobą.

Pewnego dnia przeczytasz te słowa i, jeśli Bóg pozwoli, będziesz na nie gotowa. Mam nadzieję, że moja śmierć nie była dla Ciebie zaskoczeniem. A jeśli była, wszystkie potrzebne odpowiedzi znajdziesz w domu. Polegaj na Montgomerych i na księdzu Nessie. Zwróć uwagę na przeszłość. Wszystkie twoje poprzedniczki prowadziły zapiski. Księgi znajdują się w domu. Odszukasz w nich — mam nadzieję — odpowiedź na każde pytanie, jakie Cię nurtuje, oczywiście z wyjątkiem tego, dlaczego jest ze mnie taki tchórz, że nie mówię Ci o wszystkim osobiście. Na to pytanie odpowiem Ci teraz: boję się, moja droga. Boję się, że potraktujesz mnie tak jak Ella Mae. Boję się, że spojrzysz na mnie tak, jak ja postrzegałam swoją babkę. Boję się, że mnie opuścisz, a jestem zbyt samolubna, żeby Cię stracić. Wolę, żeby wszystko było między nami jak dawniej, żebyś wciąż mnie kochała.

Wybacz mi, złotko, wszystkie moje błędy, i pomyśl o mnie czasem, gdy mnie już nie będzie. Myśl, że może być inaczej, jest straszna, nie do zniesienia.

W Tobie pokładam całą swoją miłość i wszelkie nadzieje.

Babcia Maylene

Zwarte pismo Maylene było Rebece tak znane, jak jej własne, za to słowa nie miały większego sensu. Nic, stwierdziła Rebeka, nie mogłoby zmienić jej miłości do Maylene. Nic nie mogłoby sprawić, że zamieniłaby się w nienawiść.

Drugą rzeczą w kopercie była kopia testamentu Maylene. Rebeka przejrzała ją pobieżnie, by sprawdzić zgodność zapisu z listem. Faktycznie, Maylene zostawiła wszystko, każdą rzecz, każdego centa i dom — jej i tylko jej. *Wszystko?* Rebeka zastanowiła się, od jak dawna Cissy o tym wiedziała. *Czy dlatego zawsze mnie tak nienawidziła?* Z trudem zmusiła się do skierowania myśli na inne tory. Cecilia Barrow kosztowała ją w tym dniu o wiele więcej energii, niż należało.

Pomyślała zatem o księgach schowanych gdzieś w domu. Zastanowiła się też, w którym z licznych zakamarków ich szukać i w jaki sposób może z nich uzyskać odpowiedź na zagadkę morderstwa, dokonanego na babci. Na próżno. Szybkie spojrzenie, jakim obrzuciła pokój, nie wniosło do sprawy nic poza stwierdzeniem, że Maylene przez długi czas mieszkała w jednym pokoju. Regały pięły się do sufitu, otaczały framugi drzwi i biegły po obwodzie pomieszczenia. Wypełnione były książkami, z których wiele nosiło ślady zużycia — ze starości lub od intensywnego czytania. Żadne jednak nie przypominały ksiąg, o które chodziło Maylene. Po obu stronach babcinego łóżka stały szafy na ubrania, a w nogach łóżka — drewniany kufer. Wydawały się oczywistym schowkiem, a jednak poszukiwanych ksiąg w nich nie było.

Rebeka zaczęła przepatrywać pozostałe trzy pokoje na piętrze — swój własny, Elli i ten, w którym spała jej matka z Jimmym. Sypialnia Rebeki nie była przeładowana sprzętami, lecz tamte — wprost zagracone. Wyżej, na poddaszu, było jeszcze gorzej. Stryszek wypełniał po brzegi dobytek Maylene, gromadzony przez lata jej życia i życia tych, którzy mieszkali tu przed nią. Na dole nie było lepiej. Sekretną skrytkę w jednej ze ścian salonu napchano tak, że Rebeka zamknęła ją, krzywiąc się, zaraz po otwarciu. Spiżarnia zawsze groziła eksplozją z przeładowania, na co Maylene nieodmiennie reagowała enigmatycznym „nigdy nie wiadomo, czego ciało zapragnie". W całym zatrzęsieniu przedmiotów wypełniających dom, Rebeka nie znalazła niczego, co przypominałoby poszukiwane przez nią księgi. Znalazła natomiast mnóstwo pamiątek po tej niezwykłej kobiecie, której odebrano życie, nim Rebeka zdążyła się pożegnać. Śmierć kochanej osoby zawsze boli, to jedna z niezmiennych rzeczy, lecz nagłość i brutalność tej śmierci sprawiły, że bolała jeszcze bardziej.

Jimmy umarł nagle. Ella też. Rebeka wyobraziła sobie ich wszystkich w tym domu. *To już nie wróci.* Rozejrzała się dookoła i nagle przytłoczyły ją wspomnienia, szczególnie jedno, które nie należało do niej. Ostatnie wspomnienie Maylene kładło się cieniem na wszystkim.

Maylene została tu zabita.

Ściany zdawały się na nią napierać, a najlżejszy szelest podrywał ją z miejsca. Dom, w którym czuła się bezpieczna, i do którego biegła, gdy świat ją przerastał, naraz pokazał cienie, które czaiły się wokół niej jak groźby. Jej lęk nie był racjonalny, ale Rebeka nie nazwałaby go też głupotą. Ktoś przecież zamordował Maylene w tym domu.

Czy ja go znam?

Czy ten ktoś stał nad jej grobem?

Czy podszedł — albo podeszła — do mnie z kondolencjami?

Wiatr rozbujał huśtawkę na werandzie, aż zaskrzypiała łańcuchami. Kiedy Rebeka była mała, ten dźwięk ją uspokajał. Jako dorosła kobieta, sama w domu, w którym zamordowano jej babcię, nie nazwałaby go wielce kojącym.

Podniosła Cherubina, ocierającego się o jej kostki, i podeszła do okna. Odsunąwszy firankę, wyjrzała na zewnątrz. Dzień zmierzał w stronę późnego popołudnia, ale słońce jeszcze nie zaszło. Weranda była pusta.

Nic, poza cieniami i powietrzem.

— Idę na spacer — oznajmiła Rebeka.

Cherubin zamiauczał.

— Cicho, kocie. Niedługo wrócę. — Pocałowała go w łebek i opuściła na podłogę.

Przebrała się w mniej oficjalne ciuchy — dżinsy, ciemnoszary pulower, botki i czarną kurtkę. Następnie zgarnęła portfel, klucze i pojemnik gazu pieprzowego. Gaz pieprzowy nie był idealną bronią wobec zwierzęcia, lecz dałby jej moment przewagi, gdyby osoba, która skrzywdziła — *zabiła* — Maylene chciała i jej zrobić krzywdę. *Lepsza byłaby spluwa*. Rebeka wyrosła w otoczeniu pełnym broni, ale jedyne, co miała teraz w domu, to strzelba, a nawet w Claysville ktoś paradujący po mieście ze strzelbą w ręce wyglądałby dziwnie. *A więc gaz pieprzowy*. Poupychała wszystko po kieszeniach kurtki i zatrzasnęła za sobą drzwi.

Nie obierała konkretnego celu, chciała po prostu wyjść z domu. Zbyt wiele zmieniało się zbyt szybko. Sądziła, że Cissy coś odziedziczy. *Jakby mało miała powodów, żeby mnie nienawidzić*. Choć miała niejakie poczucie winy, że Cissy i bliźniaczki zostały pominięte w testamencie, Rebeka z ulga przyjęła wiadomość, że dom, który z czasem zaczęła traktować jak gniazdo rodzinne, wciąż należał do niej.

Rebeka kilkakrotnie myślała, że słyszy kogoś za sobą, lecz kiedy się odwracała, nikogo nie było. Zaczęła iść szybciej, trzymając się dobrze oświetlonych jezdni. Przystanęła na myśl o ranie na rączce tamtej dziewczynki. Ścieżki pod lampą mogły odstraszać ludzkie „bestie", ale nie miała pewności, czy powstrzymałyby dzikie zwierzę. Jeżeli ktoś lub coś szło za nią, odwracanie się nie było rozsądną rzeczą.

I co teraz?

Zaczęła biec. Odgłos jej botków, uderzających w nawierzchnię, zdawał się z każdym krokiem rozbrzmiewać głośniejszym echem. Kiedy ujrzała znajomy neon baru Gallaghera, nogi ją bolały, a wzdłuż kręgosłupa spływały jej krople potu. Nikt ani nic jej nie złapało, a bieg sprawił, że poczuła się lepiej niż kiedykolwiek od wczoraj, od momentu, gdy przyszła ta wiadomość.

To było zaledwie wczoraj. Rebeka pokręciła głową. *Za dużo zmian, zbyt szybko*. Otworzyła drzwi i weszła w mroczne wnętrze baru.

Momentalnie zwróciły się ku niej twarze — znajomych lub nie. Nikt nie patrzył wrogo, lecz ich badawcze spojrzenie nie było dla Rebeki przyjemne. Ludzie ją tu znali i wiedzieli o niej więcej, niżby sobie tego życzyła. Niby o tym pamiętała, a jednak rzeczywistość, w której podlegała wnikliwej obserwacji, wręcz oględzinom, okazała się trudniejsza, niż zakładała to jej pamięć. A może litość raniła bardziej niż badawcze spojrzenia?

— Beks? — zawołała Amity. — Chodź, siadaj tutaj.

Rebeka z chęcią uściskałaby ją za to zaproszenie. Oczywiście życzliwość była obowiązkiem barmanki, ale Rebeki to nie obchodziło. Uśmiechnęła się i podeszła do baru.

Amity stała z rękami na biodrach. Z jednej dłoni zwisała jej ścierka, a na twarzy nie malowała się wcale litość.

— Szukasz kogoś?

Rebeka pokręciła głową.

— Powietrza i drinka. Ja... Musiałam wyjść z domu.

Amity gestem wskazała jej stołek.

— Chcesz pogadać?

— Nie. — Wyciągnęła stołek spod baru i usiadła. — Wystarczająco się dziś nagadałam.

— Zrozumiano. Bez gadania. — Amity podsunęła jej miskę barowych przegryzek. — A więc... piwo, wino czy coś mocniejszego?

— Wino. Białe stołowe. Cokolwiek.

— Mamy...

— Wszystko mi jedno — przerwała jej Rebeka. — Chcę tylko trzymać w ręce kieliszek, żebym mogła tu siedzieć i nie wyglądać aż tak żałośnie.

Amity gapiła się na nią przez chwilę, a potem odwróciła się i wyjęła z lodówki częściowo opróżnioną butelkę białego wina. Wykręciła z niej korek.

— Nie chcesz ani pić, ani rozmawiać.

— Nie.

Amity nalała bladego płynu do kieliszka, wepchnęła korek z powrotem w szyjkę butelki i postawiła wino na barze.

— To czego szukasz?

— Nie wiem.

Rebeka objęła kieliszek palcami. Wydawał się tak kruchy pod jej dotykiem, że przez moment rozważała zaciśnięcie dłoni, aby wbić sobie pod skórę odłamki szkła. Podniosła naczynie i wypiła połowę jego zawartości.

— Trochę oddechu, chłopcy? — Amity odkorkowała butelkę i dolała jej wina do pełna. — A może powinnam zapytać, kogo szukasz?

— Nie.

Za sobą Rebeka słyszała otwieranie i zamykanie drzwi. Odgłosy kroków na podłodze. Drzwi otworzyły się i zamknęły. Zabrzmiało więcej kroków. Drzwi otworzyły się ponownie i trzasnęły.

— Beks? — Dłoń Amity spoczęła na dłoni Rebeki. — Dasz sobie z tym radę.

Rebeka kiwnęła głową.

Po kilku minutach ciszy rozejrzała się naokoło. Lokal był pusty. Amity wyszła zza baru ze ścierką w ręce. Sądząc po tym, jak była ubrana, barmanka spodziewała się tu niespecjalnie przyzwoitych gości. Krótka spódniczka i wysokie botki były obliczone na oglądanie. W spokojne wieczory Amity zakładała dżinsy, choć w nich też nie wyglądała jak łajza, ale porządny kawałek skóry na widoku pozwalał klientom łatwiej wyzbywać się pieniędzy, a zatem większy ruch w barze oznaczał spódniczki.

— Wyrzuciłaś ich — stwierdziła Rebeka.

— Nie musieli mnie wcale słuchać. — Amity cisnęła butelką w kierunku kosza na śmieci, jakby grała w koszykówkę.

Rebeka zostawiła kieliszek i podeszła do Amity, która właśnie, śpiewając cicho pod nosem, rzucała butelki, opróżniała popielniczki i strzepywała okruchy na podłogę. Rebeka zgarnęła kilka pełnych w połowie szklanek, pozostawionych przez klientów, i zaniosła je do baru.

— A ciebie nic nie rusza, prawda?

Na moment Amity ucichła. Przez twarz przeleciał jej grymas lęku. Potem rzuciła wysokim łukiem kolejną butelkę.

— Zdziwiłabyś się.

Rebeka sama nie wiedziała, czy chce drążyć temat, czy go zostawić. Zawahała się, przeciągając moment decyzji.

— Może któregoś wieczoru opowiesz mi, czego boi się niezwyciężona Amity Blue.

— Może — mruknęła Amity. — Ale nie dziś.

— Nie, nie dzisiaj. — Rebeka podeszła do baru i położyła rękę na bramce. — Mogę?

— Jasne. Do diabła, jeśli chcesz, możesz tu przepracować parę zmian, zanim nie wyjedziesz... Powinno ci to odwrócić myśli od klaustrofobicznego Claysville.

— Nie mam o tym wszystkim pojęcia. — Rebeka podniosła klapę i weszła za ladę, a potem zamknęła przejście, ponownie oddzielając terytorium barmanki od reszty lokalu. Teraz znajdowały się z Amity po przeciwnych stronach, w stosunku do tego, gdzie zaczynały wieczór.

Praca? W jednym miejscu? Rebeka nie pamiętała już, kiedy ostatnio miała stałą pracę. Część alimentów, które matka otrzymywała od swoich byłych mężów, jak również pokaźne wpływy z ubezpieczenia Jimmy'ego sprawiały, że konto bankowe Rebeki nigdy nie topniało za bardzo. Uzupełniała je zapłatą za kilka artystycznych zleceń, ale było to kwestią nie tyle potrzeby, co jej własnego poczucia wartości. *Stała praca oznacza dłuższy pobyt.* Myśl o pozostawaniu w jednym miejscu zawsze wydawała jej się niedorzeczna. *Chyba że chodziło o Claysville.*

— Mam parę pytań związanych ze śmiercią Maylene, ale to nie oznacza... — Rebeka pokręciła głową. Wiedziała, że nie wyjedzie natychmiast. Szukała odpowiedzi. Dokończyła słabym głosem: — Nie wiem, jak długo tu zostanę.

Ironiczna uwaga Amity wypełniła niezręczną ciszę:

— W tym zawodzie nikogo nie dziwi tymczasowe zatrudnienie, Beks. Udzielę ci chociaż parę lekcji z pakietu Barmanka 101, tak dla rozrywki… chyba że masz już w planach inną rozrywkę?

Myśl o Byronie pojawiła się nieproszona w głowie Rebeki, ale traktowanie go w tych kategoriach nie było słuszne. *Czyżby?* Odsunęła od siebie tę myśl i spojrzała na Amity.

— Nie, nie mam w planach niczego, czym mogłabym zająć myśli.

— Sądziłam, że ty i By…

— Jesteśmy starymi przyjaciółmi, ale on jest stworzony do bycia w związku, a… — Rebeka spojrzała na wymuszony uśmiech Amity i spytała: — Czy coś przeoczyłam?

Amity pokręciła głową.

— Chyba znamy dwóch różnych Byronów.

Rebekę zalała krępująca zazdrość. Nie patrzyła na Amity, gdy otwierała lodówkę, odkorkowywała wino i napełniała dwa kieliszki. Dopiero kiedy miała pewność, że nieuzasadniona zazdrość zniknęła z jej twarzy, spojrzała na barmankę.

— A więc znasz Byrona?

— Claysville ma tylko kilka tysięcy mieszkańców, Beks. Większość z nich nie jest ani w połowie tak interesująca, jak Byron. — Amity rozłożyła ramiona. — I na dodatek Gallagher jest najpopularniejszym lokalem w mieście, a ja jestem tu najbardziej wziętą barmanką, co oznacza, że znam wszystkich, którzy mogą legalnie pić.

Rebeka roześmiała się.

— Może powinnaś mnie odwiedzić, kiedy pojadę do… tam, gdzie teraz pojadę.

— Nie jestem typem podróżniczki, ale dzięki.

Z kieliszkiem w ręce, Rebeka ni to przysiadła, ni oparła się o jedną z sięgających jej bioder witryn chłodniczych na piwo, a stopy zablokowała na stołku, postawionym przez Amity za barem właśnie w tym celu.

— Teraz ty to prowadzisz? W ostatnim liście pisałaś, że Troy jest menedżerem. Czy wy...?

— Nie. Troy nie lubi się wiązać, a może to ja nie jestem typem dziewczyny, z którą faceci chcieliby tworzyć związek. — Amity wzruszyła ramionami. — Rozstaliśmy się parę miesięcy temu. Ale podchodzimy do tego na luzie... a raczej podchodziliśmy. Wziął tydzień wolnego z powodów osobistych, ale miał wrócić do pracy prawie miesiąc temu. A tu ani widu, ani słychu. A Daniel... Cóż, niby jest właścicielem, ale potrafi tylko powiedzieć „Amity, zajmij się wszystkim." No to się zajmuję.

— Troy zniknął tak po prostu? Wyjechał z miasta?

Rebekę ścisnęło w sercu. Troy nigdy nie słynął z odpowiedzialności, ale uwielbiał ten bar. Rebeka nie widziała, żeby przejmował się albo stawał zaborczy w jakiejś innej sprawie niż Gallagher lub Amity. W liceum byli w jednej grupie na plastyce, ale po śmierci Elli tak naprawdę nie rozmawiali ze sobą, aż Rebeka wpadła z wizytą i znalazła Troya za barem u Gallaghera, gdzie żonglował drinkami. Wtedy właśnie przedstawił jej Amity, młodszą koleżankę z pracy, która ewidentnie zawróciła mu w głowie.

— Nie wiem. — Amity wytarła ostatni stół po klientach. — Po prostu zniknął. Zważywszy, jak rzadko ktoś stąd wyjeżdża, osobiście uważam, że jest się czym przejmować, ale co ja tam wiem, prawda? Daniel zachowuje się, jakby w grę wchodziła sprzeczka kochanków, ale Troy i ja... z nami tak nie było. On nie wyjeżdżałby tylko dlatego, że zaczęłam się spotykać z kimś innym.

— A może ten nowy facet powiedział mu coś? Pytałaś Troya? On jest kochany, ale to może być problem. Czy oni się znają? A może...

— On... Ten „nowy facet" traktuje mnie jak wypełniacz czasu, Beks. Możesz mi wierzyć.

Rebeka nie potrafiła się zmusić, aby zadać jej to pytanie, choć chciała wiedzieć. Chciała nie przejmować się tym, że mogło chodzić o Byrona, a jednak jej zależało.

— Może powinnam z nim pogadać? Znam go?

Amity podeszła do baru, położyła obie ręce na blacie i wsparła się tak, że jej stopy zawisły w powietrzu. Przechyliła się, sięgnęła ponad barem i wyjęła pilota od szafy grającej.

— Koniec filmu — powiedziała. — Idź wybierz jakąś muzyczkę. Skoro już tu jesteś, możemy potańczyć albo pomachać kijem.

— W bilardzie dalej jestem do dupy. — Rebeka przeszła z powrotem przez bramkę i zatrzymała się obok Amity. — Szeryf McInney wie?

Uśmiech Amity wyglądał na wymuszony.

— O Troyu? Tak, wie.

— I?

— Troy jest jak gdyby… nieobliczalny, więc szeryf niespecjalnie się tym przejmuje. Prosiłam Bonnie Jean, żeby szepnęła słówko na następnym posiedzeniu radnych, ale — wzruszyła ramionami — moja siostra jest tak pochłonięta robieniem wrażenia na burmistrzu, że nie bardzo mogę na nią liczyć.

Drzwi się otwarły i stanęła w nich grupka mężczyzn. Ten z przodu spojrzał na obie dziewczyny, zdjął kapelusz i, trzymając go w rękach, powiedział:

— Psze pani?

Uśmiech barmanki z miejsca wrócił na usta Amity. Gestem zaprosiła ich do środka, a potem mruknęła:

— Przerwa skończona, Beks. Wrzuć nam coś głośnego. Żadne tam country czy bluesy. Nie dziś.

Rebeka skinęła głową i podeszła pod starą szafę grającą. Zerknęła przez ramię na Amity, lecz barmanka kiwała palcem na mężczyzn, którzy zapełniali bar i zachowywała się tak, jakby przed chwilą nie przerwano im żadnej prywatnej rozmowy.

— Chodźcie bliżej, chłopaki. Ten słoik na napiwki sam się nie napełni, a my tu mamy nową barmankę do przeszkolenia. Nie mogę jej szkolić, jeśli nie zamówicie szybko drinków. — Amity wyskoczyła na bar, przerzuciła nad nim nogi i zeskoczyła z drugiej strony. — To co podać?

21

Byron siedział przy stole z ojcem i Charliem. Naraz zobaczył kobietę w sukni do ziemi. Miała czarne jak węgiel włosy i uwodzicielski czar przywodzący na myśl Bettie Page. Przeszła przez bar, kołysząc biodrami, i stanęła przy ich stoliku.

— Wzywałeś mnie, Charlie? — Mówiła na przydechu, ale mogło to być sprawką gorsetu i stanika sukni, które opasywały i unosiły jej piersi tak, że niewiele im brakowało do wyzwolenia się z głębokiego dekoltu w kształcie litery V.

— Bądź tak miła i zaśpiewaj nam coś. — Charlie machinalnie poklepał ją w tyłek. — Nie znoszę ciszy.

Pojedynczy reflektor włączył się z głośnym trzaskiem, a kotara nad drzwiami rozsunęła, i trzech martwych muzyków wyszło, by po chwili dołączyć do śpiewaczki na scenie. Jeden z nich niósł wiolonczelę, a pozostali dwaj zajęli miejsca przed fortepianem i perkusją.

— Opiekunka Grobów — podpowiedział Byron.

Charlie uniósł szklankę jak do toastu, kiedy dziewczyna z przydechem zaczęła śpiewać.

— Ach, tego nam było trzeba. A wracając do naszych spraw... Opiekunka Grobów to kobieta, partnerka Grabarza, która pilnuje, żeby zmarli nie urządzali demolki w świecie żywych. Następczynią Maylene jest — przechylił głowę, jakby się zastanawiał — Rebeka.

Byron przeniósł wzrok na ojca.

— Rebeka?

— Tak. — Charlie pstryknął palcami.

Kelnerka podeszła, niosąc skrzynkę z ciemnego drewna. Położyła ją na stole przed Charliem, zerknęła na niego, a potem, skoro nic nie mówił ani nawet nie zauważał jej obecności, odwróciła się i odeszła. Kobieta na scenie śpiewała coś do mikrofonu szeptem — tak cicho, że prawie niesłyszalnie.

Charlie sięgnął do kieszeni i wyjął kluczyk. Wsunął go w zamek skrzynki.

— Opiekunka Grobów pilnuje, żeby martwi leżeli w ziemi, albo przyprowadza ich do mnie, jeśli się podniosą. Musisz mieć nową, w miejsce Maylene. — Otworzył zatrzaski po obu stronach skrzynki. — Opiekunka Grobów jest jedyną żyjącą osobą, z wyjątkiem ciebie oczywiście, która może tu przychodzić.

— A dlaczego miałaby to robić? — Byron wstał. — Dlaczego JA , jeśli już o tym mowa, miałbym chcieć tu przychodzić?

Światło reflektora zdawało się pojaśnieć, w miarę jak palce pianisty tańczyły po klawiszach. Rytm wybijany na perkusji nadawał muzyce niecierpliwy ton, kiedy Charlie podniósł wieko skrzynki.

— Ponieważ zaniechanie tego byłoby pogwałceniem umowy. — Charlie sięgnął do skrzynki i chwycił zwój papieru. — Ponieważ to oznaczałoby, że zmarli zabiją was wszystkich. — Rozwinął zwój, wyjął ze skrzynki pióro i stuknął nim w papier. — Podpisz tutaj.

Charlie trzymał pióro, a muzycy przestali naraz grać, jakby ktoś odciął im prąd. Najwyraźniej nimi też, jak zresztą wszystkim innym w tej krainie umarłych, rządził człowiek, który patrzył teraz wyczekująco na Byrona. Byron nie palił się do tego, by ktokolwiek nim rządził.

— Jaka jest moja rola? Powiedziałeś mi o Opiekunce Grobów, ale do czego ja mam się tu zobowiązać?

Charlie uśmiechnął się wspaniałomyślnie.

— Do tego, czego pragniesz, Byronie, o czym marzysz, odkąd umarła Ella. Masz chronić naszą Rebekę. Kochać ją i powstrzymywać przed pragnieniem śmierci.

Byron wpatrywał się w Charliego.

— Możesz przedostać się na naszą stronę?

— Jeżeli Grabarz i Opiekunka Grobów będą wypełniać swoje obowiązki, żaden zmarły nie nawiedzi waszego miasta. Wasze dzieci zostaną w Claysville i będą chronione przed... cóż, przed paroma rzeczami. Miasto będzie nadal kwitło, silne, bezpieczne i takie tam bzdury. — Charlie stuknął w papier. — Wszystko tu jest, czarno na białym, małym drukiem.

— Taka jest kolej rzeczy, Byronie — powiedział William zmęczonym głosem. — No dalej, podpisz.

— Dlaczego? Chcecie, żebym po prostu... — Byron cofnął się od stolika. — Nie. Coś wam się pomieszało, ale ja myślę trzeźwo. Chodźmy.

Odwrócił się i poszedł. Był już przy drzwiach, kiedy doleciał go głos ojca:

— Piłeś ze zmarłymi, synu. Albo to podpiszesz, albo tu zostaniesz.

Byron położył dłoń na drzwiach, ale ich nie otworzył. Ojciec z całą świadomością przyprowadził go tutaj i wpakował w te tarapaty.

— Przykro mi — dodał William cicho. — Są pewne tradycje. A to jest jedna z nich.

— Twój stary ma rację. — Głos Charliego rozbrzmiewał w pustym pokoju. — Zdecyduj się.

Byron odwrócił się powoli i stanął z nimi twarzą w twarz.

— A jeśli nie podpiszę?

— Umrzesz. To nie będzie bolało, po prostu zostaniesz tutaj. On znajdzie nowego Grabarza w świecie żywych. Jego Opiekunka Grobów umarła, więc i jego zadanie dobiegło końca. — Charlie nie podniósł się z miejsca i nic w wyrazie jego twarzy nie zdradzało, o czym myśli. — Nie mogę ci na siłę przytrzymać ręki. Jeśli zostaniesz, rozrywek ci tu nie zabraknie, a jeśli podpiszesz, będziesz kursował tam i z powrotem między światami. Tak naprawdę, to nie moja sprawa.

Gdy mówił, wiolonczelista i pianista znowu zaczęli grać, a dziewczyna śpiewać cicho. Patrzyła wyłącznie na Byrona.

Podszedł z powrotem do stołu. Spojrzał na ojca.

— Jak mogłeś... — urwał, niepewny, o co tak naprawdę chce zapytać. — Pomóż mi to zrozumieć, tato. Powiedz mi... cokolwiek.

— Po śmierci Elli Mae uzgodniliśmy z Maylene, że najlepiej będzie, jeśli zachowamy to w tajemnicy aż będziecie gotowi... no chyba, że wcześniej będziemy zmuszeni wyjawić wam prawdę. — William był równie niewzruszony, jak przez te wszystkie lata, gdy Byron zadawał mu pytania bez odpowiedzi. — Była dzieckiem. Nie mogliśmy ryzykować, że stracimy również ciebie albo Rebekę. Ale oto czas nadszedł.

— Ella umarła z powodu **tego**? — Byronowi zaschło w ustach. Serce biło mu zbyt głośno w piersi. — Czyli wiedziała. I właśnie tego nie chciała nam powiedzieć. Myślałem... Myślałem różne rzeczy. Że ktoś ją skrzywdził albo że coś zobaczyła, albo... Ale chodziło o to.

— Tak — przyznał William.

Byron podszedł niezgrabnie do stołu i padł z powrotem na swoje krzesło.

William dopił resztę whisky.

— Rola Opiekunki Grobów to ciężar przekazywany z pokolenia na pokolenie.

— Beks nie jest przecież krewną Maylene. — Byron czuł się jak głupek, mówiąc te słowa, choć były prawdą. Jeżeli faktyczne pokrewieństwo stanowiło główne kryterium, to obowiązek spadłby na Cissy lub którąś z bliźniaczek. Byron wykrzywił się na samą myśl.

— A tak, Cissy — powiedział Charlie. — Spartaczyłaby robotę, ale dostarczyłaby nam niezłej rozrywki. Z kolei jej Elizabeth wydaje się niezła. Podoba ci się?

— Czemu pytasz?

Byron skosztował szkockiej. Miała delikatny aromat i leciutki słony posmak, który świadczył o pochodzeniu z Gór Kaledońskich. Jedna z jego ulubionych. *To prawdopodobnie też nie jest przypadkowe. Czy cokolwiek jest przypadkiem?*

— Jeśli twoja Beks umrze, zastąpi ją któraś z nich. Tak to działa. Hierarchia sukcesji i tak dalej. Z Maylene była sprytna kobitka. Wyznaczyła Rebekę, ale gdyby zostawiła sprawy własnemu tokowi... Nie wszystko da się przewidzieć, gdy w domu jest tyle kobiet. Jedna z dziewcząt zostałaby wówczas twoją partnerką... bo podpiszesz, prawda, Byronie? Wrócisz, zaopiekujesz się dziewczyną i w ogóle. Wejdziesz w swoją rolę?

— Sukinsyn z ciebie — powiedział Byron, wyciągając jednak rękę.

— Brawo! — Charlie podał mu pióro i wygładził rozwinięty papier. — O, tu, na linii, synu.

Byron zawahał się przez chwilę. Palce chodziły mu po brzegu zwoju.

— Podpisz — przynaglił go William. — Warunki nie zmieniają faktu: albo podpiszesz, albo zostaniesz. Później możesz sobie poszukać w niej luk. Wszyscy tak robimy. Ale nic nie zmienia tego, co musisz zrobić teraz.

Byron przesunął palcem wzdłuż kolumny imion.

1712–1750 William
1750–1779 Nathaniel
1779–1803 Jakob
1803–1826 Mason
1826–1859 Timothy
1859–1872 Hugh
1872–1880 Conner
1880–1908 Alexander
1908–1953 Joseph
1953–2011 William B.

Niektóre podpisy skreślono pewną ręką, inne były nierówne. Zastanowił się, ilu z tych mężczyzn było tak zdezorientowanych, jak on. Ilu wątpiło w swoje zdrowe zmysły. *Jak mogli znieść myśl, że skazują na to własnych synów? Jak zniósł to jego ojciec?* Byron spojrzał na Williama. Montgomery nie drgnął ani nie odwrócił wzroku.

— Czas ucieka — zauważył Charlie. — To znaczy, nie przede

mną, ale zaczynam się nudzić. Podpisz albo odeślij ojca, żeby znalazł nowego Grabarza. Rebeka potrzebuje partnera, ale zanim tu dotrze, do mojego królestwa, jest tylko cieniem tego, czym być powinna. Tamci będą ją widzieć, za to ona nie będzie wiedziała, kim są ani jaka jest jej rola. Jest wobec nich bezbronna. Albo zostaniesz jej partnerem, albo zejdź nam z drogi.

Byron nie zamierzał opuszczać Rebeki ani ojca. Nie chciał też umierać. Nagryzmolił swoje imię pod podpisem Williama.

Charlie przewrócił kartkę i na drugiej stronie Byron ujrzał nagłówek KOBIETA Z RODU BARROW, a pod nim kolejną wyliczankę. Tutaj imiona zapisano tą samą ręką. Nie były to podpisy, lecz lista kobiet wybranych do pełnienia tej roli. One nie miały wyboru.

1712–1750 Abigail
1750–1779 Drusilla
1779–1803 Eleanor
1803–1826 Grace
1826–1859 Clara
1859–1872 Maria
1872–1880 Alicia
1880–1908 Ruth
1908–1953 Elizabeth Anne (zwana Bitty)
1953–2011 Maylene
~~1999–~~ ~~Ella~~
2011– Rebeka

Spojrzenie Byrona zatrzymało się na wykreślonym imieniu Elli. *To miała być ona.* Chwycił za brzeg papieru.

— Dlaczego? Dlaczego nie daje się im wyboru?

— Nie obiecywałem, że wszystko będzie łatwe. — Charlie zwinął dokument, włożył go do skrzynki i zatrzasnął zamek.

Kelnerka przyszła i zabrała skrzynkę.

Naraz Charlie wstał i powiedział:

— Zostańcie śmiało, proszę. Bawcie się dobrze. — Skinął głową i założył kapelusz. — Williamie, do zobaczenia wkrótce.

Gdy tylko wyszedł, bar zaczął się wypełniać. Pozbawiając ich resztek prywatności, zmarli, kobiety i mężczyźni, siadali przy sąsiednich stolikach. Wielu z nich pozdrawiało Williama skinięciem głowy.

Byron zwrócił się do ojca.

— Mam parę pytań.

— Nie jestem pewien, czy zadowolą cię moje odpowiedzi. — William skinął na kelnerkę. — Butelkę poproszę.

Kiedy odeszła, Byron popatrzył na niego uważnie.

— Mama wiedziała?

— Owszem.

— A co z Maylene? Jeżeli Opiekunki Grobów i Grabarze są parą, a jedno i drugie to zadanie dziedziczne... — urwał, zamyślony. — To po jednym pokoleniu przestaje funkcjonować.

— Miłość nie jest tożsama z małżeństwem, synu. Jeżeli decydują się być razem, jedno z nich musi wybrać nową rodzinę, aby przekazać jej swoje obowiązki. W ten sposób oszczędza się syna lub córkę. Taki jest pożytek z tej umowy. Wybierasz dziecko, które zostanie zwolnione. — William roześmiał się, lecz jego śmiech brzmiał gorzko. — Gdybym ożenił się z Maylene, jedno z naszych dzieci zostałoby wybrane, a obowiązek drugiego przeniosłoby się na inną rodzinę z Claysville — według naszego wyboru. Gdybyśmy nie mieli dzieci lub spokrewnionych następców, uznawanych za zdolnych i godnych tego zadania, musielibyśmy wyznaczyć kolejne osoby. Właśnie tę lukę sprytnie wykorzystała Maylene, kiedy wybierała Rebekę. Uznała, że bycie godną, by zostać Opiekunką Grobów, obejmuje świadomą decyzję wybranej. Postanowiła więc dać jednakową szansę Elli i Rebece. Ella jednak podjęła inną decyzję, zanim jeszcze Maylene powiedziała Rebece.

— A więc mogłeś...

— Jedynie gdybyś okazał się nieudacznikiem. Tylko w przypadku, gdybyś miał sobie nie poradzić. Jedynie wtedy, gdybym z całego serca wierzył, że tak będzie lepiej dla miasta. Ale nikomu innemu nie powierzyłbym tego zadania z taką ufnością. To właśnie ty od zawsze miałeś być następnym Grabarzem. — William przejął butelkę z rąk kelnerki, zanim zdążyła postawić ją na stole. W milczeniu rozlał szkocką do szklanek.

Byron zorientował się, że kelnerka wciąż przy nich stoi. Podniósł głowę i spojrzał na nią, a ona nachyliła się i szepnęła:

— Jeżeli sobie życzysz... — przeciągnęła językiem po jego uchu — Pan S mówi, że możesz dostać całą noc na koszt firmy. — Wyprostowała się i powiodła ręką po sali. — Wszystkie i wszystko. Żadna zachcianka nie będzie zbyt wyuzdana.

Większość z przebywających w lokalu osób gapiła się na niego. Rozbawione uśmiechy, rozchylone usta, spojrzenia spod ciężkich powiek, spojrzenia pogardliwe i otwarta żądza — nie było dwóch takich samych min. Byron poczuł się dziwnie obnażony i niepewny, jak zareagować.

Kelnerka wsunęła mu w dłoń kopertę.

— Tutaj masz bon. Bezterminowy... No, chyba że umrzesz. Tak długo jednak, jak będziesz żył, jesteśmy do twojej dyspozycji.

— Dziękuję — powiedział, nie dlatego, że czuł autentyczną wdzięczność, ale ponieważ patrzyła na niego wyczekująco. — Ja po prostu... Nie wiem, co powiedzieć.

Nachyliła się bliżej i musnęła wargami jego policzek, jednocześnie wciskając mu w dłoń karnecik zapałek.

— Witaj w naszym świecie, Grabarzu.

22

Daisha uniosła rękę, chcąc zapukać do drzwi przyczepy. Głupio się czuła, pukając, ale innym wyjściem było wmaszerować do środka bez zapowiedzi, a to też jej się niespecjalnie podobało. W zasadzie nic jej się nie podobało: to, że tu przyszła, nie było w porządku, ale i nieprzyjście tu w porządku by nie było. Zapukała.

Drzwi otwarły się i stanęła przed nią matka. Miała na sobie oblepiony podkoszulek i zbyt ciasne dżinsy. Makijaż tuszował częściowo plamy na jej skórze, ale niewiele mógł zdziałać w kwestii przekrwionych oczu. W ręce trzymała i papierosa, i butelkę piwa. Przez moment po prostu gapiła się na córkę.

— Wyjechałaś. Odeszłaś. — Z tyłu, za nią, migotało światło telewizora, rzucając na ścianę niebieskawe cienie.

— Właśnie wróciłam. — Daisha chciała przez moment odsunąć matkę na bok i wejść do przyczepy, ale zawahała się na myśl, że będzie zmuszona dotknąć Gail.

— Jak to? — Gail oparła się o drzwi i obrzuciła córkę badawczym wzrokiem. — Nie mam czasu wyciągać cię z kłopotów, jeśli znowu się w coś władowałaś, słyszysz?

— Gdzie Paul?

Gail zmrużyła oczy.

— W pracy.

— Dobrze. — Daisha przeszła obok matki.

— Nie pozwoliłam ci wejść. — Mówiąc te słowa, Gail puściła drzwi, które się zatrzasnęły. Machinalnie strzepnęła popiół z ledwie napoczętego papierosa, celując mniej więcej w kierunku jednej z przepełnionych popielniczek na porysowanej ławie.

— Dlaczego?

— Nie prowadzę motelu. Wyjechałaś i…

— Nie wyjechałam. To ty mnie odesłałaś. — Uczucie konsternacji, jakie towarzyszyło Daishy od momentu przebudzenia, chwilowo ustąpiło. Ściany miały brudny odcień od nadmiaru dymu nagromadzonego w zbyt małym pomieszczeniu; wykładzina nosiła plamy i ślady po papierosach jako pamiątki niejednej pijackiej nocy, a pęknięcia i rozdarcia w meblach świadczyły o biedzie i bijatykach. Stojąc tam, w ciasnej przestrzeni, w której kiedyś mieszkała, Daisha zrozumiała o wiele więcej niż dotąd —

przynależała do tej przyczepy. Tu było jej miejsce, jej dom, jej terytorium.

— Powiedział, że będzie dla ciebie dobry, zresztą nie wysyłałam cię do jakiegoś obcego. — Gail zapaliła kolejnego papierosa, a potem klapnęła z powrotem na zapadającą się kanapę, ściskając w ręce tę samą butelkę z piwem. — Paul mówił, że porządny z niego gość.

Daisha wciąż stała.

— Ale ty wiedziałaś swoje, prawda, mamo?

Gail podniosła butelkę do ust i napiła się. Potem ruszyła dłonią w górę i w dół, roztargnionym gestem wskazując na córkę.

— Dobrze wyglądasz, no to czego się czepiasz?

— Zacznijmy od tego, że nie żyję.

— Że co?

Daisha przeszła przez niewielki pokój i stanęła przy końcu kanapy. Spojrzała w dół, szukając w matczynej twarzy choćby śladu emocji, jakiegoś znaku, że Gail czuje ulgę na jej widok. Nic nie znalazła.

— Jestem martwa — powtórzyła.

— Jasne — prychnęła Gail. — A ja, kurwa, jestem królową Rzymu.

— Rzym nie ma królowej. To jest miasto, za to... — Daisha przysiadła obok matki — ja naprawdę nie żyję.

Słowa te zabrzmiały nienaturalnie. Z trudem je wypowiedziała, ale były prawdziwe. Jej ciało nie żyło. Serce nie biło w jej piersi, oddech nie wypełniał jej płuc. Wszystko, co sprawia, że człowiek żyje, ustało — tylko dlatego, że matka pozwoliła, aby ktoś ją zabił.

— Martwa — szepnęła Daisha. — Jestem martwa, nie żywa, nie zdrowa, a to wszystko twoja robota.

— Myślisz, że mnie to bawi? — Gail zaczęła się podnosić, lecz Daisha pchnęła ją z powrotem na kanapę, nim zdążyła złapać pion.

— Nie — powiedziała Daisha. — To nie jest zabawne.

Gail podniosła rękę, tę z papierosem, jakby chciała wymierzyć córce policzek. Rozżarzona końcówka papierosa wyglądała niemal ładnie.

Przez pełną napięcia chwilę ręka Gail zawisła w powietrzu z otwartą dłonią, nie dotykając jednak Daishy. Matka zaciągnęła się papierosem i wydmuchała głośno dym.

— W ogóle się nie śmieję.

— Dobrze. Tu nie ma nic do śmiechu. — Daisha chwyciła matkę za nadgarstek i, napierając na jej ramię, posadziła ją z powrotem. Kości pod skórą Gail były w dotyku jak kruche gałązki owinięte słodkim mięsem i ciepłą krwią. Trudno było uwierzyć, że kiedyś Daisha uważała matkę za silną.

Trzymając wciąż cienki jak patyk nadgarstek Gail, dziewczyna przysunęła się bliżej. Wcisnęła kolano w nogę matki, unieruchamiając ją na miejscu.

— Powiedz, naprawdę myślałaś, choćby przez chwilę, że będę bezpieczna?

Oczy Gail rozszerzyły się, lecz nie wypowiedziała żadnych kojących słów. Boksowała tylko bezradnie w stronę Daishy ręką, w której trzymała butelkę, mamrocząc:

— Na moje oko nic ci nie jest. — Szturchnęła mocniej. — Daj mi wstać.

— Nie. — Daisha odebrała jej butelkę i cisnęła nią w przeciwległą ścianę, na tyle mocno, że flaszka się rozbiła. Odłamki szkła spadły na podłogę jak brokat. — Wiedziałaś, co mu chodzi po głowie?

— Paul powiedział...

— Nie — powtórzyła Daisha. Oderwała rozżarzoną końcówkę papierosa i rzuciła ją matce na kolana. Gail wrzasnęła piskliwie, próbując ją ugasić.

— Ty cholero! Jak śmiesz?

— Wyprawiłaś mnie z domu z kimś, kogo nie znałaś i miałaś nadzieję, że nie wrócę. — Daisha zgniotła tlący się popiół, zanim narobił konkretnych szkód. — Wiedziałaś.

— Paul powiedział, że w różnych krajach ciągle się organizuje małżeństwa i płaci za narzeczoną, a tyś tu się raczej nie dokładała. Jedzenie, prąd i... dzieci kosztują. Nie stać nas na dziecko, dopóki tu jesteś. — Gail wysunęła brodę do przodu. — Gdybyś wyjechała, przeskoczylibyśmy do przodu w kolejce po dzidziusia. Paul chce mieć dziecko, a ja się starzeję.

— A więc po prostu wynagradzałaś sobie straty, tak? — Daisha zajrzała matce w oczy. Ta kobieta dała jej życie. W oczach Gail zobaczyła tylko poirytowanie. — On zrobił mi krzywdę, a potem zostawił mnie w lesie jak śmiecia... Zostawił mnie ranną, a kiedy myślałam, że nadeszła pomoc, kiedy myślałam, że ludzie z miasta, którzy mnie znaleźli, mnie uratują, oni mnie zabili. A wszystko przez to, że chciałaś się mnie pozbyć. Tylko dlatego, że Paul chce dzidziusia.

— Nie rozumiesz.

— Masz rację — szepnęła Daisha. — Ale im dłużej to trwa, tym więcej zaczynam pojmować. Od razu mi lepiej, kiedy patrzę tu na ciebie. Lepiej, kiedy tu jestem. Pomagasz mi teraz, Gail, ale wiesz, w jaki sposób mogłabyś mi pomóc jeszcze bardziej?

— Nie możesz tu zostać, ale mogę... Paul nie może się dowiedzieć, że tu byłaś. Skombinuję ci jakieś pieniądze czy coś.

— Nie. — Daisha przywarła czołem do czoła matki i szepnęła: — Chcę od ciebie czegoś więcej.

— Nie mam nic innego, żeby ci dać. — Gail wykręciła się i pacnęła córkę. — Paul nie może się dowiedzieć, że wróciłaś.

Kiedy poczuła uderzenie matki na policzku, Daisha złapała ją jedną ręką za oba nadgarstki i przycisnęła mocniej jej nogę.

— Paul i tak się domyśli, kiedy tu przyjdzie.

Nakryła usta Gail dłonią, upewniając się, że skutecznie zagłuszy wszelki dźwięk. Pochyliła się i wygryzła dziurę z boku matczynej szyi. Brudna robota — krew zaczęła buchać z rany. Zanim Daisha przełknęła pierwszy kęs, koszula Gail zdążyła nią nasiąknąć. Za to umysł Daishy zaczął lepiej pracować. Z chwilą, gdy zaspokoiła głód, poprawił jej się nastrój. Im więcej jadła i piła, tym lepiej jej się myślało. Głód wywoływał jej dezorientację, podobnie jak lęk sprawiał, że się rozwiewała.

Tu jestem bezpieczna. Na razie.

Jedzenie pomagało, picie pomagało, słowa pomagały. Gail zapewniła jej wszystkie trzy rzeczy.

23

Idąc z powrotem w stronę tunelu, Byron próbował przyswoić sobie jak najwięcej szczegółów. Zastanawiał się, czy całe miasto się przemieściło, gdyż ulice, którymi szli, nie przypominały tych, którymi tutaj dotarli. Krajobraz wokół niego z całą pewnością nie był współczesny, ale na jednym ze skrzyżowań zobaczył coś, co wyglądało jak typowe przedmieście z lat pięćdziesiątych dwudziestego wieku. Całe kwartały pochodziły z okresów, których Byron nie potrafił umiejscowić w czasie, ale mieszkańcy nie zawsze pasowali do otoczenia — dziewczynom z epoki jazzu i kobietom w fartuchach towarzyszyli górnicy z innego wieku i współcześni biznesmeni.

— Potrzebna mi będzie mapa albo przewodnik — mruknął. — Bo jak inaczej dam radę się tu poruszać?

— Z czasem będzie ci łatwiej — zapewnił go William.

— Kiedy? Od jak dawna tu przychodzisz? I jak często? — Byron zatrzymał się na skrzyżowaniu. Minęły ich dwie kobiety na bicyklach z końca dziewiętnastego wieku. Pierwsza uśmiechnęła się do nich, lecz druga chyba w ogóle ich nie zauważyła.

— Przychodzę tu prawie całe życie. — William przesunął ręką po twarzy. — Miałem osiemnaście lat. Mój dziadek był ostatnim Grabarzem.

— Nie ojciec?

— Nie — powiedział William. — Był za stary, a może to ja byłem wystarczająco dorosły. Trudno powiedzieć.

Byron ujrzał przed sobą w oddali wlot do tunelu. W środku migotało coś czerwienią i błękitem, jak oczy wielkiej bestii. W świecie szarości jasność tunelu była niczym latarnia morska we mgle.

— Rozważaliśmy z twoją matką, czy należy się pobrać i mieć dzieci. Nie chcieliśmy narażać na to własnego dziecka. Gdybym się młodo ożenił, być może byłbym wystarczająco dojrzały, aby uchronić ciebie, lecz wtedy mój wnuk byłby następny w kolejności, a ja nie mogłem znieść myśli, że przyjdzie mu się z tym zmierzyć w tak młodym wieku… poza tym oboje z mamą chcieliśmy mieć dziecko, chcieliśmy właśnie ciebie. — William pokręcił głową z wielkim smutkiem.

Nie wiedząc, co powiedzieć, Byron wszedł do tunelu. William poszedł za nim. Idąc w drugą stronę, dość szybko dotarli do świata zmarłych, a teraz tunel wydawał się o wiele dłuższy.

— Weź światło — poinstruował go William. — I prowadź.

Byron zdjął ze ściany pochodnię, która sama zapłonęła w jego ręce.

— Twój dotyk oświetli wam drogę. Ona tego nie potrafi. Ty oświetlasz tunel, ty otwierasz bramę. Bez ciebie ona nie wejdzie do ich świata.

— Dlaczego?

— Dla jej bezpieczeństwa. Ciągnie ją do zmarłych. — William posłał mu uśmiech pełen żalu. — A ciebie ciągnie do niej. Oddałbyś życie za swoją Opiekunkę Grobów, byle trzymać ją z daleka od śmierci, a jednak cząstka jej duszy rozpaczliwie się wyrywa w tamtą stronę. Ona może nie zechcieć być z tobą, lecz tylko ty, nikt inny, jesteś w stanie przemówić do niej tak skutecznie, jak zmarli. — Pokręcił głową. — Ella usłyszała zew zmarłych o wiele wcześniej, niż ktokolwiek się spodziewał. Maylene przeprowadziła ją na drugą stronę. Charlie się zgodził. Stary drań nie potrafił odmówić Mae. Chciała przyprowadzić obie dziewczyny i pozwolić im podjąć decyzję w ciągu najbliższych paru lat, ale po tym, jak Ella tu przyszła… Nie spodziewaliśmy się, że to zrobi, a jednak…

Wtedy postanowiliśmy, że nie powiemy ani tobie, ani Rebece. Nie wiem, czy to była słuszna decyzja, ale ten świat kusi Opiekunki Grobów w sposób dla mnie niepojęty… zresztą nie byłem o wiele lepszy w odmawianiu Mae niż ten stary drań.

William spojrzał na syna, jakby czegoś się spodziewał — przebaczenia, pytań czy… Byron sam nie wiedział czego. Nie powiedziałby, że przyjął wszystko bez zastrzeżeń, a nawet, że wszystko zrozumiał. Nie był nawet pewien, czy jest zły. Później może odczuwać wszystko naraz. Później będą musieli porozmawiać. Na razie jednak Byron próbował zmierzyć się z wagą spraw, które i rodzice, i Maylene, i Ella tak długo przed nim ukrywali.

I przed Beks.

Przez kolejne dziesięć minut Byron i William szli w milczeniu, ale wyjście z tunelu wcale się nie przybliżało. Byron zerknął na ojca i zauważył, że już nie trzyma ramienia w charakterystyczny sposób.

— Lepiej ci? To znaczy z ręką?

— W ogóle mnie nie boli — zapewnił go William.

— Wyglądało to na porządny krwotok. — Byron zmarszczył brwi. — Boli, nie boli, trzeba założyć ci szwy. Czujesz ją jeszcze? To znaczy…

— Nie potrzeba szwów.

— No i dać zastrzyk — ciągnął dalej Byron. — Oczyściłeś ranę? Była tam jakaś rdza czy coś, na tym, czym się skaleczyłeś? Właśnie, czym się zraniłeś? Czy to było odkażone? Co…

— Byron, przestań. — William odwinął bandaż i rzucił go na ziemię.

Byron ze zdumieniem patrzył, jak materiał rozpada się i rozwiewa niczym dym w tunelu.

— To robota zmarłych. — William wyciągnął ramię. Brakowało w nim kawałka skóry, jakby ktoś ją obrał. Odsłonięte mięśnie były poszarpane. — Zastrzyki tu nic nie dadzą. Ślady po ugryzieniu przez zmarłych mogą się zagoić. Tamta dziewczynka wyzdrowieje, ale, jak każda otwarta rana, ukąszenia są narażone na infekcję.

— Dziewczynka... — Byron wpatrywał się w ojca. — I ty, i dziecko zostaliście pogryzieni przez zmarłą osobę.

— Maylene również.

— Jakiś zmarły grasuje w naszym świecie... i gryzie ludzi. Tamci, których widzieliśmy, wyglądali normalnie. — Byron urwał, zorientowawszy się, jak dziwnie brzmi to, co mówi. — Poza tym, że byli martwi.

— Ci, którzy się tu budzą, są inni. — William opuścił rękę, która zwisła mu bezwładnie u boku. — A ona zbudziła się niedawno. Jak najszybciej przychodzą do Opiekunki Grobów. Jeśli się obudzą, co nie jest częste. Maylene od lat nie miała żadnego przebudzenia. Tą dziewczyną nikt się nie zajmował, a oni potrzebują opieki, inaczej się budzą. Ta dziewczyna... musiała umrzeć gdzieś daleko, w samotności. Jest młoda, nie ma chyba więcej niż siedemnaście lat. I nerwowa.

Byron pomyślał o nastolatce, którą spotkał. *Dwa razy.* Otworzył usta i zaraz je zamknął.

Naraz tunel wokół nich jakby się ścieśnił, a oni znowu stali tuż przed magazynkiem. Byron odłożył pochodnię na miejsce w ścianie.

— Chyba ją widziałem. Tę martwą dziewczynę.

— Dobrze. Ty i Rebeka musicie współpracować, żeby ją przeprowadzić przez tunel. Nie jestem pewien, co Rebeka ma zrobić, gdy dotrze do dziewczyny, ale Maylene już ją tam nauczyła albo zostawiła instrukcje. — William znienacka chwycił Byrona i przyciągnął go do siebie w uścisku. — Wybacz mi moje winy, synu — poprosił.

Byron przez dłuższą chwilę obejmował ojca w milczeniu.

— Taa. Jasne, że ci wybaczam. A teraz trzeba obmyślić sposób, w jaki powiemy Rebece o...

— Nie. — William puścił go i cofnął się w głąb tunelu. — Ty musisz jej powiedzieć. Ty jesteś jej Grabarzem.

— Ale... — słowa zamarły Byronowi na wargach, gdy ujrzał smutek w oczach ojca.

— Nie mogę pójść z tobą. — William zrobił kolejny krok wstecz. — Dasz sobie radę.

To, co Byron jeszcze przed chwilą odczuwał jako emocjonalny ciężar nie do zniesienia, było niczym w porównaniu z huraganem sprzecznych uczuć, jaki go teraz ogarnął. Charlie powiedział mu, że może umrzeć, „po prostu tu zostać". Byron widział imię ojca na liście — *z datą końcową*. William nie miał zamiaru wracać do świata żywych. Byron spojrzał na ojca, ostatniego żyjącego członka swojej rodziny i stwierdził:

— Wiedziałeś, kiedy tam szliśmy... że to oznacza śmierć.

— Wiedziałem. Tylko jeden Grabarz. Tylko jedna Opiekunka Grobów. Możecie chodzić tam i z powrotem bez problemów, dopóki nie przyprowadzisz swojego następcy na spotkanie z Charliem. Kiedy następny Grabarz złoży podpis... — William uśmiechnął się krzepiąco. — Taka śmierć nie boli.

— Nie chcę, żebyś umierał... A gdybym tak przeciągnął cię przez bramę? — Byron był zrozpaczony. Za dużo działo się zbyt szybko. — Może...

— Nie. I tak bym umarł, tyle że w cierpieniu. Prawdopodobnie na zawał. Albo udar. — William wzruszył ramionami. — Na dobrą sprawę, umarłem już tam. Ból ustał z chwilą, gdy podpisałeś umowę. Jeśli mnie przeciągniesz siłą, powróci, a ja umrę i tak. Tylko jeden Grabarz może usiąść przy stole Pana S. Podpisałeś, więc umarłem.

Byron poczuł ciężar tego wyznania. Zabił własnego ojca.

— Nie miałeś pojęcia — stwierdził William, przyciągając wzrok syna. — To była moja decyzja. To ja cię zabrałem na spotkanie z Panem S. Piliśmy ze zmarłymi. Teraz możesz to robić bez obaw, do czasu, gdy przyprowadzisz mu kolejnego Grabarza. Tak to działa od zawsze. Przy odrobinie szczęścia pewnego dnia zrobisz to samo. Twój syn — lub następca, jeśli nie doczekasz się spokrewnionego dziedzica — przejdzie przez te drzwi sam, a ty zostaniesz po drugiej stronie.

— Mój następca?

— Jeśli ty i Rebeka — Opiekunkę Grobów i Grabarza ciągnie ku sobie — jeśli będziesz zmuszony wyznaczyć następcę, bo się z nią ożenisz lub będziesz miał z nią dzieci... — William urwał, jakby ważył słowa. — To jak zaaranżowane małżeństwo. Dbaj o ich interes. Bądź mądry.

— Czyli ty i mama, i Maylene... — Byron nie dał rady dokończyć.

— Chcieliśmy, żebyście wszyscy mieli coś do powiedzenia. To mogła być którakolwiek z nich dwóch. Dlatego byłeś zainteresowany obiema, ale śmierć Elli zmieniła ten układ. — Twarz Williama spoważniała. Zmarszczył brwi i uniósł brodę. — Ty i Rebeka stworzycie dobrą parę.

Byron poczuł nagle, jak słowa ojca kładą się cieniem na jego zainteresowaniu Rebeką. Wszystko, czego pragnął i co czuł — tęsknota i opiekuńczość — zostały w nim zaprogramowane. *Jak mogli?* Nie potrafił się zmusić do rozmyślań na ten temat. *Teraz istotne są sprawy techniczne.* Gdyby zaczął o tym myśleć, wpadłby w furię i rozstałby się z ojcem w gniewie. *Później, kiedy już... tata umrze.* Wtedy pozwoli sobie na wybuch wściekłości.

— A co mam zrobić... co z twoją ceremonią? — Głupio się czuł, pytając ojca o szczegóły jego pogrzebu, ale to było teraz ważne jak nigdy. Umarli wstawali z grobu. Tyle rozumiał. Nie mógł pozwolić, by jego ojciec krążył po świecie i kąsał żywych.

— My, Grabarze, nieczęsto umieramy w ten sam sposób, co większość ludzi. Opiekunki Grobów też nie, chyba że — William pobladł — mają pecha... Niekiedy wchodzą do krainy umarłych, ale trudno to przewidzieć.

— Umierasz, ponieważ Maylene nie żyje.

— Nigdy nie zastąpiła twojej matki, ale jest moją partnerką. Przysięgałem dwa razy — Annie i przyjmując rolę Grabarza. Złożyłem tę samą przysięgę, co ty. — William mówił łagodnym tonem, lecz dało się w nim wyraźnie wyczuć stanowczość przy słowach: — Jako Grabarz nie mam już nic do zrobienia. Jest teraz nowa Opiekunka Grobów, która potrzebuje własnego Grabarza, a nie jakiegoś staruszka.

— Ale...

— A Maylene musi odpocząć — przerwał Byronowi. — Zasłużyła na odpoczynek. Ja odchodzę spokojnie na spotkanie śmierci, lecz ona umierała w bólu, szarpana przez tych, którzy nie powinni wstać z grobu. Trzeba się tym zająć. To już jest twoje zadanie. Twoje i Rebeki.

— Tato...

— Idź do niej. Otwórz przed nią bramę. Musi się spotkać z Charliem, zanim zaczniecie działać. — William chwycił Byrona za przedramię. — Następnie sprowadź ją z powrotem i ułóżcie zmarłych tam, gdzie ich miejsce.

— Jesteś mi potrzebny. — Byron przyciągnął ojca do siebie. — Tylko ty mi zostałeś. Ostatni z rodziny. Może...

— Wiesz przecież, że nie ma tu żadnych „może". Muszę iść. — William znów objął syna. — W kufrze w moim pokoju znajdziesz papiery i inne rzeczy. Reszta... Domyślisz się sam. Zaufaj instynktowi. Pomyśl o tym, czego się nauczyłeś. Zrobiłem, co mogłem, żeby cię przygotować. I nie zapominaj, do czego oni są zdolni. Widziałeś przecież ciało Maylene. Ta, która zaatakowała mnie i Maylene, wygląda niewinnie, ale to tylko pozory. — Przechwycił spojrzenie Byrona. — Nie pozwólcie im się zbudzić, a jeśli już do tego dojdzie... bądźcie bezlitośni. Chrońcie siebie nawzajem i miasto. Słyszysz?

— Tak.

— Chcę być z ciebie dumny. — William odwrócił się i zaczął wchodzić z powrotem w cień. Jego głos, w miarę jak się oddalał, wciąż brzmiał wyraźnie: — Zawsze byłem z ciebie dumny, Byronie.

A potem zniknął.

Umarł.

Byron wszedł do domu pogrzebowego, swojego własnego

domu, i przeszedł chwiejnie kilka kroków. Padł na kolana pod ciężarem tego, czego właśnie doświadczył.

Mój ojciec.

Wiedział dobrze, co znaczy żal po bliskiej osobie. Musiał się z nim zmierzyć po śmierci matki i Elli, przez całe życie zetknął się też z wieloma ludźmi w żałobie, ale to było coś zupełnie innego. Ojciec stanowił ostatnie ogniwo łączące Byrona z dawnym światem — światem jego dzieciństwa i wspomnień. Wszystko, czym był — jako część „i Syn" w firmie oraz w życiu — uległo zmianie.

Minęło.

Nie było już syna. Wraz ze śmiercią Williama Byron stał się panem Montgomerym.

Grabarzem.

Od dziecka wiedział, że pójdzie kiedyś w ślady ojca. W szkole przemysłu pogrzebowego poznał ludzi, którzy buntowali się przeciwko takiemu dziedzictwu i którzy szli tą drogą, bo tego od nich oczekiwano, ale dla niego to było coś więcej niż zawód. To było powołanie.

Byron zagapił się na wciąż otwartą szafkę. Plastikowe butelki z różnokolorową zawartością były tak samo znajome, jak sterylna czystość i zapach pomieszczeń piwnicznych w jego domu rodzinnym. Choć balsamowanie należało tu do rzadkości, i tak przechowywali zapas odpowiednich środków dla tych, którzy urodzili się poza Claysville. Zakaz balsamowania zwłok dotyczył tylko rdzennych mieszkańców miasta. Drzwi kryły się za szafką rzadko używanych specyfików. Teraz wydawało się to oczywiste, lecz do niedawna Byron nie wpadłby na to, że te pękate butelki ukrywają za sobą jakieś tajemnice.

Co dalej? Otóż i pytanie. Trzeba było działać, wytłumaczyć nieobecność Williama, porozmawiać z Rebeką. *Kto jeszcze wie?*

Wstał i otrzepał się z nieistniejącego kurzu. Zamknął ostrożnie szafkę, odcinając w ten sposób tunel wiodący do krainy umarłych, w której zniknął jego ojciec.

Mój ojciec nie żyje.

24

W ciągu kilku godzin Amity nauczyła Rebekę, jak mieszać podstawowe składniki lub przynajmniej stosować się do instrukcji z zakurzonego pudła z przepisami, schowanego za barem. Teraz wspięła się na palce, aby dosięgnąć kolejnych butelek, potrzebnych do następnej prezentacji. Tyle już naopowiadała Rebece o smaku wódek i likierów, że jej uczennica zrozumiała w końcu, jak trudno tworzy się nowe drinki.

— Co to takiego „nasza specjalność"? — rzuciła Amity.

— Wersja zamienna każdego drinka, którego nie pamiętam — powtórzyła Rebeka. — Jeśli dodam za dużo triple sec zamiast tequili, nazywam to „specjalną margaritą" i wrzucam notatkę do pudła z przepisami, o ile mam czas. No chyba że nikt nie zauważy, co zresztą jest prawdopodobne.

— A jeśli kompletnie pomylisz składniki?

— Rzuć i zanotuj, chyba że do siebie pasują — szczerząc zęby, Rebeka powtórzyła jedną z dziwniejszych rad. — A jeśli to klient poprosi o coś, co się gryzie, nie odmawiaj. „Są różne typy, nawet takie z obrzydliwym smakiem".

— Grzeczna dziewczynka. — Amity chwyciła butelkę spod baru i nalała do szklanki podwójną porcję ginu. Chlusnęła do pełna toniku i postawiła całość na barze akurat w chwili, gdy podszedł jeden z mężczyzn.

— Dzięki, kotku. — Rzucił pieniądze na ladę i wziął szklankę.

Rebeka odczekała, aż sobie pójdzie, i powiedziała:

— W twoim wykonaniu to łatwizna.

Amity nabiła drinka na kasę, wsadziła resztę do kieszeni i wzruszyła ramionami.

— Robiłam to już jako nieprzepisowa małolata. Niewiele rzeczy mogę robić, nie wyjeżdżając z Claysville, a jeszcze mniej takich, które by mnie kręciły. Ta praca to moje życie... Są inne rzeczy, które by mi odpowiadały, ale niewiele tego.

Ton jej głosu dał Rebece do myślenia. Amity nie była aż tak zblazowana, za jaką chciała uchodzić.

— Powinnam zapytać, jakie to rzeczy?

Amity uściskała ją.

— Rodzina, przyjaciele, wiesz, taka tam normalka.

Żartobliwie, lecz nie do końca, Rebeka wzdrygnęła się.

— Nie, dziękuję. Nie przemawiają do mnie klatki. Nigdy ich nie lubiłam i nie polubię.

— Ludzie się zmieniają, Beks — mruknęła Amity, odwracając się, by wyrównać rząd butelek na górnej półce.

— Niekoniecznie, jeżeli mogę temu zapobiec. — Rebeka wytrząsnęła lód z kilku szklanek, które przyniesiono z powrotem do baru. — Jeżeli tobie to odpowiada, to świetnie. Niech ci się wiedzie z tym kimś. Bo jest jakiś konkretny ktoś, prawda?

Amity spojrzała na nią przez ramię.

— Dzisiaj to ja miałam pocieszać ciebie. Więc lepiej zostawmy ten temat, okej?

— Jasne. — Rebeka czuła się coraz bardziej nieswojo, podejrzewając, że ten „ktoś" to Byron. Wetknęła ręce do kieszeni. — Chyba muszę iść w kojo. Będę lecieć.

— Przepraszam.

— Za co? To był męczący dzień, a…

— A moja huśtawka nastrojów jeszcze ci dołożyła. — Amity znowu zerknęła na stoły, jakby sprawdzając, czy niczego im nie brakuje. — Mówiłam całkiem serio. Naprawdę przydałaby mi się dodatkowa para rąk, jeśli postanowisz, że zostaniesz tu na jakiś czas. Mam parę tymczasowych osób i z chęcią zostanę menedżerem, dopóki Troy nie wróci… O ile wróci… Ale jeszcze jedna barmanka pod telefonem to świetna sprawa.

— Jasne. — Rebeka zmusiła się do uśmiechu. — Wpisz mnie na listę. Chyba się tu pokręcę przez parę dni, zanim wymyślę, co dalej… ze wszystkim.

Dom Maylene. Rzeczy Maylene. Jak ja to wszystko zapakuję? Rebeka poczuła znowu ciążącą na niej konieczność decyzji, których nie chciała — lub nie umiała — podejmować. *A jak to zostawić bez pakowania w pudła?* Zarzut Cissy, że Rebeka nie jest prawdziwą krewną, wrócił jak policzek, który odczuła niemal fizycznie. *Ale ja jestem rodziną Maylene. Rodzina nie oznacza tylko pokrewieństwa.* Maylene w kółko jej to powtarzała i w tej chwili Rebeka była jej wdzięczna jak nigdy dotąd za takie poglądy.

— Beks?

Rebeka zmusiła się, by wrócić do rzeczywistości.

— Przepraszam. Jestem zmęczona... i przygnębiona.

— Wiem. — Amity zerknęła w kierunku drzwi. — Hej, a może chcesz, żebym wezwała kogoś, kto cię odprowadzi? Albo któryś z chłopaków...

— Nie trzeba. Przecież przyszłam tu sama.

— Wiesz, że Maylene nie umarła z przyczyn naturalnych? — Amity dodała ściszonym głosem: — Ktoś ją zabił, Beks. To oznacza, że musisz być ostrożna. Jak wszyscy, zresztą.

Rebeka zignorowała łapiące ją mdłości.

— Daj spokój.

— Ignorowanie tematu niczego nie zmienia. Nie jesteś bezpieczna — upierała się Amity.

— Konkretnie ja?

Amity zawahała się. Na ułamek sekundy, ale jednak.

— Nikt nie jest bezpieczny. Ale nie wszyscy wędrują sami po nocy, pogrążeni w żałobie.

— Dobra. — Rebeka nie uwierzyła. Poczuła ciarki, biegnące wzdłuż kręgosłupa. Nie mówiąc już ani słowa, złapała kurtkę i wyśliznęła się dołem zza baru. Złapała spojrzenie Amity. — Chcę cię o coś zapytać. Chcę wiedzieć, czy jesteś... sama nie wiem... osobą, za jaką cię uważałam, ale teraz jestem wykończona. To był długi dzień i mam nadzieję, że jeśli coś przede mną ukrywasz, to tylko dlatego, że się o mnie troszczysz albo że popadłam w paranoję. W tej chwili nawet sama nie jestem pewna.

— Po prostu uważaj. Tylko tyle — powiedziała Amity łagodnie.

— Uważam. — Rebeka zarzuciła kurtkę na ramiona i wyszła bez słowa.

Od baru do domu nie miała daleko, ale decyzja, by pójść samej, była dość głupia, skoro w mieście grasowali naraz i dzikie zwierzę, i morderca. Rebeka przypomniała sobie, że w życiu robiła o wiele głupsze rzeczy i że najprawdopodobniej nie przestanie ich robić. Zazwyczaj po wyjściu z baru wyczyniała coś o wiele gorszego niż samotny spacer w ciemności, w miasteczku, do którego w ubiegłych latach przyjeżdżała po wytchnienie.

Oczywiście w tym właśnie miasteczku zamordowano jej babcię, więc Rebeka nie mogła otrząsnąć się z nieprzyjemnego uczucia z łatwością, z jaką by to jej przychodziło w czasie poprzednich wizyt. Lampy uliczne rozmieszczono w takiej odległości, że nieoświetlone odcinki zdawały się ciągnąć wzdłuż całej drogi. Rebeka sztywniała za każdym razem, kiedy mijał ją samochód. Dobiegające z daleka niezidentyfikowane dźwięki, a także poszczekiwanie psów przyprawiały ją o dreszcze, więc gdy zobaczyła Troya, siedzącego na ganku sklepu z antykami, poczuła wręcz namacalną ulgę.

Sklep znajdował się po drugiej stronie drogi, w przecznicy, ale Rebeka z łatwością rozpoznała Troya. Niewielu mężczyzn w Claysville miało naraz tak wyrzeźbione mięśnie i włosy godne lalusia. Dziś Troy długie loki związał czerwoną bandaną, a na sobie miał zwykły strój barmana — czarne dżinsy i rozpinaną koszulę, którą założył jak kurtkę na obcisły podkoszulek. Takie wydanie Troya Amity nazywała „przynętą na pumę", kiedy wychodzili potańczyć i grupa o wiele starszych kobiet gapiła się na niego przez cały wieczór, jakby był wyjątkowo kuszącym przysmakiem. Troy miał zbyt dobre serce, aby się gniewać, zwłaszcza że Amity była o kilka lat młodsza od niego. „Tak młoda, że ledwo jej przysługuje prawo do przebywania w barze, a co dopiero mówić o pracy tutaj" — zauważył kiedyś.

— Hej — zawołała Rebeka.

Podniósł głowę, ale nie patrzył na nią. Rebeka nie mogła dojrzeć jego miny w mdłym świetle, które docierało na ocieniony ganek. Nie poruszył się.

— Troy! — Wciąż była po drugiej stronie jezdni, ale nie aż tak daleko, żeby nie mógł jej rozpoznać. — To ja. Rebeka.

Troy nadal się nie ruszał ani nie odpowiadał.

Podenerwowanie, które opuściło ją na jego widok, wróciło.

— Troy?

Dopiero wtedy wstał. Ruchy miał niezgrabne do tego stopnia, że gdy zrobił krok naprzód, wyglądało to, jakby się potknął. Podniósł głowę i wlepił wzrok w Rebekę.

— Wszystko w porządku? — Zatrzymała się w odległości może półtora metra. — Amity martwi się o ciebie.

Troy podniósł rękę, jakby chciał jej dotknąć, ale zamarł w tej pozie z wyciągniętym do góry ramieniem. Popatrzył na nie, a potem na Rebekę. Zmarszczył brwi i rzucił jej nieprzyjazne spojrzenie.

— Przerażasz mnie jakby, wiesz? — powiedziała mu.

Sięgnęła do niego, chcąc wziąć go za nadgarstek, ale odtrącił jej ramię tą uniesioną do góry ręką. Zanim zdążyła zareagować, okręcił się i rzucił do przodu. Drugą ręką schwycił Rebekę za bark.

— Co ty, do cholery, Troy? — Rebeka odepchnęła go, położywszy mu dłoń na piersi.

Palce mężczyzny zacisnęły się na niej, kiedy pchnęła go do tyłu, na ceglaną ścianę sklepu, wciąż jednak nic nie mówił. Otworzył tylko usta w bezdźwięcznym grymasie.

— Nie prowokuj mnie. — Rebeka jednak się cofnęła, nieprzygotowana do bójki. Zrobiła kiedyś parę kursów z podstaw samoobrony, ale wiedziała też, że Troy waży półtora raza więcej niż ona, poza tym chyba był czymś naćpany.

Sięgnęła do kieszeni po gaz pieprzowy. Gdyby nie nagły dopływ adrenaliny, chyba by nie zdołała go odepchnąć, lecz w walce nie można polegać na adrenalinie. Cofnęła się dalej.

— Nie wiem, co brałeś, ale najwyraźniej to ci nie służy. — Gapił się na nią w milczeniu. — Idź po pomoc. — Trzymała pojemnik z gazem, ale nie podniosła ręki.

— Re-be-ka... — rozkawałkował jej imię na sylaby, jakby samo wydanie z siebie głosu było dla niego wyzwaniem.

Przełknęła nerwowo ślinę.

— Tak?

— Załatw to. — Rzucił się na nią ponownie, ale tym razem chwycił ją zębami za bark.

Pod ciężarem Troya ugięły się jej kolana i zaczęła upadać do tyłu. Instynktownie, drugą rękę oparła mu o szyję i pchnęła. Poczuła, że coś ustępuje pod jej dłonią i, nim zdążyła zrobić coś jeszcze, Troya już nie było.

Wstała ostrożnie i rozejrzała się. Troy zniknął w ułamku sekundy. Jak na kogoś, kto ledwo trzymał się na nogach, tak nagła ucieczka była niewiarygodna.

Rebeka spojrzała w górę i w dół ulicy. Nie było po nim śladu. Nie było też nikogo innego. Mógł niby schować się w którymś z osłoniętych wejść do budynków lub pobiec w głąb przecznicy, lecz naprawdę wyglądało to tak, jakby się rozpłynął w chwili, gdy nacisnęła mu szyję.

Co nie jest możliwe.

Zadygotała — tak z zimna, jak i ze strachu, a potem podjęła na nowo wędrówkę do domu. Z każdą godziną od śmierci Maylene pojawiały się nowe pytania. Wiedziała jedynie, że od stania samotnie na ulicy sprawy się nie ułożą, szczególnie gdyby Troy miał wrócić.

Weszła do domu z leciutkim westchnieniem ulgi. Korciło ją, żeby zadzwonić do Amity — i Byrona — lecz w końcu przeważyła ochota, by się położyć. Skończył się przypływ adrenaliny i następujące po nim załamanie w połączeniu z ogólnym wycieńczeniem sprawiły, że Rebeka pragnęła tylko paść na jakąkolwiek płaską powierzchnię. Zadzwoni do nich jutro. Ranek nadejdzie szybciej, niżby chciała.

25

— Przekręć tabliczkę, dobrze? — krzyknęła Penelope z zaplecza, gdy Xavier wszedł do środka.

— A gdyby to był ktoś inny? Nie powinnaś zostawiać otwartych drzwi, zwłaszcza teraz. Bestie czają się na zewnątrz, a...

— Nie zamykałam, bo wiedziałam, że przyjdziesz — przerwała mu.

Podejrzewała, że wkrótce znudzi jej się prowokowanie Xaviera, ale do tego czasu chciała się zabawić. Ksiądz Xavier Ness akceptował fakt, że umarli wstają z grobów, że sama Śmierć zawarła układ z Claysville, a jego mieszkańcy w pełni świadomie go przyjęli, w zamian za zdrowie i na wpół zamknięte granice miasta, lecz na myśl, że Penelopa potrafi przewidzieć przyszłość, duchowny nieodmiennie marszczył brwi. W jej przekonaniu taki upór aż się prosił o jakąś prowokację, więc Penelope z radością jej dostarczała.

— Penelope?

— Przebieram się. Możesz poczekać albo popatrzeć. — Zrzuciła spódnicę i wciągnęła dżinsy. Nie zamierzała chodzić po mieście w fałdzistej kiecce, która przeszkadzałaby jej w biegu, gdyby zaszła taka potrzeba.

Zamarła na odgłos kroków księdza. Odsunęła zasłonkę z koralików i powiedziała:

— Na blacie jest już rumianek i ta łagodna mięta, którą lubisz. Nie wiedziałam, co wybierzesz.

Stał odwrócony plecami, ale wiedziała, że podniósł miętę. Rumianek był dla niej, ale zabawniej było, jeśli pozwoliła mu myśleć, że miała wątpliwości. Kiedy już była pewna, że włożył zaparzaczkę do swojej filiżanki, złapała za buty, mówiąc:

— Sądziłam, że mnie choć na chwilę zaskoczysz. Włóż mi rumianek do filiżanki, proszę.

— Zaskoczę… — Spojrzał na obie kuliste zaparzaczki. — Ty nie lubisz mięty.

— Lubię, ale zawsze miło się sprawdzić. — Zwinęła włosy w węzeł na czubku głowy. — Nie przejmuj się, sprzątnę. — Chwyciła za miotłę tuż przed tym, jak przez przypadek strącił słoik na podłogę.

— Do szału mnie to doprowadza. — Wyrwał jej miotłę z ręki. — Aranżujesz te absurdalne scenariusze tylko po to, żeby mnie… sprowokować.

— I udowodnić, że nie jestem oszustką, Xavier. — Kucnęła z szufelką i przytrzymała ją przed kupką herbaty. — Za każdym razem, kiedy przedłuża się okres bez tych „absurdalnych scenariuszy", zaczynasz we mnie wątpić. Oboje to wiemy.

Zmiótł rozsypaną herbatę na szufelkę i powiedział cicho:

— Nie chcę w ciebie wątpić.

— Ale wątpisz. — Wstała i wsypała herbatę do kosza na śmieci. — W końcu przestaniesz, ale do tego czasu — wzięła miotłę i odłożyła ją na miejsce razem z szufelką — będziemy to robić. Twoja konsternacja jest o wiele większa niż moja.

Nabrał powietrza i spojrzał wprost na nią.

— Powiedz mi zatem, po co przyszedłem.

Ramię w ramię umyli ręce. Napełniła obie filiżanki wrzątkiem, wzięła swoją i przeszła do sklepu. Stając przed oknem, które wychodziło na ciemne ulice, wyszeptała:

— Przyszedłeś powiedzieć mi, że William nie żyje.

Usłyszała za sobą kroki Xaviera, szurnięcie krzesłem i cichy stuk filiżanki o blat jego ulubionego stołu z mozaiką. Czekała, aż zada jej to konkretne pytanie. Mijały chwile. Popijała herbatę i wciąż czekała. Xavier nie znosił zadawać jej takich pytań, walczył z tym, więc pozwoliła mu robić to na jego własnych warunkach. Jak wszyscy w Claysville, musiał podejmować decyzje w swoim czasie i w sobie właściwy sposób.

Nareszcie się odezwał:

— Powiedz mi, że wszystko się wkrótce ułoży.

— Nie mogę. — Odwróciła się i podeszła do stolika. — Przeważnie widzę niewiele naraz, szczególnie w sprawach zmarłych. Nie widzę, gdzie jest koniec, wiem tylko, że jeszcze nie jesteśmy blisko.

— A Byron?

— Potrzebuje dziś rozmowy. — Penelope stanęła przy stoliku. — Nie z kimś z rady, ale z kimś, kto znał jego ojca. Ty powinieneś tam iść.

— Szkoda, że nie możesz mi powiedzieć, gdzie jest bestia — przyznał. — Nie podoba mi się, że umiesz przewidzieć, kiedy rozsypię herbatę, ale nie umiesz powiedzieć... Przez ciebie, Pen, podaję w wątpliwość różne rzeczy. Nie podoba mi się to.

— Wiem. — Penelope usiadła. — Mnie też się to czasem nie podoba, ale jestem tylko tym, na co pozwala mi Bogini. Gdybym wiedziała wszystko — uśmiechnęła się do niego — nie byłabym człowiekiem... albo nie byłoby mnie tutaj.

— Uważaj na siebie.

Skinęła głową, a ksiądz wstał i wyszedł.

Późnym wieczorem Byron siedział przy kuchennym stole w domu rodzinnym i próbował ogarnąć umysłem to, co się właśnie zdarzyło. Usłyszał ciche stukanie do drzwi, więc wstał i otworzył je.

— Ksiądz Ness. — Odsunął się, by wpuścić duchownego.

— Jak się miewasz?

— W porządku. — Byron wysunął krzesło i gestem zaprosił gościa.

Ksiądz usiadł.

— A William?

Pytanie zadano łagodnym tonem, lecz Byron nie znał odpowiedzi. *Mam powiedzieć, że został w krainie umarłych? Że go zabiłem?* Byron też usiadł.

— Przez jakiś czas tu zostanę. Tato musiał pójść... On... — Głos mu się załamał.

— Umarł. — Ksiądz Ness poklepał go po ręce.

Byron zagapił się na duchownego.

— Ksiądz wie.

— Niektórzy z nas mają obowiązek wiedzieć. Nie mogę ci obiecać, że z czasem będzie łatwiej, ale jeśli to ci pomoże, my — to znaczy ja i inni duchowni — możemy odprawić nabożeństwo. William był dobrym człowiekiem. — Oczy księdza Nessa miały taki wyraz, jaki Byron widział podczas niezliczonych pogrzebów. Dopiero drugi raz to spojrzenie było przeznaczone dla niego. Za pierwszym, po śmierci pani Montgomery, ksiądz patrzył tak na Byrona i Williama. Żal dzielony z kimś był łatwiejszy do zniesienia niż w pojedynkę.

— Tak, był dobrym człowiekiem. — Byron odszedł od stołu i otworzył lodówkę, w środku której tkwił sześciopak. Chwycił dwa piwa, zerwał kapsle o kant blatu i postawił jedną butelkę przed księdzem.

Ten podniósł ją w toaście.

— Za Williama. Niech Bóg ma go w swojej opiece.

— Za tatę. — Byron stuknął butelką w butelkę księdza.

Pili w milczeniu. Duchowny zostawił Byrona w spokoju, sam na sam ze wspomnieniami, tak długo, jak długo trwało powolne opróżnienie jednego piwa. Kiedy odsunął pustą butelkę, ksiądz Ness również odstawił swoją, prawie pełną.

— Doskonały pomysł z tym nabożeństwem. Ale jeszcze nie teraz. — Byron przemyślał wszystko, czego się dotąd dowiedział, i choć chciałby teraz opłakiwać ojca, schować się i pielęgnować poczucie straty, po prostu nie mógł.

Beks też nie może.

— Nikt nie będzie się dopytywać o Williama — powiedział ksiądz Ness. — Niezdolność do podważania kwestii związanych z miejską umową jest typowa dla urodzonych w Claysville. Ludzie akceptują każdą anomalię, która wynika z umowy. Kiedy już się urządzisz, rada miasta wprowadzi cię lepiej w szczegóły.

— Z jaką miejską umową?

Ksiądz Ness uśmiechnął się krzywo.

— Kiedy założyciele miasta osiedli tu w Claysville, zawarli umowę z kimś, kogo błędnie uważali za diabła. Przyjechałem tutaj prosto z seminarium, gotów, by walczyć ze złem tego świata, a poprzedni burmistrz, pan Whittaker, wyjaśnił mi wszystko w najdrobniejszym szczególe. Jestem przekonany, że Nicolas pójdzie w ślady ojca i też ci wszystko opowie. W skrócie chodzi o to, że jesteśmy chronieni przed wieloma rzeczami, a dzieci urodzone tutaj nie są w stanie wyjechać, ale czasami zmarli nie chcą pozostać zmarłymi.

— „Oni" zawarli pakt i „czasami" zmarli „nie pozostają zmarłymi"? Ksiądz mówi o tym, jakby to nie było nic wielkiego. Ksiądz tak po prostu akceptuje to wszystko? — Byron zacisnął rękę wokół pustej butelki, jak gdyby chciał się upewnić, że ma tu jakiegoś sprzymierzeńca. — Skąd mam w ogóle wiedzieć, czy nie zwariowałem? Przeszedłem przez bramę w...

— Nie kończ — przerwał mu duchowny. — Zostałem tu przysłany przez władze diecezji, ponieważ jestem otwarty na mniej nowoczesne aspekty katolicyzmu. Niemniej jednak, o ile nie ma istotnego powodu, by było inaczej, tylko dwie osoby są wtajemniczone co do położenia bramy. Nie jestem jedną z nich. Istnieją rzeczy, o których członkowie rady wiedzą, i rzeczy, o których nigdy nie powinno się nam mówić.

Byron cisnął butelkę do zlewu. Rozbiła się w komorze ze stali nierdzewnej. Odłamki brązowego szkła wyskoczyły na blat.

— Cholernie mi się to nie podoba.

— Wiem, ale to, co robisz, zapewnia nam bezpieczeństwo. Twój ojciec tworzył Boże dzieło.

— Serio? To, co tam widziałem, nie przypominało raju.

— Proszę, Byronie, nie powinienem wiedzieć, jak to wygląda.

Żałuję, że nie mogę zdjąć z ciebie tego ciężaru, ale nie jestem do tego powołany. Mogę za to pomóc ci przetrwać żałobę... albo gniew. — Ksiądz Ness nie wyglądał, jakby miał mniej współczucia i zrozumienia dla Byrona niż przedtem. Właściwie współczucia miał jakby więcej. — Tak czy owak, możesz dzwonić do mnie lub innych duchownych o każdej porze dnia i nocy.

— Po co?

— Żeby porozmawiać. Po cokolwiek, czego ci będzie trzeba. Teraz ty pracujesz dla Boga. — Ksiądz Ness wstał. Położył dłoń na ramieniu Byrona i ścisnął je lekko. — Nie możemy nieść twojego ciężaru, ale nie jesteś sam.

Byron poczuł, jak gniew ulatuje przed dobrocią, którą zaofiarował mu ksiądz. To, że znalazł się w takiej sytuacji, nie było winą duchownego. Nie zasługiwał ani na gniew, ani na lekceważenie.

— Dziękuję — powiedział.

Ksiądz Ness skinął głową.

— Czy reszta też wie? Lady Penelope, pastor McLendon i rabin Wolffe? — zapytał Byron.

— Tak. Wiemy, że ty i Rebeka zastąpicie pewnego dnia poprzednie pokolenie. Przykro, że to musiało się zdarzyć w takich okolicznościach, ale ufamy, że sprostacie temu wyzwaniu, tak jak Maylene i William.

Byron gapił się na księdza w osłupieniu. *Temu wyzwaniu?* Właśnie poproszono go, żeby powstrzymał mordercze zapędy martwej dziewczyny, powiedział kobiecie, którą kocha od lat, że spędzi resztę życia „opiekując" się zmarłymi, z nim jako swoim towarzyszem, i — na dodatek — wymyślił, jak poradzić sobie ze śmiercią ojca. Sam nie był pewien, które z tych „wyzwań" najbardziej go przerasta.

— Nie wiem nawet, od czego zacząć — powiedział słabym głosem.

— Na początek prześpij się trochę. Rano idź do Rebeki. Sprawy żywych ułożą się same, ale martwi buszują po mieście.

Wszyscy liczymy na to, że Opiekunka Grobów się tym zajmie, a jej potrzebny jest Grabarz, który otworzy bramę.

Byron chwycił księdza Nessa za ramię, zanim duchowny zdążył się odsunąć.

— Nie wiem wszystkiego, co powinienem wiedzieć, a chciałbym znać odpowiedzi już teraz. Proszę mi powiedzieć, co ksiądz wie.

Ksiądz Ness zawahał się, ale po chwili skinął głową.

— Warunki kontraktu nie są tak jasno określone, jakbyśmy sobie tego życzyli, ale przez lata ustaliliśmy parę rzeczy. Ludzie urodzeni tutaj nie mogą pozostawać długo poza Claysville, wiele osób w ogóle nie może wyjechać. Jeśli nawet to zrobią, zapadają na różne choroby. — Ksiądz posłał Byronowi smutny uśmiech. — Rebeka nie może w tej chwili opuścić miasta. Ty też nie — chyba że przyjdzie ci ścigać zmarłego albo jechać po ciało mieszkańca.

— Rebeka nie może wyjechać — powtórzył Byron. — Ona nie ma o tym pojęcia. Maylene nie żyje, a Rebeka musi się tym wszystkim zająć, więc jest uziemiona, a... muszę jej powiedzieć.

— Idź do niej — przynaglił go ksiądz. — Powiedz jej to, co powinna wiedzieć, żebyście mogli odprowadzić zmarłych na wieczny spoczynek. Mamy nadzieję, że zapewnicie nam — i sobie samym — bezpieczeństwo.

Potem ksiądz wyszedł, zostawiając Byrona z rozmyślaniami na tematy, których nie mógł ogarnąć. O ile William się nie mylił, po mieście chodziła nastolatka mordująca ludzi. Jeżeli z jego własnym umysłem wszystko było w porządku — a stanowczej pewności Byron nie miał — to właśnie wszedł do krainy żywych trupów i podpisał umowę, której nie przeczytał. Jeśli można było wierzyć ojcu, księdzu i pewnemu martwemu człowiekowi, Rebeka była zamieszana w tę samą umowę, a zadaniem Byrona było nie tylko powiedzieć jej o tym, ale też zapewnić jej bezpieczeństwo i wziąć ją na spotkanie z umarłymi.

Żaden problem.

Siedział w tej samej kuchni, w której dostawał kiedyś od mamy ciasteczka po powrocie ze szkoły i dobre rady. *Jak im się udawało trzymać to w tajemnicy?* Wrócił myślą do lat sprzed śmierci matki, do lat po śmierci Elli i do minionych paru miesięcy, kiedy to czuł przymus, by wrócić do Claysville. Wszystko układało się w całość. Odkąd pamiętał, w domu pojawiali się późną nocą goście i prowadzono szeptane rozmowy po kątach, a po śmierci Elli Maylene przychodziła coraz częściej. Fakt, że zrozumiał tamte sekrety i kłamstwa, nie złagodził gniewu, który groził wybuchem.

— Mamo? O czym ty i tata rozmawialiście z babcią Elli?

— O sprawach, o których na razie nie musisz wiedzieć — stwierdziła. Po chwili spytała: — Wiesz, że będziesz teraz jeszcze bardziej potrzebny Rebece?

— Zawsze będę blisko Beks. Ona o tym dobrze wie. — Byron poczuł łzy na policzkach. Mógł sobie tu, przy matce, pozwolić na żal nad Ellą, Rebeką, nad nimi wszystkimi. Ann Montgomery nigdy nie pomyślałaby, że jest słaby, ponieważ płacze.

— Straciła więcej, niż ktokolwiek się domyśla. — Ann chwyciła go w ramiona. Byron poczuł zapach wanilii i czegoś jeszcze, czego nie umiał nazwać, lecz co nieodmiennie kojarzył z domem. — Będziesz jej potrzebny.

— Byliśmy przyjaciółmi już wcześniej — nie tylko dlatego, że jest... że była siostrą Elli. To się nie zmieni. — Byron wyplątał się z uścisku matki. — Nie jestem draniem.

— Och, wiem, kochany. — Chwyciła jego twarz obiema rękami. — Wiem, kim jesteś. I jestem z ciebie tak dumna, że bardziej się nie da. Po prostu... czasami jest trudno być... — urwała i uścisnęła go raz jeszcze.

Byron myślał wówczas, że miała na myśli „być nastolatkiem" lub „być chłopakiem" a może nawet „być przyjacielem dziewczyny".

Nie miał pojęcia, że chodziło jej o bycie Grabarzem wobec Opiekunki Grobów. Do głowy by mu nie przyszło, że matka mówiła o przyszłości nakreślonej dla niego bez jego zgody. A zatem wiedziała, wiedziała, odkąd się urodził.

Kiedyś myślał, że on i Ella skończyli jako para ponieważ jego rodzice byli blisko z jej babcią. Oni sami spotykali się przez to tak często, że nie był nawet pewien, kiedy zaczęli ze sobą chodzić. Tak jakoś gładko, bez specjalnych dyskusji, zmienili status z najlepszych przyjaciół na chłopaka i dziewczynę. Byli sobie przeznaczeni i doskonale do siebie pasowali. *Jak ona się czuła, kiedy odkryła prawdę?* Pożałował, nie po raz pierwszy, nawet nie po raz pięćdziesiąty, że Ella wtedy z nim nie porozmawiała.

Zadzwonił drugi telefon.

— Byron? — zawołała matka.

— Odbieram. — Chwycił za słuchawkę.

Ponieważ telefonu domowego używano przede wszystkim w sprawach firmowych, kilka lat temu rodzice podarowali mu na urodziny drugi numer. Wtedy jeszcze tego nie doceniał, ale w kolejnych latach osobna linia stawała się coraz ważniejsza. Kiedy nie był z Ellą, wisieli godzinami na telefonie.

— Cześć.

— Hej. Właśnie się szykowałem do wyjścia na spotkanie z to...

— Nie — przerwała mu. — Nie mogę się już z tobą spotykać.

— Co? — Aż przysiadł. — Ella... — Zdania wirowały mu w głowie, za szybko, żeby je wymówić. — Nie rozu... Dlaczego? Jeśli chodzi o to, co powiedziałem o Beks, o to, co się stało, to przecież to był tylko jeden pocałunek. Nie mieliśmy zamiaru. Kocham cię i...

— Wiem. — Wydała dźwięk, który w połowie brzmiał jak śmiech. — Tak naprawdę to jedna z niewielu rzeczy, dzięki którym byłabym skłonna z tobą nie zrywać. Dobrze, że masz takie myśli

o mojej siostrze. To znaczy, że jesteś człowiekiem, normalnym, niezaprogramowanym, prawda?

— Zaprogramowanym?

— Jednak umiemy myśleć samodzielnie. Nie robisz tylko tego, do czego cię zmuszają. Ja też nie. — Teraz już pochlipywała. — To dobrze. Dobrze mieć wybór w tym, co się robi, kim się jest, kogo się kocha i kogo... — Jej słowa zamarły, a Byronowi zrobiło się naraz niedobrze.

— Czy ktoś cię skrzywdził? — Nie chciał o to pytać, a jednak ciągnął dalej: — Ktoś cię do czegoś zmusił? Powiedz mi, Ells.

— Myślę, że cię kochałam zanim jeszcze rozumiałam, czym jest miłość — szepnęła. — Naprawdę, Byron, kocham cię całym sercem i ciałem, wszystkim.

Byron oparł głowę o ścianę. Ella mówiła mu te słowa nie pamiętał już, ile razy. Pierwszej nocy szeptała je w kółko. Niedawno śmiała się i znów mu to powiedziała. Mówiła to tak często, w tak wielu miejscach, że nie czuł się głupio, gdy usłyszał to wyznanie w obecności przyjaciół.

— To nie wystarczy. Żałuję, że tak jest. Przepraszam. Przepraszam za to, co... Przepraszam za to, jak bardzo wszystko się zmieni dla ciebie i Rebeki. — Ella brzmiała teraz pewniej. — Ale właśnie dokonałam wyboru.

— Przerażasz mnie — przyznał. — Zaraz tam przyjadę, porozmawiamy i...

— Nie będzie mnie tutaj. — Przełknęła głośno powietrze. — Muszę iść... w pewne miejsce. Och, szkoda, że nie możesz iść ze mną, że nie możesz go zobaczyć. Zobaczysz, kiedyś. Jeszcze nie teraz... a ja nie mogę czekać. To nie w porządku, pokazać mi coś i mówić, że nie dostanę tego latami... a może wcale. Muszę lecieć.

— Zaczekaj! — Wsunął nogi w buty i przeklinał fakt, że nie może zatrzymać jej przy telefonie, gdy będzie biegł do jej domu. — Pójdę, dokądkolwiek zechcesz, Ells.

— Kocham cię. Obiecaj, że zaopiekujesz się w moim imieniu

Rebeką. — Urwała i znów pociągnęła nosem. — Obiecaj mi. Ona potrzebuje miłości.

— Ells, to twoja siostra. Ja nie…

— Obiecaj — nalegała. — To moje ostatnie życzenie. Zaopiekuj się nią. Powiedz, że to zrobisz.

— Nie, nie jeśli… Ostatnie życzenie? O czym ty mówisz? — Byron ścisnął słuchawkę.

— Kochasz mnie?

— Przecież wiesz, że tak.

— Więc obiecaj mi, że zawsze będziesz dbał o Beks — zażądała.

— Będę, ale…

Odłożyła słuchawkę.

Byron rzucił telefon i puścił się biegiem do jej domu, ale gdy tam dotarł, Elli już nie było i nikt nie wiedział, dokąd poszła. Nie wiedzieli aż do następnego dnia, kiedy znaleziono jej ciało.

Teraz Byron zrozumiał — Ella nie uciekała przed czymś, lecz do czegoś. Nie wiadomo, co zobaczyła w krainie umarłych, ale to coś pociągało ją bardziej niż życie wśród żywych.

A teraz ja muszę zabrać Rebekę do tamtego świata.

27

Rebeka próbowała zasnąć, ale nie mogła. Po kilku niespokojnych godzinach znów była na nogach i na zewnątrz. Tym razem jednak, idąc na cmentarz, obserwowała wschód słońca. *Drugi dzień bez Maylene.* W ubiegłych latach mieszkała w wielu miejscach i bywało, że całymi dniami, a nawet tygodniami, nie rozmawiała z babcią, ale teraz, gdy była w domu, każdy dzień rozciągał się przed nią złowrogo.

Kiedy przyjeżdżała do Maylene, razem chodziły od cmentarza do cmentarza, aby wyrywać chwasty i sadzić kwiatki. Zakopywały jedzenie tuż pod powierzchnią ziemi i wylewały na nią whisky, gin, bourbona lub inne napitki. Nie było to całkiem normalne, ale też nie wyglądało jakoś dziwacznie.

Rebeka nie była w stanie zapełnić wyrwy powstałej w jej życiu z chwilą, gdy umarła Maylene, ale w jakiś sposób czerpała pociechę z odtwarzania stałych czynności, które przez lata wykonywała razem z babcią. *Jakbym garścią ziemi chciała zasypać otchłań.* Poprawiła raz jeszcze torbę-listonoszkę, przerzuconą przez ramię. Ptaki i samochody niemal zagłuszały brzęk maleńkich szklanych butelek z wodą w jej wnętrzu, a jednak Rebeka słuchała wszystkiego. Śpiew ptaków, buczenie samochodowych silników, budzących się do życia, i przelewający się płyn w butelkach — brzmiały tak, jak powinny. Swojskość dawała Rebece pociechę.

Przy bramie Słodkiego Odpocznienia tak długo szarpała ciężki zamek, aż puścił ze szczękiem. Podniosła rękę i pchnęła wysoką furtkę z żelaza. Otworzyła się do środka z łagodnym skrzypnięciem, a Rebeka zrobiła głęboki wdech. Tu zazna upragnionego spokoju. W irracjonalny sposób była tego pewna. Stopy Rebeki poruszały się po ziemi, jakby ciągnął ją do przodu jakiś sznurek. Nie do grobu Maylene, który znajdował się na pobliskim cmentarzu Dębowe Wzgórze, ale w kierunku pewnego pokrytego trawą grobu na Słodkim Odpocznieniu. Kiedy już tam dotarła, do miejsca gdzie pochowano Pete'a Williamsa, stanęła. Sznurek, który ją tu przyciągnął, zniknął.

— Pete — powiedziała — przynoszę złe wieści.

Uklękła i otworzyła torbę.

— Maylene nie mogła do ciebie przyjść — powiedziała do człowieka, który nie żył od miesiąca. — Jestem tu w jej zastępstwie.

Rebeka wyjęła z torby butelkę i odkręciła nakrętkę. W milczeniu opróżniła flaszeczkę nad sadzonką bluszczu, który zaczął się już piąć po tablicy nagrobnej Pete'a Williamsa.

— Moja babcia umarła, Pete — wyszeptała. — Będzie ci jej brakować?

Urwała i pochyliła się, dotykając czołem szarego kamienia. Łzy spłynęły na ziemię, nieliczne, ale wystarczająco dużo, żeby musiała zamrugać oczami.

— Nie płaczę nad tobą, lecz z tobą — stwierdziła, pociągając nosem. — Bo płakałbyś przecież ze mną, prawda, Pete?

Jej łzy spadły na ziemię, w którą zdążyła już wsiąknąć whisky. Potem Rebeka zrobiła parę uspokajających wdechów i otarła policzki grzbietem dłoni.

— Muszę jeszcze odwiedzić parę miejsc i osób — powiedziała nieobecnemu mężczyźnie. — Mam nadzieję, że drink był w porządku. — Potem poklepała górę kamienia. — Do zobaczenia, panie Williams.

Dziewięć grobów, tyleż butelek i całkiem sporo łez później, Rebeka zorientowała się, że nie jest sama — Byron Montgomery szedł pod górę, w jej stronę. Popołudniowy zarost świadczył o tym, że od wczorajszego poranka się nie golił. Miał pomięte ubranie i obwiedzione na czerwono oczy. Stawiał ciężko kroki i ogólnie wyglądał na wykończonego.

— Spałeś choć trochę? To znaczy… wyglądasz, jakbyś był tak zmęczony, jak ja.

Zrównał z nią krok.

— Coś się wydarzyło i… tak, spałem, ale za krótko. A ty?

— Tak samo — przyznała.

Wyciągnął rękę, jakby chciał jej dotknąć, ale zatrzymał gest w połowie.

— Z czasem żal będzie łatwiej znieść. Nie ma innej możliwości, prawda?

— Mam nadzieję. Brakuje mi jej — mruknęła Rebeka. Taka była cała prawda — nieobecność Maylene wręcz bolała.

Pokiwał głową.

— Kiedy mama odeszła… wydawało mi się niestosowne cieszyć się czymkolwiek, po prostu żyć dalej. Czułem się jak dupek, kiedy tylko pomyślałem, że trzeba odpuścić. Zważywszy na mój zawód, można by oczekiwać... — urwał nagle. — To jednak nie to samo, gdy chodzi o rodzinę. Czasem jedna śmierć jest gorsza od innych.

Rebeka objęła spojrzeniem cmentarz, gdy szli w dół, w kierunku starych mauzoleów. W przerośniętej trawie tu i ówdzie kępy irysów buchały fioletem i szafirem. Powoje i bluszcze pięły się po drzewach i bocznych ścianach grobowców. Niektóre z przysadzistych budowli miały kolumny, kamienne stopnie i ławeczki pokryte patyną czasu, tudzież ozdobne drzwi z żelaza lub brązu. Inne, pozbawione drzwi, zabezpieczono przed intruzami siatką z drutu.

U stóp wzgórza Rebeka usiadła na trawie, zastanawiając się przelotnie, czy Byron nie dołączył do tych osób, które uważały siedzenie tak blisko grobu za brak dobrych manier.

— Posiedzisz tu ze mną?

Zniżył się i umościł obok, z nogami wyciągniętymi przed siebie. Rebeka pociągnęła za długie źdźbło. Trawa prosiła się o przycięcie. Nikt nie dbał o ten grób. Dziewczyna spojrzała na Byrona.

— Skąd wiedziałeś, gdzie mnie szukać?

Popatrzył na nią nieprzeniknionym wzrokiem.

— Być może było nam obojgu pisane znaleźć się tutaj.

— Przyszłam tu, bo... — Pokręciła głową, gdyż zrozumiała, że to, co zamierza powiedzieć, zabrzmi dziwacznie.

— Przyszłaś tu — wyciągnął rękę i położył ją na torbie Rebeki — odwiedzić umarłych.

Butelki brzęknęły pod jego dłonią. Rebeka odgoniła ją pacnięciem.

— Maylene stale mnie tu przyprowadzała. Pomyślałam, że... to głupie, ale pomyślałam, że byłaby zadowolona, gdybym tu przyszła.

— To nie jest wcale głupie. — Byron wytrzymał jej spojrzenie. — Wiedziałem, że tu będziesz.

— Z powodu Maylene.

— I dlatego że jesteś, kim jesteś. — Chwycił dziewczynę za rękę, splatając jej palce ze swoimi, i przytrzymał mocno. — Musimy porozmawiać, Rebeko. Wiem, że pora jest do bani, ale...

— Przestań, ale to już. Powiedziałeś, że dasz mi trochę oddechu, że jesteś moim przyjacielem i wiem, że... że to ja pocałowałam ciebie, ale — wyszarpnęła dłoń — ja tu nie zostanę. Ani tutaj, ani nigdzie indziej i z nikim, a ty jesteś facetem od wchodzenia w związki.

— Nie o tym chciałem z tobą rozmawiać, ale dobrze, dla twojej wiadomości, nigdy nie byłem facetem od wchodzenia w związki, a na pewno nie z kobietami spoza Claysville. Tylko z tobą. — Wstał z ziemi. — Ale teraz już rozumiem.

— Co rozumiesz?

— Rebeka, czekałem właśnie na ciebie. — Pokręcił głową i roześmiał się nieszczerze. — Zawsze będę na ciebie czekać i, jak sądzę, przyjdzie mi zadowolić się jakimiś okruchami, które mi rzucisz, albo udawać, że mi przeszło. Niewykluczone, że tkwię w tym układzie od lat, tylko byłem zbyt głupi, żeby to zauważyć. Tego, co łączy mnie z tobą, w życiu nie powtórzę z nikim innym.

— Byron, przykro mi, ale...

— Nie — przerwał jej gwałtownie. — Nie kłam mi tu teraz.

Siedziała wciąż na ziemi, i zadzierała głowę, patrząc na niego. Na tle wschodzącego słońca wyglądał jak cmentarny anioł. Ciemna, wyrzeźbiona sylwetka kontrastowała z porannym niebem. Byron świetnie pasował tutaj, do ciszy cmentarza.

Razem ze mną.

Rebeka odsunęła tę myśl, gdy tylko się pojawiła i, zwracając się tyleż do siebie, co do Byrona, powiedziała:

— Nie planuję zostać tu na zawsze. Już i tak będę dłużej, niż sądziłam.

Przeczesał włosy palcami.

— Nie jestem pewien, czy możesz wyjechać. Właśnie o tym chciałem porozmawiać, Beks.

Z powodu słońca, na tle którego stał, nie widziała wyrazu

twarzy Byrona, ale jego ton był poważny, co wzbudziło w niej niepokój.

— O czym?

Patrzył gdzieś poza nią.

— Myślałaś kiedyś, że jeśli czegoś pragniesz, przeszkody piętrzą się w miarę jak się do tego zbliżasz? Jeśli powiesz niewłaściwe słowo... Gdybyś najmniejszą rzecz zrobiła inaczej... Gdybyś była lepsza... wystarczająco...

— Byron? — wypowiedziała łagodnie jego imię.

Spojrzał z powrotem na nią.

— Wczoraj umarł mój ojciec, ale zanim odszedł, pokazał mi kilka rzeczy, o których muszę ci opowiedzieć... i które też musisz zobaczyć.

— O Boże! Dlaczego mi nie powiedziałeś od razu? Dlaczego wczoraj nie zadzwoniłeś? — Pozbierała się z ziemi i otoczyła go ramionami. — Tak mi przykro. Co się stało? Kiedy wychodziliście, wyglądało, że nic mu nie dolega.

— On... To brzmi idiotycznie, Beks. Taty nie ma, a... Jesteś mi potrzebna. — Jedną ręką z tyłu objął jej głowę, a drugą przytrzymał Rebekę przy sobie. — Jesteś mi potrzebna, Beks. Zawsze tak było. Potrzebujemy się nawzajem.

Oparła mu policzek na ramieniu. Pomimo całego zamieszania, jakie było między nimi, wciąż pozostawał jej przyjacielem. Zawsze nim był, a teraz najwyraźniej doznał jakiegoś szoku. Odstąpiła od niego i spojrzała mu w twarz.

— Chcesz porozmawiać? Niespecjalnie mi idzie opowiadanie o emocjach, ale mama jest w tym dobra, więc jeśli masz taką potrzebę... Mam dużo wprawy w słuchaniu. Wysłucham cię, jeśli zechcesz mówić.

— Chcę — przyznał — ale nie o tacie. Jest pewien człowiek, którego musisz poznać. Nazywa się Pan S albo Charlie. Mieszka tam.

— Tam, czyli gdzie?

— W krainie umarłych — powiedział Byron.

— W kra... Co takiego?

— Proszę, posłuchaj — zrobił pauzę, a gdy Rebeka skinęła głową, powiedział jej o Charliem, o Opiekunce Grobów i o tym, że jest Grabarzem, a także o umowie między Claysville i umarłymi. Powiedział Rebece o dziwnym świecie przemieszanych epok, o klubie, w którym pił razem ze zmarłymi osobami, i że jego ojciec już stamtąd nie wrócił. Następnie dodał: — A jedyne dwie osoby, które mogą tam pójść, to Opiekunka Grobów i jej Grabarz. Są partnerami. Grabarz otwiera bramę, a Opiekunka Grobów odprowadza Głodnych Zmarłych na ich właściwe miejsce.

— Taa.

Byron zignorował jej ton.

— Chodzi o to, żeby umarli nie wstawali z grobów, ale...

— Nie wstawali z grobów? — powtórzyła. — Byron, kochanie, myślę, że jesteś w szoku. Nie sądzisz, że łatwo byłoby zauważyć zombie?

— To nie są zombie, Beks. — Rozumiał, dlaczego ojciec mu nie powiedział, ale próbując wytłumaczyć to Rebece, zrozumiał także, dlaczego już dawno należało poinformować o tym nową Opiekunkę Grobów i nowego Grabarza.

— Okej... Nie zombie. Umarlaki wychodzą z grobów. Opiekunka Grobów zawraca ich na miejsce, przechodząc przez bramę, którą otwiera Grabarz. William już stamtąd nie wrócił, a ty jesteś nowym Grabarzem.

— Zgadza się. A potem, ona, to znaczy ty, zabierasz ich do krainy umarłych — uzupełnił.

— Ja?

— Tak. Opiekunka Grobów ma za zadanie trzymać zmarłych na swoim miejscu poprzez... Sam nie wiem, jak. Coś się robi, kiedy ludzie umierają, coś co pozwoli ich przyszpilić, czy jakoś tak. Mam nadzieję, że Maylene zostawiła ci stosowne instrukcje, a może Charlie ci powie albo...

— Whisky — szepnęła Rebeka. — Modlitwy, herbata i whisky. Pamięć, miłość i uwolnienie... O kurwa!

28

Rebeka przystanęła. Nogi ugięły się pod nią.

— Ty nie zwariowałeś, prawda? A jeśli zwariowałeś, Maylene też była szalona, i... Kurwa!

— Żałuję, że nie zwariowałem — powiedział. Przytrzymał Rebekę w pionie, gdyż zachwiała się na te słowa.

Pokręciła głową.

— Pokaż mi.

W milczeniu zaprowadził ją do Domu Pogrzebowego „Montgomery i Syn".

Kiedy tylko weszli do środka, ruszyła w ich stronę Elaine — recepcjonistka, menedżerka i asystentka w jednym. Poprzetykane srebrem włosy miała zebrane w tradycyjny koczek. Spódnica w kolorze stali, bladoróżowa bluzka i buty na niskim obcasie stanowiły jej biurowe umundurowanie. Kiedy Rebeka była młodsza, bała się Elaine, która wydawała jej się inna niż wszyscy — energiczna, kompetentna i surowa. Czas niczego w tym względzie nie zmienił.

— Nieobecność twojego ojca oznacza, że zostaliśmy sami, we dwójkę, na cały etat — zaczęła Elaine.

— Nie mam siły zajmować się tym dzisiaj — wymamrotał Byron. — Jest jakieś ciało?

Elaine zmarszczyła brwi.

— Nie, ale...

— A więc reszta może poczekać. — Potarł twarz dłonią.

— Musimy...

— Dobrze. Zadzwoń do Amity — powiedział.

Na dźwięk tego imienia Rebekę przeszyła zazdrość. *Amity ma wszelkie prawa do... wszystkiego.* Rebeka wiedziała, że to właśnie Byron jest tym mężczyzną, o którym Amity nie chciała rozmawiać. W sporadycznej, trzeba to przyznać, korespondnecji e-mailowej, ani razu nie wspomniała o nim ani o zakładzie pogrzebowym. Nie napisała nawet Rebece o zerwaniu z Troyem.

Cisza przedłużyła się o jeden moment za długo, a potem Elaine powiedziała:

— Zadzwonię do panny Blue, a ty, Byronie Montgomery, najlepiej zrobisz, jeśli się prześpisz. Potrafię dużo znieść, ale niezależnie od tego, czy jesteś teraz moim szefem, czy nie, nie życzę sobie, abyś na mnie warczał, młody człowieku.

Odwróciła się i znikła w biurze.

— Tak właśnie ją zapamiętałam. Dalej przyprawia człowieka o dreszcze — szepnęła Rebeka.

— Owszem. — Byron kiwnął głową. — Ale bez niej zginęlibyśmy tu marnie. Myślę, że do tego, co ona robi w jeden dzień, trzeba byłoby zatrudnić trzy osoby. Przeproszę ją później, a najpierw... — Zaczerpnął powietrza i gestem pokazał Rebece, żeby za nim poszła.

Zaprowadził ją do piwnicy i do składziku. Tuż po wejściu włączył górne światło i zamknął drzwi na klucz.

— Nie zwariowałem, a szkoda. Naprawdę, żałuję, że to nie urojenie albo zły sen, Beks.

Podszedł następnie do szafki z bladoniebieskiego metalu, sięgnął za nią i pociągnął ją ku sobie. Kiedy to robił, Rebeka poczuła, że serce jej przyspiesza, a skóra mrowi na całym ciele, jakby wtykano w nie maleńkie ładunki elektryczne. *To się dzieje naprawdę.* Usta otwarły jej się w westchnieniu, gdy Byron odsunął szafkę na bok.

— O... mój... Boże — powiedziała na wydechu. — To...

Przed nią rozciągał się tunel, który zapraszał ją do środka i tylko siłą woli Rebeka zdołała mu się oprzeć. Podeszła bliżej, tak wolno, jak umiała. W tunelu coś nuciło, tysiąc cichych głosów śpiewało jakąś piosenkę, w której Rebeka usłyszała swoje imię. Wyciągnęła rękę i — uderzyła w ścianę.

Byron dotknął jej twarzy.

— Przerażasz mnie, Beks.

Z trudem oderwała wzrok od tunelu.

— Dlaczego?

— Nie podoba mi się radość, z jaką idziesz w kierunku śmierci. Tu, w tym świecie, jest wystarczająco dużo powodów do szczęścia. Musisz się tylko wyzwolić, żeby je poczuć. — Nachylił się bliżej i przytknął wargi do jej ust.

Rebeka położyła mu obie dłonie na piersi, lecz ani go nie odepchnęła, ani nie przyciągnęła bliżej. Byron lekko dotknął jej biodra, a ona wtuliła się w jego objęcia.

Zelżało napięcie jego ciała, gdy przygarnął ją do siebie. Pocałował ją w szyję.

— Pragnąłem tego dawno, tydzień temu, chwilę temu. Kochałem cię przed **tym** — czy ci się to podobało, czy nie. — Nim zdążyła zaprotestować, znowu ją pocałował. Kiedy skończył, dodał: — Pamiętaj. Proszę, Beks, pamiętaj o tym, o czym oboje wiemy od lat. Nawet gdybyśmy nie byli tym, kim jesteśmy, i tak bym cię kochał. Uważałem się za świnię, ale myślałem o tobie, wtedy... lata temu. Byłaś siostrą Elli, a ja myślałem, że postępuję okropnie, ale nie potrafiłem nie chcieć zbliżyć się do ciebie. Tamtej nocy, kiedy mnie pocałowałaś... Gdybym spotykał się z inną dziewczyną, nawet nie próbowałbym się z nią rozmówić, zanim wyznałem ci, co do ciebie czuję. Ale chodziło o Ellę. Jej musiałem powiedzieć pierwszej, a potem... potem jej już nie było, a ty nie chciałaś mnie wysłuchać. Za każdym razem kiedy próbuję to powiedzieć, przerywasz mi, ale teraz musisz to usłyszeć. Chcę być z tobą na zawsze. Kocham cię. A ty ko...

— Nie! Przestań! — Rebeka złapała go za ramię.

Przyłożył dłoń do jej policzka i ciągnął dalej, jakby nie zaprotestowała.

— Kocham cię, a ty kochasz mnie. Oboje to wiemy. Sęk w tym, że ty upierasz się, że nie.

Wpatrywała się w niego. *Tylko nie miłość.* Żywiła do niego wiele różnych uczuć. Byli przyjaciółmi i kochankami. To nie była miłość. Powiedział to raz, lecz potem unikał już tego słowa. *To nie miłość*. Pokręciła głową.

— Byron, przestań. Jesteś podenerwowany.

— Owszem, ale to nie zmienia faktów. — Pogładził jej policzek kciukiem. — Jeśli chcesz, możesz mi nakłamać później, ale teraz, zanim tam pójdziemy, musisz mnie wysłuchać. Ja już wiem. Wiem od lat, Beks. Kochasz mnie równie mocno, jak ja kocham ciebie. Musisz przestać kłamać w tej sprawie. Przede mną i przed sobą.

Gapiła się na niego, próbując odnaleźć słowa, które wykażą, że jest w błędzie. Z braku tych właściwych, zdecydowała się powiedzieć:

— Masz mętlik w głowie. Nie chcę cię skrzywdzić. Ella umarła. My... a potem ona... Ty należysz do niej. Ja nie zasługuję...

Byron westchnął.

— Nie umarła z naszego powodu, a nawet gdyby tak było, myślisz, że chciałaby, żebyśmy trzymali się z daleka od siebie? Ona nie była taka. Przecież wiesz.

Łzy płynęły Rebece po twarzy. Przez dziewięć lat nie rozmawiali o tym, gdyż nie umiała, nie zniosłaby nawet myśli o takiej rozmowie.

— Ty nie należałeś do mnie, a ona była moją siostrą. To, co czuję, to nie miłość. To niemożliwe. Nigdy. Nie mam prawa, żeby...

— Żeby mnie kochać? — Chwycił ją za obie ręce. — Ależ masz, i czas najwyższy to zaakceptować. To, co nas łączy, nie dotyczy Elli ani niczego innego. To tylko nasza sprawa. Pamiętaj.

Stali tam, przy wejściu do krainy umarłych, a ona próbowała skupić się na jego słowach. *Zależy mi na nim. Co nie znaczy, że to miłość*. Pokręciła głową i spojrzała gdzieś za niego. Jej wzrok padł na tunel. Instynktownie zrobiła krok w kierunku wylotu. Uścisk Byrona stał się mocniejszy.

— Beks? — Pulsująca energia tunelu szarpała nią, a pieśń tuż po drugiej stronie bariery zabrzmiała głośniej. — Rebeka! — Oderwała wzrok od wejścia i spojrzała wprost na Byrona. — Powiedz, że tam nie zostaniesz — zażądał. — Obiecaj, że kiedy stamtąd wyjdę, ty wyjdziesz ze mną.

— Obiecuję.

— Kocham cię, Rebeko Barrow. — Puścił jej ręce i wkroczył do tunelu. — Zabiorę cię tam, lecz później przyprowadzę z powrotem do domu.

29

— Byron? — Rebeka spróbowała iść za nim, lecz zatrzymała ją niewidzialna bariera u wylotu tunelu. Oparła o nią obie ręce. Patrzyła, jak Byron bierze ze ściany pochodnię, która zapłonęła w chwili, gdy zacisnął na niej palce. — Byron?

Sięgnął do tyłu przez barierę i wyciągnął rękę.

— Dałaś mi słowo, Beks. — Podała mu dłoń i próbowała nie rozmyślać o tym, że ten gest jest tak naturalny. Przez chwilę Byron mierzył Rebekę wzrokiem z nieodgadnioną miną, a potem wciągnął ją do tunelu. — Kiedy dotrzemy na drugą stronę, musimy znaleźć Pana S, ale w domu porozmawiamy... o nas. Niezależnie jednak od tego, co się zdarzy, musisz mi zaufać.

— Ależ ja ci ufam. Od zawsze.

Nie była pewna wielu rzeczy, ale tego jednego — owszem. Z chwilą, gdy weszła do tunelu, przekonała się też, że obecność Byrona u jej boku była im pisana. On doprowadzi ją do domu. Wiedziała z pewnością, której nigdy wcześniej nie zaznała, że przeznaczeniem Byrona jest trwać przy niej — jednak należał do niej.

Głosy w tunelu wznosiły się i opadały falami, wymawiając słowa, których nie rozumiała. *Są tu uwięzione.* W powietrzu wokół Rebeki roiło się od niewidzialnych dłoni, pieszczących jej włosy i policzki. *To zmarli, których porzucono.*

Byron trzymał ją mocno za rękę, ich palce były splecione. Ścisnęła mu dłoń. Zimny wiatr uderzył Rebekę i smagał jej twarz, wyciskając łzy z oczu. Porywał te łzy z jej policzków i oddech z warg.

— Byron? — zawołała.

— Jestem przy tobie — zapewnił ją.

Przy końcu tunelu wydała stłumiony okrzyk. Kolory, które zobaczyła, były tak żywe, że niemal sprawiały jej ból, kiedy rozglądała się naokoło. Na niebie rozsnuły się fiolet i złoto. Budynki zapierały dech w piersiach. Nawet najbardziej ponury z nich spowity był w takie odcienie, które z całą pewnością nie miały racji bytu. Rebeka puściła rękę Byrona i zrobiła krok naprzód. Powoli obróciła się wkoło, rejestrując w oddali nieziemskie budynki ze szkła, które jaśniały jak klejnoty, a bliżej drewniane konstrukcje i kamienice z piaskowca. Wszystko miało tak nasycone kolory, że jej umysł ledwo był w stanie im sprostać.

Rebeka odwróciła się.

— Byron?

— Nie może w tej chwili do nas dołączyć — powiedział jakiś mężczyzna i pokręcił głową. — Wielka szkoda. Jest zabawny.

— Gdzie jest Byron? — Rozejrzała się, ale tunelu też już nie widziała. Zniknął z chwilą, gdy z niego wyszła. — Co się tu stało?

— Chyba zatrzymano twojego Grabarza. Spotka się z nami w domu, moja droga. Odprowadzę cię na miejsce.

— Ty... Nie, muszę znaleźć Byrona — upierała się.

— Moja droga, on przyprowadził cię tutaj na spotkanie ze mną. — Mężczyzna zdjął kapelusz, trzymając go za rondo, i machnął nim z galanterią, a jednocześnie skłonił się głęboko, do pasa. Pukiel ciemnych włosów opadł mu do przodu. Wciąż zgięty w ukłonie, podniósł na nią czarne jak ziemia oczy i wbił w nią wzrok. — Charles. — Wyprostował się i, nie odwracając spojrzenia, dodał: — A ty, moja piękna, jesteś moją Rebeką.

Przeszył ją dreszcz. W ustach Charlesa jej imię brzmiało inaczej — jak modlitwa, zaklęcie lub święte wezwanie.

— Pan S — mruknęła pod nosem. — Byron powiedział mi…

— Półprawdy, moja droga. — Pan S podał jej ramię, zgięte w łokciu. — Pozwól, że odprowadzę cię do domu, gdzie zaczekamy na twojego Byrona.

Zatrzymała się i przeniosła wzrok z jego ramienia na twarz. Uśmiechnął się.

— Nie chciałbym cię tu zostawiać samej, Rebeko. Ulice bywają zdradliwe.

— A ty?

Roześmiał się.

— No, cóż. Ja też. Czasami. Ale w końcu przyszłaś się ze mną zobaczyć, czyż nie?

To, co usłyszała od Byrona, nie wzbudzało w niej zaufania do tego czarującego mężczyzny, ale jej instynkt walczył właśnie ze słowami Byrona. Bardzo chciała zaufać Panu S, choć nie miała najmniejszego powodu, aby to robić. Ostrożnie położyła mu rękę na przedramieniu.

— Nie jestem pewna dlaczego, ale…

— Aaa, lepszy diabeł w garści — powiedział teatralnym szeptem. — Poznałaś mnie. Niezależnie od tego, czy się spotkaliśmy, czy nie, moje Opiekunki Grobów zawsze mnie rozpoznają.

— A podoba im się to, co poznają?

Charles zaśmiał się.

— To, moja droga, dopiero się okaże. Chodźmy, oprowadzę cię po naszym świecie.

Rebeka ponownie rozejrzała się wokoło. Nigdzie w zasięgu wzroku nie było niczego, co choć trochę przypominałoby tunel. Wyłożona drewnem alejka skręcała w bok, przecięta przez nieodległy deptak wybrukowany kocimi łbami. Po lewej stronie droga gruntowa i brukowana ulica miejska prowadziły do, wydawało się, różnych dzielnic. Kiedy Rebeka się odwróciła, by spojrzeć za siebie, ujrzała nagle rzekę. Naraz dostrzegła o wiele więcej ścieżek niż na początku, a żadna z nich niczym się nie wyróżniała. Rebeka z powrotem skupiła się na mężczyźnie u swego boku.

— Jesteś pewny, że Byron przyjdzie do twojego domu? Dzisiaj? Zaraz?

— Z całą pewnością.

Nie wiedząc, co zrobić, z lekkim poczuciem winy za ciekawość świata, który ją otaczał, Rebeka skinęła głową i poszła z Panem S, w nadziei, że nie popełnia błędu. Sumiennie próbowała skupić się na ostrzeżeniach Byrona, którymi się z nią podzielił. Oto był człowiek, który zmanipulował Byrona, i który znał odpowiedzi na pytania nieznane jej i niepotrzebne aż do dzisiaj, i który właśnie prowadził ją ostrożnie przez ulice miasta, jakiego sama w życiu by nie wymyśliła.

Rebeka na zmianę gapiła się na to, co mijali, i przejmowała swoim ubraniem, czyli dżinsami i podkoszulkiem. *A może powinnam założyć coś innego?* Pan S miał na sobie dobrze skrojony garnitur, a kobiety na ulicy ubrane były w suknie z osiemnastego i dziewiętnastego wieku. Rebeka słyszała szelest tkanin, widziała ich żywe barwy i stonowane odcienie. Chciała wyciągnąć rękę i ich dotknąć, a jednak się powstrzymała, wkładając w to więcej wysiłku, niż mogła sobie wyobrazić.

— To normalne.

Rzuciła mu szybkie spojrzenie.

— Co?

— Nasz świat wygląda inaczej w twoich oczach. — Zrobił zamaszysty gest ręką. — Twoje zmysły tu ożyły. Żaden inny śmiertelnik nie doświadcza tego, co ty. Jesteś Opiekunką Grobów. Moją Opiekunką Grobów. Ten świat jest bardziej twój niż tamten będzie kiedykolwiek. Cienie i popioły — to wszystko, co tam możesz znaleźć. Ale to tutaj — odebrał szkarłatny mak od ulicznej kwiaciarki i dotknął nim policzka Rebeki — to twoje królestwo.

Od dotknięcia kwiatkiem zakręciło jej się w głowie. Płatki maku były niczym surowy jedwab, a żywy kolor wydawał się tak jaskrawy, że aż nieprawdziwy. Zamknęła oczy przed tym intensywnym doznaniem.

— Po tamtej stronie stanowisz zaledwie cień tego, czym jesteś w naszym świecie. — Pan S pieścił jej policzek kwiatem. — Śmierć jest częścią ciebie. Przez całe życie nastawiona byłaś na przyszłość. Taką ścieżkę wybrała dla ciebie nasza droga Maylene.

Na dźwięk imienia babci Rebeka otworzyła oczy.

— Czy ona tu jest?

— Czekała, aż William do niej przyjdzie. — Pan S rzucił mak na ziemię. — Dołączył do niej wczoraj.

— A teraz? — Rebeka poczuła, że pieką ją oczy, od łez, których nie chciała uronić. — Mogę się z nią zobaczyć?

— Nawet gdyby tu była, Opiekunkom Grobów nie wolno się spotykać z ich bliskimi zmarłymi, kochana. — Pan S poklepał ją po ręce, którą wciąż zaciskała na jego ramieniu. — Strasznie przewidywalne z was stworzenia.

Zabrała rękę.

— Ludzie?

— Opiekunki Grobów — uściślił. — Choć ludzie także często są przewidywalni. Co powiesz na przechadzkę? A może przedstawienie? — Uchylił kapelusza przed kobietą, która miała na sobie wyłącznie bladoszarą halkę i ułożone kaskadowo naszyjniki oraz bransolety z brylantów.

Rebeka odprowadziła ją wzrokiem. Ludzie na ulicy nie poświęcali jej więcej uwagi niż innym.

— Nie przyszłam tu, żeby... Czy ona nie żyje?

— Jak wszyscy tutaj. — Pan S zatrzymał się przed ogromną górą marmurowych stopni, które zdawały się spływać spod stóp wysokich, łukowatych drzwi. — To znaczy, z wyjątkiem ciebie i twojego Grabarza, kiedy wreszcie się zjawi.

— Wiesz, gdzie on jest?

Pan S zaczął się wspinać na schody, Rebeka szła obok. Na szczycie stało dwóch umundurowanych mężczyzn, po jednym z każdej strony drzwi, które wyglądały jak żywcem przeniesione ze średniowiecza. Mężczyźni patrzyli z niewzruszoną miną, jak Pan S i Rebeka wchodzą na górę. Do końca brakowało im już paru stopni, gdy naraz zza rogu wyjechał, przechylając się na zakręcie, staromodny czarny roadster z białymi oponami. Czterech mężczyzn w ciemnych garniturach stało na bocznych listwach, dwóch innych wychylało się do pasa z tylnych okien. W rękach mieli pistolety o długich lufach, wycelowane w Rebekę.

— Broń? — powiedziała na wydechu. — Oni mają...

— Nie ruszaj się za nic w świecie, moja droga — przerwał, chwytając ją w ramiona i odwracając się plecami do ulicy.

Trzymał ją w górze, gdy poczuła jak zostaje trafiony i krzyknęła. Wzdrygnęła się, kiedy dotarło do niej uderzenie przeszywających go kul, lecz on tylko przestąpił z nogi na nogę, tak jakby próbował ją przed nimi uchronić. Przez cały ten czas trzymał ją w górze i wciąż wspinał się po schodach.

Zabita w krainie umarłych. Poczuła, jak wzbiera w niej histeryczny śmiech. *Zginę tutaj.*

I naraz wszystko się skończyło, tak szybko, jak zaczęło. Usłyszała odjeżdżający samochód, lecz niczego nie widziała. Charles przygarnął ją do siebie, a ona w panice zacisnęła oczy. Teraz je otworzyła i spojrzała na niego przez łzy.

— Nie rozumiem — wyszeptała, gdy stawiał ją na schodach.

Przy drzwiach brakowało jednego z mężczyzn. Kiedy Rebeka spojrzała na ulicę, zobaczyła go, jak wskakuje do innego czarnego roadstera, ruszającego z piskiem opon, prawdopodobnie za tymi, którzy strzelali do Charlesa.

— Patrz pod nogi — poinstruował ją Charles, odsuwając stopą kule. Zadźwięczały jak dzwoneczki, staczając się po stopniach w dół.

Zagapiła się na niego. Nie było widać krwi, ale garnitur miał w strzępach.

— Charles?

U dołu schodów zebrał się tłum ludzi, którzy obserwowali ich z różnymi minami. Drugi mężczyzna spod drzwi nie ruszył w ich stronę. Nikt z gapiów nie wydawał się przestraszony. *Czy to normalne?* Rebeka próbowała wmówić sobie, że tak — być może w ten sposób zdoła uciszyć panikę, która wciąż trzepotała jej pod skórą. Odgarnęła włosy z twarzy i spojrzała wprost na mężczyznę, którego postrzelono, gdy chronił ją przed gradem kul.

— Nie rozumiem nic z tego, co tu się stało. — Usłyszała drżenie w swoim głosie, lecz próbowała je zignorować, podobnie jak szok, który sprawił, że dygotała. Wygładziła na sobie ubranie. — Strzelali do nas. Dlaczego… — Podkoszulek miała rozdarty z boku, a kiedy sięgnęła tam ręką, poczuła, że skóra też jest rozerwana. Zerknęła na dłoń i zobaczyła krew. — Charles?

Charles spojrzał na jej zakrwawioną rękę, a potem na bok. Ostrożnie otoczył ją ramieniem w pasie.

— Ward — zawołał — sprowadź lekarza.

Człowiek spod drzwi w sekundę znalazł się przy nich.

— Wygląda, jakby miała zemdleć, psze pana. — Czy mam ją przenieść?

— Ja to zrobię, Ward.

— Nigdy nie mdleję — zaprotestowała Rebeka.

— Śpij, Rebeko — powiedział Charles. — Zrelaksuj się i zaśnij.

— To tylko draśnięcie — stwierdził ktoś inny.

Czyjś głos — *głos Charlesa* — powiedział:

— Najpierw po lekarza, a potem za nimi. Taki brak ostrożności jest nie do przyjęcia.

A potem już Rebeka poddała się ciemności. *To tylko sen*, próbowała usprawiedliwiać sytuację, *bardzo, bardzo zły sen.*

W tunelu Byron przechodził od przekleństw do błagań i z powrotem. Rzucił się na przezroczystą barierę, która wyrosła nagle między wylotem tunelu i szarym światem umarłych.

— Charlie! — wrzasnął.

Oczywiście nikt się nie zjawił. Byron był pewien, że ta bariera to robota Charliego. Nieważne, kim był. Ważne, że wyglądało, jakby on jeden pociągał tu za sznurki.

Byron walnął pięścią w ścianę, zupełnie bez sensu, a potem odwrócił się i spojrzał za siebie w nadziei, że znajdzie jakieś rozwiązanie. Teraz tunel wyglądał jak wilgotna jaskinia. Mokre, śliskie ściany, pokryte jakąś fosforyzującą pleśnią, ciągnęły się daleko w tył i ginęły w mroku. Pod stopami Byron miał kamienną płytę, tak gładką, jakby uformował ją lodowiec.

Kiedy usłyszał, jak Rebeka krzyczy po drugiej stronie, odwrócił się i rzucił z pazurami na niewidzialną barierę, badając ją opuszkami palców w poszukiwaniu jakiejś szczeliny. Na próżno — tkwił w pułapce na zewnątrz krainy umarłych. Mógł tylko czekać albo zawrócić, lecz powrót do domu wydawał się wyjątkowo nieroztropnym rozwiązaniem.

Kiedy Rebeka się ocknęła, leżała na ogromnym łożu z baldachimem. Rozejrzała się, lecz nie zobaczyła niczego poza krawędziami łóżka, osłoniętego kotarami z grubej tkaniny brokatowej. Wyciągnęła rękę i wzięła materiał w dwa palce, ciesząc zmysły jego ciężarem i fakturą każdej nitki. *To tylko kotara.* Gładziła jednak tkaninę opuszkami palców, aż usłyszała czyjś śmiech. Wzdrygnęła się.

— Te materiały wybrano, aby cieszyły jedną z twoich odległych poprzedniczek. Miło widzieć, że i tobie sprawiają przyjemność. Chociaż... — Charles odsunął kotarę i spojrzał na Rebekę — muszę cię przeprosić za przyczynę, dla której znalazłaś się w moim łóżku. Wolałbym, żeby to było z innego powodu.

Nie odwróciła wzroku ani nie dała mu do zrozumienia, że dostrzegła aluzję. Nie mogła zaprzeczyć: Charles był przystojny i to dzięki niemu uniknęła obrażeń, które trudno nawet ogarnąć rozumem. Był pociągający w sposób, którego nie powstydziłby się sam diabeł — o ile ktoś taki w ogóle istniał — czarował wytwornym wdziękiem, szelmowskimi uśmiechami i niewymuszoną arogancją. A jednak Rebeka nie była pewna, jaką Charlie prowadzi grę, zresztą pozwalanie sobie na lubieżne myśli na widok zmarłego mężczyzny wydawało jej się dość wynaturzone.

Uśmiechnęła się do niego przelotnie, nim powiedziała tylko:

— Jestem żywa i cała… dzięki tobie. — Skrzywiła się, robiąc ruch. — W miarę cała — uściśliła.

— Zapewniam cię, Rebeko, że zajmiemy się nimi. — W spojrzeniu Charlesa, zamiast uwodzicielskiego czaru, pojawiła się czułość. — Przepraszam za to draśnięcie. Sprowadziłem lekarza, żeby je oczyścił i zabandażował.

Sięgnęła pod prześcieradło, którym była okryta, i namacała bandaż, owinięty wokół jej tułowia tam, gdzie miała ranę. Przy okazji odkryła, że nie ma na sobie podkoszulka.

— Och!

— Mój lekarz umarł dość dawno. — Charles uśmiechnął się kpiąco. — Upiera się, żeby stosować staromodne bandaże… Umarli bywają nieustępliwi, gdy przyjdzie im dostosować się do nowoczesności.

— Czy to znaczy, że żyłeś w latach… — Spojrzała na niego, odnotowując w myślach jedwabny krawat i chusteczkę do kompletu. Oceniła doskonale skrojony garnitur i przyznała: — Nie mam pojęcia, kiedy.

— Wielki kryzys, lata trzydzieste i czterdzieste ubiegłego wieku… ale nie. Kręcę się tutaj znacznie dłużej. Po prostu bardzo lubię tamtą epokę.

Zasłaniając pierś prześcieradłem, Rebeka usiadła i stwierdziła, że ma również gołe nogi.

— Gdzie moje dżinsy?

— W praniu. Są tu dla ciebie inne rzeczy. — Spojrzał za siebie i wykonał przywołujący gest. Młoda kobieta stanęła u jego boku. — Marie pomoże ci się ubrać.

A potem, zanim Rebeka zdążyła mu zadać jakiekolwiek pytania, ukłonił się i wyszedł.

— Czy zechce pani wybrać sobie suknię? — Dziewczyna trzymała przed nią szlafrok.

Przez chwilę Rebeka gapiła się na Marie. Dziewczyna wyglądała na jakieś dwadzieścia lat. Włosy miała mocno ściągnięte do tyłu i ani śladu makijażu na twarzy. Czarna spódnica o podwyższonym stanie, bez zbędnych ozdób, spływała jej do ziemi. Górę uzupełniała jasnoszara bluzka z czymś na kształt czarnego żabotu. Spod rąbka spódnicy wyzierały czubki gładkich czarnych butów, a na głowie dziewczyny spoczywał szary czepek.

— Psze pani? — Marie stała bez ruchu.

Rebeka zsunęła stopy na podłogę i włożyła ręce w podany jej szlafrok, po czym podeszła do szafy.

— Potrafię sama się ubrać.

Marie przyszła za nią i otworzyła potężne drzwi mebla.

— Proszę wybaczyć, psze pani, ale pani chyba nie zrozumiała.

Rebeka gapiła się na zawartość szafy.

— To wygląda jak sklep z przebraniami.

— Opiekunki Grobów lubią bogatą fakturę, psze pani. Pan zaś lubi sprawiać paniom przyjemność, jeśli potrafi... a zdecydowanie potrafi. — Ostatnie słowa Marie wypowiedziała pospiesznie, rumieniąc się.

Dziewczyna zaczęła kolejno wyciągać rąbki sukni z szeregu, a Rebeka ledwo się powstrzymała, by nie pogładzić ich pieszczotliwie.

Marie mówiła dalej:

— Wiem, że nie pani je wybierała, ale szwaczki już są w pogotowiu. Wysłaliśmy do nich pani wymiary, a na razie jest tu parę gotowych sukien. — Wyciągnęła z szeregu ciemnofioletową spódnicę, która miała na górze drugą, przezroczystą, warstwę koloru bladej lawendy. — W tej byłoby pani do twarzy.

Rebeka poddała się i wzięła materiał do ręki. Dolna warstwa spódnicy obszyta była drobniutkimi klejnotami. Beks z trudem powstrzymała się od westchnienia, lecz puściła suknię.

— Wystarczy mi para dżinsów. Nie mam czasu na coś takiego.

— Przykro mi — powiedziała Marie. — A więc może tę?

Z kwaśną miną Rebeka zanurzyła ręce w szafie i przesunęła je po tkaninach o zdumiewającej fakturze, na które nigdy by jej nie było stać i z których nie wszystkie nawet potrafiłaby nazwać. Zdecydowała się na dwuwarstwową zieloną suknię z przezroczystymi rękawami, która zakrywała wszystko od barków do nadgarstków i od piersi do kostek. Nie miała ani głębokiego dekoltu, ani wycięcia na plecach, poza tym była wystarczająco luźna, by nie krępować ruchów Rebeki. Krótko mówiąc, wydawała się najprostszą, najbardziej praktyczną opcją.

Rebeka pośpiesznie zrzuciła szlafrok i weszła w suknię. Marie ją zapięła, a Rebeka odwróciła się, by spojrzeć na swoje odbicie w wielkim odchylanym lustrze. Suknia w szafie wyglądała nieszkodliwie, lecz teraz, gdy Marie rozpostarła drugą warstwę, jej nieszkodliwość się ulotniła. Zewnętrzna warstwa przezroczystego materiału, z prześwitującymi rękawami, ściągnięta była tuż pod biustem. Podobnie jak spód, opadała na podłogę, tworząc ogon, który trzeba było ciągnąć za sobą. Przy każdym ruchu przezroczysty materiał ulatywał na boki, odsłaniając ciemnozielony jedwab spodniej sukni. Rebeka zastanawiała się właśnie, czy nie szukać czegoś bardziej przewidywalnego, gdy Marie podała jej wygodne pantofle bez pięty, na niskim obcasie, których zieleń idealnie pasowała do sukni, a rozmiar do stopy Rebeki.

Suknie też są w moim rozmiarze... i kto wie, co jeszcze.

Poskładała szlafrok i położyła go w nogach łóżka.

— Zaprowadzisz mnie do Charlesa?

— Są jeszcze kolczyki i...

— Proszę... — przerwała jej Rebeka.

Skinąwszy głową, co na dobrą sprawę mogło być bardziej ukłonem niż znakiem zgody, Marie otworzyła drzwi i gestem poprosiła Rebekę, żeby za nią poszła. W milczeniu wprowadziła ją do ogromnej sali balowej. Podwójne drzwi w przeciwległej ścianie wychodziły na balkon, a tam, odwrócony tyłem, stał Charles.

Przepuścił ją i pokazał na nakryty na balkonie stół.

— Chodź. Pomyślałem, że możemy tu dzisiaj zjeść obiad.

Na obrusie były dwa nakrycia, zauważyła Rebeka, i dwa kryształowe kieliszki, a w srebrnym kubełku chłodziła się butelka wina. Bukiety orchidei i bujne rośliny pokrywały całą powierzchnię balkonu, tak że wyglądał jak cieplarnia, która wymknęła się ogrodnikowi spod kontroli.

— Marie, powiedz Wardowi, że jestem z panią Barrow na wschodnim balkonie. — Charles odsunął jedno z krzeseł. — Rebeko?

Rebeka przeszła przez pokój i wyszła na balkon.

— Nie, żebym nie doceniała twoich starań, ale nie przyszłam tu jako twoja przyjaciółka. — Zajęła miejsce przy stole. — Jestem tu, bo musiałam przyjść.

— To prawda, ale jak się to ma do naszej przyjaźni? — Nalał im obojgu wina.

Przyjęła od niego kieliszek.

— Właśnie do mnie strzelali. Moja babcia nie żyje. Siedzę tu z martwym mężczyzną. Byron jest gdzieś tam — wskazała na miasto, które ciągnęło się bez końca, jak okiem sięgnąć, a potem znowu spojrzała na Charlesa — a ja jestem prawie pewna, że wiesz o wiele więcej, niż mi mówisz, na temat tego wszystkiego. Ojciec Byrona przyprowadził go tutaj, a potem umarł. Ludzie… nieżywi ludzie do nas strzelali. Tam u nas coś atakuje mieszkańców miasta, a ja… przyszłam tu, żeby zorientować się, co jest grane, a nie po to, by jeść obiadki.

— Pozwól, że rozwieję część twoich wątpliwości. Grabarz wkrótce tu będzie, masz moje słowo. Zanim się zjawi, zostaniesz tutaj, gdzie mogę być pewny twojego bezpieczeństwa. Kilku z tutejszych niezdyscyplinowanych obywateli strzelało do ciebie, więc zostaną odpowiednio potraktowani za wyrządzenie ci krzywdy. W Claysville ludzi zabija nieżywe dziecko, a ty, moja droga dziewczynko, jesteś wykończona i musisz się posilić. — Skinął na człowieka, który stał obok, trzymając tacę pełną sałatek i chleba, a potem znów spojrzał na nią. — A zatem najpierw zjemy, a potem porozmawiamy o pracy.

Rebeka czekała, podczas gdy martwy człowiek wyszedł na balkon i podał im jedzenie. Charles milczał przez cały ten czas i patrzył na nią taksującym spojrzeniem, które było jak wyzwanie.

Kiedy służący zniknął z powrotem w urządzonym z przepychem wnętrzu domu, Rebeka odsunęła swój talerz na bok.

— Nauczono mnie dawać jeść i pić tym, którzy już nie żyją. Nie miałam pojęcia, że Maylene robi to, aby powstrzymać ich przed wstawaniem z grobu, ale teraz już wiem. A co się stanie, jeśli zjem z tobą obiad?

— Mam nadzieję, że będzie ci miło — odparł Charles. — Tak pysznego jedzenia, jak tu, nie znajdziesz tam u siebie.

Złożyła ręce na kolanach, żeby powstrzymać ich drżenie.

— Dlaczego tamci ludzie do nas strzelali?

Charles uniósł serwetkę i delikatnie osuszył nią usta.

— Nie zawsze są posłuszni. Możesz być pewna, że poruszę z nimi tę sprawę.

— Kim są? Dlaczego strzelali? Dlaczego mnie zasłoniłeś przed kulami?

Charles spojrzał jej w oczy.

— Ponieważ należysz do mnie, Rebeko. — Wobec braku odpowiedzi odłamał kawałek chleba z bochenka i podał jej. — Proszę, jedz. Możesz to wszystko śmiało jeść. Przysięgam. A potem zajmiemy się kilkoma z tych pytań, które cię nurtują. Musisz mieć siłę, skoro ruszasz do walki, prawda?

Ignorując podany przez niego chleb, podniosła widelec.

— Przyrzekasz, że mogę to jeść bez żadnych konsekwencji?

— Przyrzekam. To tylko jedzenie. Przepyszne, oczywiście, godne mojej pięknej nowej Opiekunki Grobów, ale tylko jedzenie. — Charles ugryzł chleb, którym wzgardziła. — Nie wszyscy tutaj są kulturalni, ale ich władca owszem.

— Ich władca?

— Nie mówiłem ci? — Oczy Charlesa rozszerzyły się w udawanym szoku. — Nazywają mnie Panem S, a to, moja droga, jest moje królestwo. Wszystko, co tu widzisz, pozostaje pod moją kontrolą. Tylko jedna osoba — uśmiechnął się do niej — jest zdolna naprawdę stanąć przeciwko mnie... albo przy mnie.

Rebeka nie była gotowa, aby zapytać, co oznacza „stanąć przeciwko niemu".

— Kto ty jesteś? Kim jesteś?

Charles spojrzał na miasto rozpościerające się za nią, ale Rebeka była pewna, że patrzy o wiele dalej, niż sięga jej wzrok.

— Nazywają mnie różnie w różnych kulturach. Imię tak naprawdę nie ma znaczenia. Sprowadza się do jednego: ludzie we mnie wierzą, a ja istnieję. Śmierć przydarza się wszystkim i wszędzie.

— Śmierć? — Rebeka gapiła się na niego. — Mówisz, że jesteś Śmiercią i że istniejesz, ponieważ ludzie wierzą, że Śmierć… że ona… że ty istniejesz?

— Nie, moja droga. Śmierć po prostu istnieje. — Zatoczył ręką szeroki łuk. — To istnieje. — Położył dłoń na piersi, gdzie powinien mieć serce, gdyby naprawdę był człowiekiem. — **Ja** po prostu istnieję… A ty, Opiekunko Grobów, istniejesz dzięki mnie.

30

Byron poczuł, że bariera znika, kiedy poleciał do przodu i upadł na kolana i ręce. Nie zrobił niczego, czego by nie robił przez ostatnie kilka godzin. Nie miał jednak czasu tego roztrząsać. Nareszcie był wolny i musiał dotrzeć do Rebeki.

Wszedł do szarego świata umarłych i pożałował, że nie ma mapy. Inaczej niż poprzednio, nie było tu ani Charliego, ani Williama, który mógłby poprowadzić syna. Byron czuł za to odwagę, jakiej nie miał za pierwszym razem. Jedyną istotną rzeczą było upewnić się, że jego Opiekunka Grobów — *że Rebeka* — jest bezpieczna.

Złapał za ramię pierwszą napotkaną osobę.

— Gdzie jest Charlie? Pan S? Wie pan, gdzie on jest?

Mężczyzna uśmiechnął się szeroko, strząsnął z siebie rękę Byrona i odszedł.

— Dzięki — mruknął Byron.

Rozejrzał się, ale okolica na zewnątrz tunelu wyglądała na opuszczoną. *Co teraz?*

Miał niejasne wrażenie, że rozkład ulic jest teraz inny niż za pierwszym razem, czego zresztą mógł się spodziewać, biorąc pod uwagę przypadkowość cechującą wszystko, co dotąd widział. Ruszył za mężczyzną, stwierdziwszy, że jakiś — jakikolwiek — kierunek jest lepszy niż stanie w miejscu.

Ta część miasta umarłych była wyludniona. Witryny sklepów miały wywieszkę „Zamknięte" i zaciągnięte zasłony. W przejściach nie było nikogo.

— Gdzie się podziali ludzie? — zapytał Byron.

Martwy mężczyzna, za którym szedł, spojrzał przez ramię, ale nie odpowiedział. Skręcili ponownie za róg, a wtedy zmarły podniósł rękę, zatrzymując go gestem i słowem:

— Stój.

Jeden ze sklepów wyglądał na otwarty. Trzej mężczyźni siedzieli na zewnątrz, jakby to był pub lub kawiarniany ogródek. A nie był. Nie było to też dziewiętnastowieczne miasto górnicze, a jednak dwóch mężczyzn miało na sobie kowbojki, podniszczone kapelusze i znoszone kurtki. Trzeci, ubrany w podarte dżinsy i spłowiały podkoszulek koncertowy, odstawał od reszty towarzystwa. Powiedział coś do nich półgłosem. Wstali wszyscy trzej.

— Alicia? — zawołał jeden z nich.

W drzwiach stanęła kobieta o nieokrzesanym wyglądzie, ubrana w dopasowane dżinsy i zapiętą do połowy męską koszulę. Na szczupłych biodrach dźwigała kaburę, a do uda miała przymocowany nóż, prawie tak długi jak miecz. Wypięła jeden bok i powiedziała:

— Chodź no tu, Grabarzu.

— Muszę znaleźć Charliego — zaczął Byron.

— I znajdziesz go sobie, ale dla wszystkich będzie lepiej, jeśli najpierw tu się zatrzymasz. — Alicia spojrzała na mężczyzn. — Chłopaki? No jazda.

Jeden z nich skinął głową i poszedł stanąć na rogu. Drugi odmaszerował w przeciwnym kierunku. Trzeci usiadł, oparł buty na stole i nasunął sobie kapelusz na twarz. Byron nie wiedział, czy właśnie wchodzi w pułapkę, czy też nie. Zdecydowanie umiał się bić, ale nie był głupi. Tamtych było więcej, a zresztą nie był pewien, czy mądrze jest walczyć z kilkoma uzbrojonymi mężczyznami. Podszedł do drzwi i stanął przed Alicią.

— Macie nade mną przewagę — powiedział.

— I to na tylu polach, że nigdy byś nie zgadł, Grabarzu. Ale jesteś wśród nas mile widziany.

Gestem poprosiła go, by wszedł do sklepu. Nie usunęła się jednak z drogi, zmuszając Byrona, żeby się przeciskał niezręcznie blisko niej.

Zaraz po wejściu do ciemnego pomieszczenia, Byron musiał sobie przypomnieć, że nie znalazł się nagle w przeszłości. Był to sklep wielobranżowy. Za ladą, od podłogi po sufit, pięły się rzędy różnych artykułów i żywności w puszkach. Ogromna kasa zajmowała drewnianą półkę, przylegającą do oszklonej szafki z drewna. W niej zaś noże i pistolety spoczywały obok medalionów i zegarków kieszonkowych.

Alicia przylgnęła do pleców Byrona, opierając brodę na jego ramieniu. Czuł w krzyżu kolbę jednego z jej pistoletów. Szepnęła mu do ucha:

— Potrzebujesz sprzętu, Grabarzu?

— Nie wiem. Potrzebuję?

— Owszem, no chyba że jesteś mądrzejszy niż większość z was na samym początku. — Mówiąc to, przeszła do przodu i stanęła przed nim. Położyła dłoń na oszklonej szafce. — Większość broni, którą tu mamy, nie umywa się do tego, co jest w twoim świecie. Nowo przybyli psioczą na to.

— A tutaj?

— Tutaj, kotku, trzeba mieć zawsze kilka możliwości. — Ścisnęła mu biceps. — Nie jesteś cherlakiem. To już coś.

— Uprawiałem kiedyś boks — przyznał Byron.

Alicia pokiwała głową.

— Świetnie, ale tu nie zawsze chodzi o elegancki sport. Jak sobie radzisz w bójkach na ulicy albo w barze?

Byron wzruszył ramionami.

— Nie miałem okazji się przekonać.

— Wszystko przed tobą. — Alicia przeszła za ladę i schyliła się po coś na podłodze. — Tylko żeby źle pojęta etyka nie weszła ci w paradę, Grabarzu. — Położyła wytarty marynarski worek na oszklonej szafce między nimi. — Umarli nie mają tyle do stracenia, co ty. Po obu stronach bramy.

— Dlaczego mi pomagasz?

Posłała mu ni to rozbawiony, ni prowokujący uśmiech.

— A jesteś pewien, że pomagam?

Właśnie wtedy, kiedy pytała, Byron poczuł się pewien. Nie miał pojęcia, kim ona jest, dlaczego to robi i w ogóle, ale przez całe życie ojciec powtarzał mu „ufaj swoim instynktom" tyle razy, że wierzył swoim przeczuciom.

— Jestem — odpowiedział.

— Grzeczny chłopiec. — Rozwiązała worek. — Niektóre z tych rzeczy są już do niczego, ale możesz je sobie zastąpić czymś podobnym stamtąd. — Wyjęła zakręcony słoik pełen białych kryształków, kilka fiolek z wyblakłymi, odręcznie wypisanymi etykietami, rewolwer marki Smith&Wesson z rękojeścią z masy perłowej, pudełko pocisków i sześciocalowy nóż w osłonie.

— A co to takiego?

Alicia zamarła w połowie gestu. W ręce trzymała cynową puszkę ze stylizowanym krzyżem.

— A jak myślisz? Broń.

— Broń.

— Część twojej roboty polega tak na instynkcie, jak i na wiedzy. Jesteś tego świadom, prawda? — Urwała i spojrzała na niego wyczekująco. Skinął głową, więc mówiła dalej: — Ale czasem przydaje się też nauka.

— Nauka?

— Dobre ostrze ma wiele zastosowań. — Wyjęła nóż z osłony. — Obetnij człowiekowi stopy, to nie ucieknie. — Przytrzymała ostrze tak, że czubek niebezpiecznie zbliżył się Byronowi do szyi. — Porządnym cięciem możesz uciszyć na jakiś czas nieżywą kobietę. — Wobec braku odpowiedzi ze strony Byrona, podniosła rewolwer i wycelowała go w ulicę. — Jeśli umiesz strzelać, mierz w oczy. Niewidomy nie może cię śledzić. — Otworzyła i zamknęła bębenek. — To egzemplarz z przełomu wieków, Grabarzu. — Położyła broń na ladzie i przeciągnęła palcem po perłowej rękojeści. — Dobrze utrzymany. Strzela prosto. — Spojrzała Byronowi w oczy. — Mam towar wyłącznie pierwszorzędnej jakości.

— Dobrze wiedzieć — powiedział Byron.

Alicia podniosła słoik z kryształkami.

— Sól morska. Zamykasz nią umarłych w kręgu. Łatwiej ich potem przeciągnąć przez bramę.

Byron wziął do ręki fiolki.

— A to?

— Tymczasowa śmierć. Nafaszerowana oryginalnym haitańskim proszkiem zombie z najwyższej półki i zmielonymi zwłokami, jeśli chcesz wiedzieć. Świetnie zatrzymuje serca żyjącym. Jedna kropla na piętnaście minut śmierci. — Podniosła z kolei pociski. — A to znowu są...

— Dlaczego miałbym zabijać żyjących?

— Nie zabijać, Grabarzu. Zatrzymywać. W razie gdybyś musiał iść do kostnicy po mieszkańca Claysville, który umarł z dala od domu. Ta substancja zamyka ciało. Ale nie przekraczaj jednorazowo dawki na kilka godzin.

— W porządku. — Byron gapił się na nią. — Powiedz mi jeszcze raz, dlaczego mi pomagasz?

— Nie pamiętam, żebym już ci to mówiła. — Przechyliła

głowę i uśmiechnęła się od ucha do ucha. — Skup się. Zaraz musisz iść do Charliego. Inne rzeczy możemy wyjaśnić następnym razem.

— Tak. — Nie przestawał się gapić. — Następnym razem?

— Jasne. Przynieś mi parę spluw, których tu jeszcze nie mamy, a sprzedam ci, co tylko zechcesz z mojej epoki. Ubijemy interesik, a potem — zmierzyła go powolnym, dokładnym spojrzeniem — pogadamy.

Otworzył usta, zastanowił się nad pytaniem, które zamierzał zadać, i zamknął usta z powrotem. Alicia mu pomagała, więc nie chciał ryzykować, że popełni nietakt, byle zaspokoić swoją ciekawość. Z drugiej strony, już kolejny raz nieznajoma kobieta otaksowała go wzrokiem tak otwarcie i lubieżnie — poprzednio w barze „Tip-Top", a teraz tutaj.

Alicia roześmiała się.

— No, dalej. Pytaj.

— O co?

— Tak, często będzie ci się to przytrafiać. Jesteś jedynym żyjącym mężczyzną w tym świecie. Jesteś miły dla oka, ale nawet gdyby tak nie było, jesteś **żywy**, a to kusi. — Alicia oblizała wargi. — Młody, żywy, nowy.

— Nie szukam żadnych…

— Ach, wiem, złotko. Widzisz tylko swoją Opiekunkę Grobów. Tylko o niej myślisz i śnisz. Tak jest zawsze, ale czasami ten układ się nie sprawdza, więc — wzruszyła ramionami — nigdy nie zaszkodzi wyłożyć zaproszenie, prawda?

Byron nie wiedział, co powiedzieć, więc zastosował wybieg, użyty wcześniej przez Alicię — zignorował pytanie.

— A te pociski?

Zaśmiała się.

— Przeznaczone dla umarłych. Nie na stałe, ale potrafią unieszkodliwić na dobre dwie doby. To aż nadto, żebyś zdążył stąd zwiać. Celuj w głowę albo w serce, wtedy działają najskuteczniej.

— Gdzie mogę uzupełnić zapasy, jeśli mi zabraknie kul albo proszku? — Zadając to pytanie, wiedział już, że zna odpowiedź.

Alicia rozpostarła ramiona.

— Tutaj.

— Masz monopol. Dobrze zgadłem?

— Szybko się uczysz. — Otworzywszy worek, Alicia zaczęła wkładać do niego z powrotem słoiki i fiolki. — Jestem tu, aby ci pomóc, Grabarzu, ale nawet martwa dziewczyna musi zarobić na utrzymanie.

Byron odsunął rewolwer na bok.

— A jak się to wszystko ma do Charliego?

— Stary drań rządzi tym światem, ale nie przywiązuje zbyt dużej wagi do ogólnego prawa. Mogę pomagać ci na tyle, na ile uznam to za stosowne... albo i nie. Wszyscy możemy. — Alicia otworzyła pudełko i wręczyła Byronowi kilka kul. — Dodatek.

Włożył je do kieszeni.

— I nie powiesz mi, dlaczego to robisz, chyba że kupię sobie odpowiedź.

Alicia położyła łokcie na ladzie za plecami i oparła się na nich, demonstrując — nieprzypadkowo, stwierdził Byron — zarówno swoje wdzięki, jak i giętkość.

— Tylko jedną rzecz możesz dostać ode mnie za darmo, ale jestem pewna, że nie skorzystasz. Przynajmniej jeszcze nie teraz.

— Nie — przyznał. — Jesteś piękną kobietą, ale... nie.

Na odgłos dochodzący z ulicy, Alicia spojrzała w kierunku drzwi. Jeden z mężczyzn w kowbojskich kapeluszach dał nura do środka.

— Czas, żeby sobie poszedł, szefowo.

Alicia podniosła się do pionu.

— Pięć minut.

— Dwie. Góra trzy. — Mężczyzna opuścił sklep.

Alicia wepchnęła nóż i pudełko pocisków z powrotem do worka.

— Wszystko inne ma swoją cenę. Proponuję handel wymienny. — Podniosła rękę, nim zdążył cokolwiek powiedzieć. — Nie seks. Nie proszę, żebyś się prostytuował. Przynieś mi broń. Buty. Wykaż się inwencją. Załatwimy to w księgach.

— A to? — Położył rękę na worku.

— Kredyt. — Alicia zaciągnęła sznurek. — Pasuje ci?

— Tak. — Przewiesił worek przez ramię. — A teraz muszę odnaleźć Charliego.

— Boyd podprowadzi cię w kierunku jego domu. — Kiedy mówiła te słowa, mężczyzna, zapewne właśnie Boyd, ponownie stanął w drzwiach. Alicia spojrzała na Byrona. — Do zobaczenia następnym razem, Grabarzu.

Daisha zobaczyła tego mężczyznę, gdy szedł w jej stronę. Potykał się, nie mogąc ustać na nogach, a może nie był pewien, gdzie stąpnąć. Współczuła mu. Odkąd wróciła do Claysville, czasami jej też grunt usuwał się spod nóg. Od wizyty w domu czuła się lepiej, lecz wciąż nie miała pełnej łączności z otaczającym ją światem.

Mężczyzna zatrzymał się tuż przed nią i węszył w powietrzu.

— Hej! — Odskoczyła w tył, tak, by nie mógł jej dosięgnąć.

Wydając dźwięk, który mógł uchodzić za słowo, wyciągnął rękę i chwycił Daishę za kark. Drugą ręką przytrzymał ją za ramię i przyciągnął do siebie. Dłoń, którą ściskał szyję dziewczyny, zaplątała się w jej włosy, więc zmusił ją, żeby odwróciła głowę.

Daisha pchnęła go całym ciałem, ale nie zrobiło to na nim wrażenia. Po raz pierwszy, odkąd się przebudziła, ktoś pozostał nieczuły na jej dotyk.

Mężczyzna przytknął twarz do jej szyi z przodu i wciągnął głęboko powietrze.

— Co ro… — Słowa Daishy zginęły w okrzyku, gdy napastnik przesunął chwyt. Teraz wciskał nos w jej usta i znowu wąchał.

— Przestań — wysyczała.

Ręka, którą trzymał ją z tyłu głowy, przeniosła się do przodu i nakryła podbródek dziewczyny. Druga dłoń przewędrowała z barku na krzyż, przytrzymując ją w uścisku. Czuła jego ramię jak imadło wokół swego boku. Potem ścisnął jej usta tak, że nie mogła ich zamknąć. Zajrzał do środka, węsząc. Daisha nie była w stanie się ruszyć. Po raz pierwszy, odkąd obudziła się martwa, żałowała, że nie panuje nad mechanizmem znikania, które czasem jej się przytrafiało. *Lęk*. Zdawało jej się, że znika ze strachu, a przecież teraz bardzo się bała. *Dlaczego nie znikam?* Chciała przełknąć ślinę, ale nie mogła, z ustami otwartymi na siłę.

Mężczyzna nabrał tyle powietrza, ile zdołał wciągnąć spomiędzy jej warg. Nie dotykał ust Daishy. Po prostu wdychał.

A to bolało, jakby coś z niej wyciągał.

Pamiętała ból i pamiętała też, co może go powstrzymać. Wysunęła kolano w górę tak szybko i mocno, jak się dało.

Mężczyzna wydał gardłowy dźwięk i puścił ją.

Kiedy tylko była znowu wolna, rozwiała się w nicość.

W trakcie obiadu złożonego z wielu dań, frustracja Rebeki sięgnęła zenitu. Charles konsekwentnie odmawiał rozmowy na jakiekolwiek istotne tematy, Byron wciąż nie nadchodził, a ona sama siedziała przy eleganckim stole, zajadając się najwspanialszymi potrawami, jakich w życiu kosztowała.

Marnując czas.

— Nie chcę marudzić, ale wciąż nie wiem, kim jesteś i czym jest to miejsce. O ile mi wiadomo, Byron mógł wpaść w tarapaty, a my tu sobie po prostu siedzimy. — Ogarnęła ręką ich otoczenie, a potem usiłowała przez chwilę uspokoić wzburzone emocje. Złożyła serwetkę, próbując skoncentrować się na kwadracie z płótna, a nie na gniewie i lęku, które w niej buzowały. — Żądasz wiele ode mnie... a ja nie jestem pewna, czy powinnam ci ufać.

Charles zmarszczył brwi.

— Fakt, że mnie postrzelono kilka razy, powinien dać ci jakiś powód, aby mi zaufać. Nie zrobiłbym tego dla byle kogo, Rebeko.

Ward zebrał ich nakrycia.

Charles wyciągnął rękę, jakby chciał dotknąć jej ramienia.

— Jesteś dla mnie kimś wyjątkowym. Mogłabyś rządzić tym światem u mego boku, gdybyś tylko zechciała.

— Nie. — Rebeka cofnęła się. Odsunęła krzesło od stołu i sama wstała. — Nie zamierzam tu zostać.

— Oczywiście, że nie, ale będziesz tu stale przychodzić. — Charles również wstał. — Nie proszę o twoją rękę, Rebeko, a już z całą pewnością nie proszę o twoją śmierć. Wolę cię żywą.

Odeszła na bok i zwróciła twarz w stronę miasta rozciągającego się wokół nich. Jak okiem sięgnąć, widać było dachy budynków. *A nawet dalej*. Architektura z różnych kultur i epok wzajemnie się przenikała i gryzła ze sobą. Średniowieczny zamek stał nieopodal potężnego budynku ze szkła. Przysadziste drewniane chaty sąsiadowały z poważnymi kamienicami z piaskowca. Jedyną rzeczą, która łączyła to miasto w całość, było jego ożywienie. Tłum ludzi i różne pojazdy wypełniały ulice w zasięgu wzroku Rebeki.

Charles powiedział cicho:

— Ty należysz do zmarłych, Rebeko Barrow, a więc jesteś moja.

Oderwawszy oczy od miasta, zerknęła przez ramię i zobaczyła, jak wraca do stołu. Obserwowała go, gdy nalewał wino.

— Za każdym razem kiedy tu przyjdziesz, będziesz jeść ze mną kolację i chodzić do teatru. Jako Opiekunka Grobów możesz spędzać tu tyle czasu, ile zechcesz. Musisz tylko przekonać swojego Grabarza, żeby przeprowadził cię przez tunel.

Rebeka wybuchnęła śmiechem.

— Przekonać Byrona, żeby przyprowadzał mnie tu do **ciebie**?

Charles podał jej wino.

Przyjęła kieliszek, ale nie podniosła go do ust.

— Ciągnie mnie... tutaj, do ciebie. Wiesz o tym, więc nie ma sensu kłamać. Ile Opiekunek Grobów znałeś do tej pory?

— Jedenaście lub dwanaście, zależy, czy liczyć twoją siostrę. — Charles popijał wino. — Ella chciała tu zostać od chwili, gdy przeszła przez tunel. Ty... Maylene przez te wszystkie lata trzymała cię z dala ode mnie. Zazwyczaj poznaję kolejną Opiekunkę Grobów w znacznie młodszym wieku. Ty jednak byłaś dla mnie tajemnicą.

Zawarta w jego słowach sugestia — że Maylene ukrywała ją, a Ella tu była — przyprawiła Rebekę o dreszcze.

— A więc Ella... a więc to przez ciebie...

— Nie, nie przeze mnie — poprawił ją Charles. — Przez to. — Powiódł ręką po otoczeniu. — Kraina umarłych przyzywa Opiekunki Grobów. Maylene to czuła, Ella to czuła, a ty, Rebeko, z całej siły próbujesz tego nie czuć.

Chciała wybiec na ulicę, zanurzyć się w krajobrazie, który wołał ją z każdej strony, ale wystarczająco dużo podróżowała w życiu, by wiedzieć, że byłoby to straszną głupotą. Nie należało przyjeżdżać do nieznanego kraju — a w sumie tak powinna traktować to miejsce — i gnać przed siebie na oślep, nie mając żadnych informacji, przynajmniej nie w przypadku, gdy chciało się uniknąć kłopotów.

I kul.

— To prawda, ale — odwróciła się plecami do nęcącego miasta — nie zamierzam się uwieszać na twoim ramieniu.

— Dlaczego?

— Dlaczego? — powtórzyła za nim.

— Tak. — Pijąc z kieliszka, nie spuszczał z niej wzroku. — Dlaczego odrzucasz ochronę, towarzysza, przewodnika w świecie, którego nie znasz? Czy jestem w jakiś sposób odpychający? Może byłem zbyt szorstki, kiedy chroniłem cię przed kulami...

— Nie. — Usiadła z powrotem przy stole, stwierdzając, że brak zaufania splata się w niej z poczuciem winy. W końcu Charles naprawdę ją uratował. Nie strzelał do niej, nie aresztował jej ani nie sprowadził tu siłą. Prawdę mówiąc, głównie ją chronił i zapewnił jej bezpieczne miejsce, aby odpoczęła. *I ubranie, i jedzenie, i rozmowę*. Nie mogła zignorować uczucia dojmującego niepokoju, ale nie mogła też zignorować faktów. — Uratowałeś mi życie. Jestem ci za to niezmiernie wdzięczna. Nie chciałam cię obrazić.

— Wybaczam ci. — Uśmiechnął się wspaniałomyślnie. — Chcę, żebyś wiedziała, że tak jak Grabarz opiekuje się tobą tam, tak tutaj znajdziesz wytchnienie od udręki tamtego świata.

— Udręki?

— Jeżeli się nie sprawdzisz, zjedzą cię żywcem. Dosłownie, niestety. Stoisz pomiędzy zmarłymi i żywymi. Moja bohaterka. Ich zresztą też. — Charles wziął ją za rękę. — To trudna praca, ale zawsze możesz tu przyjść, żeby odpocząć wśród swoich.

Zjawił się Ward i w milczeniu podał następne danie. Na okrągłej tacy, którą postawił na środku stołu, spoczywał dobry tuzin różnych deserów. Obok smakowicie wyglądających słodkości leżały srebrne sztućce.

— Tamtymi ludźmi zajmiemy się odpowiednio, a ty oczywiście dostaniesz ochronę. — Charles puścił jej rękę, wziął nóż i ukroił jeden z placków. — Zawsze podaje za dużo słodyczy, bo w ten sposób próbuje ustalić nasz gust.

— Ward?

— Nie, kochanie. Ward jest beznadziejny jako kucharz. To mój osobisty strażnik. — Wskazał widelcem na ciastko z bitą śmietaną. — Tamto jest zazwyczaj dość dobre.

— Wszyscy tu wiedzą, kim jestem i co robię, a ja nie mam pojęcia. Maylene nie... — Słowa zamarły jej na wargach. Nie wiedziała za wiele, prawie nic, o tym człowieku, a jednak mówiła swobodnie, jakby mu ufała. Odeszła od stołu i ponownie stanęła przy końcu balkonu.

Tym razem podszedł do niej i stali tak ramię w ramię.

— Maylene była niezwykłą kobietą. Spełniała swoje obowiązki wobec zmarłych z wielką pewnością siebie. — Zmarszczył brwi na widok samochodu z wyjącą syreną, który przejechał po ulicy na dole. — Miała swoje powody, żeby nie wyjawić ci rzeczy, o które chcesz zapytać.

— Nie pojmuję, w jaki sposób trzymanie tego w tajemnicy miało być słuszne. — Rebeka czuła, że dopuszcza się nielojalności, ale taka była prawda.

— Miała swoje powody. — Charles położył jej dłoń na przedramieniu. — Wiedziałaś, że twoja matka dokonała aborcji?

Rebeka spojrzała na niego.

— Nie... Wiele kobiet...

— Zrobiła to, ponieważ Jimmy nie chciał, żeby urodziła mu się kolejna córka przeznaczona do tej roli. — Ścisnął jej nadgarstek. — Ella, jego córka, umarła przez Maylene. To oznaczało, że następną Opiekunką Grobów miała zostać któraś z jego siostrzenic albo ty... chyba że twoja matka urodziłaby dziecko, które nosiła, kiedy umarła Ella. Poprosił, żeby tego nie robiła.

— Mówisz, że wiedział o tym wszystkim. — Pomyślała o stosunku Julii do Claysville, o tym, jak nie chciała tam wrócić ani nawet przyjechać na pogrzeb Jimmy'ego. — Jimmy wiedział o krainie umarłych?

— Niewiele osób w tamtym świecie może roztrząsać twoje powołanie, ale rodzinę Opiekunki Grobów traktuje się wyjątkowo. Matka Maylene była Opiekunką Grobów, więc Maylene zawsze wiedziała, co ją czeka. Nawiasem mówiąc, Bitty miała lekką śmierć, po prostu przeszła przez moje drzwi, kiedy Maylene była gotowa. — Charles westchnął. — Tak, to była kobieta. Przebojowa. Nie buntowała się przeciwko swojemu zadaniu. Nie miała oporów. Raz wetknęła człowiekowi do oka szpilkę od kapelusza. Biedaczysko. — Charles urwał na moment, a potem znów zaczął mówić: — Twoja matka straciła w tym samym roku Ellę i dziecko. W rezultacie Jimmy stracił ją. Stracił wszystko dlatego, że jego matka była, kim była, kim teraz jesteś ty. Bał się i dlatego się wykończył.

Łzy szczypały Rebekę w oczy, ale nie chciała płakać. Cała jej rodzina się rozpadła z tego powodu — małżeństwo jej rodziców, smutek jej matki, śmierć Jimmy'ego i Elli... a teraz Maylene. Wiedząc o tym wszystkim, trudno było winić Maylene, że milczała.

— Chciałbym, żebyś zrozumiała, dlaczego Maylene nic nie mówiła. — Głos Charliego brzmiał łagodnie. — Tak postanowiła, a ja się zgodziłem. To znaczy jednak, że teraz nie masz czasu, aby wszystko przemyśleć. Później, jeśli przeżyjesz, ten dom, mój dom, będzie do twojej dyspozycji. — Wziął dłonie Rebeki w swoje ręce i zmusił ją, by na niego spojrzała. — Cały ten świat jest twój. Również w tamtym świecie będą dbać o twoje potrzeby. Miasto tego dopilnuje. To część umowy, którą zawarliśmy kilkaset lat temu. Najpierw jednak musisz zająć się nieprzyjemnymi sprawami. Trzeba sprowadzić tu Daishę. Zostawili ją, więc wstała i z każdym dniem, z każdym kęsem jedzenia i picia, z każdym oddechem, który odbiera ludziom, robi się silniejsza.

Rebeka wyswobodziła ręce i objęła się ramionami, ale to i tak nie powstrzymało jej drżenia.

— Daishę? Znasz imię mordercy?

— Oczywiście. Jestem Panem S. Znam wszystkich, którzy należą do zmarłych... łącznie z tobą. Znam cię jak nikt inny na świecie. Jednym i drugim. — Sięgnął do jej podbródka.

Odsunęła się znowu, tak żeby nie mógł jej dosięgnąć.

— Nie dotykaj mnie.

Zamarł z wyciągniętą ręką.

— Zachowujesz się głupio, Rebeko. — Przez moment stali w bezruchu, a potem Charles wzruszył ramionami. — Twój towarzysz zaraz tu będzie. Do zobaczenia następnym razem.

Odszedł, zostawiając ją drżącą na balkonie.

Byron czuł na sobie spojrzenia nieznajomych, kiedy szedł ulicami miasta z Boydem. Mężczyzna w ogóle się nie odzywał, lecz, prawdę powiedziawszy, Byron i tak nie miał ochoty rozmawiać. Wyjął z worka rewolwer otrzymany od Alicii, sprawdził, czy jest naładowany i trzymał go po prostu w ręce.

Wyszedł trochę z wprawy, ale lata praktyki, jaką zapewnił mu ojciec, sprawiły, że czuł się pewien, iż trafi w większość celów. Nagle stało się jasne, po co ojciec latami zachęcał go do dziwnych zajęć — miały go przygotować do zawodu, którego nazwę poznał dopiero teraz. Byron poczuł wdzięczność, ale to odkrycie rzuciło niemiły cień na jego wspomnienia.

A jednak ciężar rewolweru w ręce podnosił go na duchu. Wolałby nie nosić go na wierzchu, lecz nie miał kabury, a nie chciał wsuwać broni za pasek. Wyglądało to dobrze w książkach i filmach, ale w rzeczywistości nie było najlepszym miejscem dla załadowanej broni.

— Czy za każdym razem, kiedy tu przyjdę, muszę być uzbrojony? — zapytał po cichu Boyda.

— Nie. W okresie przejściowym zawsze jest trochę napięcia, ale wiara się do ciebie przyzwyczai — odparł Boyd. — Jesteś nowy. Niektórzy będą chcieli zobaczyć, na co cię stać.

— Czeka mnie jakaś kara, jeśli ich zastrzelę?

— Nie, chyba że wezmą to do siebie. — Boyd powiedział to tak oschłym tonem, że Byron nie wiedział, czy żartuje, dopóki nie dodał: — Strzelaj porządnie. Żadne tam dupkowate draśnięcia. Niech mają solidne blizny. Będzie na kredyt za opowieści w barach, słyszałeś?

— Kredyt za opowieści? — Byron zerknął na Boyda. — Poważnie?

— Cholera, no. Można napić się za darmo, jeśli ma się dobrą historię, a ty jesteś tutaj wydarzeniem, Grabarzu. Ty i ta kobieta. Niewiele się tu dzieje nowego. Codziennie to samo gówno. — Boyd skrył się w najbliższej niszy i wskazał na budynek po drugiej stronie drogi. — No dobra. Tu zostaję. Nie jestem mile widziany w jego domu.

Pomimo niewątpliwej urody niektórych budynków w mieście, dom Pana S i tak się wyróżniał, niczym rezydencja na tle rumowiska. Marmurowe schody, kolumny i ogromne drzwi sprawiały, że nie dało się go przeoczyć. Nad drugim piętrem, w ogrodzie na dachu rosły wysokie drzewa i rośliny, które spływały po bokach. Na pierwszym piętrze zaś długi balkon ciągnął się przez połowę długości budynku. Na nim, wpatrzona w miasto, stała Rebeka. *Jest żywa. Jest bezpieczna. Jest... ubrana tak samo, jak martwe kobiety na ulicy.*

Byron zmarszczył brwi. Czym innym był widok mieszkańców odzianych w stylu minionych epok, a czym innym Rebeka wyjęta ze swojego czasu. Byron zaniepokoił się. Widywał ją w sukienkach, ale w tej szacie, połączeniu jedwabiu i gazy, wyglądała jakby przynależała do domu Charliego. Miała rozchylone wargi i patrzyła na miasto, jak członek rodziny królewskiej lustrujący swoje włości.

Ja tu od zmysłów odchodzę, bo nie wiem, czy jest bezpieczna, a ona stoi sobie na balkonie i patrzy na ulicę. Byron nie wiedział, czy przez to denerwuje się bardziej czy mniej. Wiedział za to, że nie podoba mu się widok Rebeki zadomowionej w tym miejscu. *Nie zostanie tu. Obiecała, że wróci do domu.* Nie odrywając od niej wzroku, zapytał Boyda:

— A co będzie, jeśli mnie zastrzelą?

— Tutaj? Będzie bolało. Tak jak nas. Tam? Według normalnych zasad.

— A Rebekę? — Byron zmusił się, żeby popatrzeć na niego.

— Ją mogą tu zabić. — Boyd wzruszył ramionami. — Z nią jest inaczej.

— Dlaczego?

Ponownie wzruszył ramionami.

— Nie ja ustalam zasady. Nawet mnie tu nie było, kiedy je ustalali. Pewne rzeczy po prostu już takie są.

Potem odwrócił się i odszedł. Ludzie rozstępowali się przed nim i Byron przez chwilę zastanawiał się, czy to ze strachu, czy po prostu wiedzieli, że on nie ustąpi z drogi, więc robili to pierwsi.

Spojrzał z powrotem na dom Pana S, nie wiedząc jak postąpić. *Jest uwięziona?* Po obu stronach masywnych drzwi stali wartownicy. *Powinienem zapukać?* Był tylko jeden sposób, aby się o tym przekonać.

Wciąż ściskając rewolwer w garści, przeszedł przez ulicę i wszedł na schody. Nie uniósł broni, ale — tak jak to robił, idąc tu przez miasto — nie wysilał się, aby ją schować. Ulica u stóp schodów zaśmiecona była łuskami pocisków, a mokra szara plama na jednym ze stopni kazała mu się zatrzymać. *Krew?* Dość łatwo przywykł do tego, że nie jest w stanie rozróżniać kolorów w tym świecie, ale na widok tej plamy na schodach zdał sobie sprawę, że to może być wiele różnych rzeczy. Bez koloru trudno było zawęzić wybór. *Rebeka jest na balkonie. Żywa.* Byron zamarł, gdy uderzyła go absurdalność tej myśli — nie miał wcale pewności, że Rebeka żyje. *Ona może tu umrzeć.* Resztę stopni pokonał biegiem.

Wartownicy zastąpili mu drogę jak za pociągnięciem tego samego sznurka.

— Nie.

— Tak. — Byron uniósł rewolwer i wycelował w jednego z nich. — Rebeka... Opiekunka Grobów jest w środku, a ja zamierzam wejść po nią. Natychmiast.

Strażnicy wymienili spojrzenia, ale nie zareagowali w żaden sposób.

— Będę strzelał — zapewnił ich. — Otwórzcie drzwi.

— Dostaliśmy rozkaz — powiedział wartownik, w którego Byron celował.

Drugi dodał:

— Nikt nie może ot tak wejść do tego domu. Ty nie jesteś wyjątkiem.

Byron odbezpieczył kurek.

— Wpuścicie mnie?

— Pan S nam zabronił. To — pierwszy strażnik wskazał na rewolwer — nie zmienia jego rozkazów.

— Nie chcę strzelać… — Byron zniżył minimalnie broń i sięgnął do klamki. Strażnik złapał go za ramię. — Ale muszę — dokończył.

Pierwsza kula trafiła wartownika między oczy, a za moment kolejna przedziurawiła szyję drugiego. Obaj osunęli się na ziemię, a Byron miał nadzieję, że Alicia nie kłamała, mówiąc mu, że tak naprawdę nie zabije martwych mężczyzn.

Czy można zabić kogoś, kto już nie żyje?

Teraz było to nieistotne. Byron nie zamierzał całować klamki domu Pana S. Miał za zadanie chronić Rebekę, trwać u jej boku i zabrać ją z powrotem do domu, do świata żywych.

Pchnął drzwi. Na środku rozległego foyer, w pokrytym aksamitem fotelu z bocznymi zagłówkami, siedział Pan S. Ogromny żyrandol wisiał wysoko nad jego głową i przez chwilę Byron zastanawiał się nad pewnością swojej ręki i oka. *Dałbym radę przestrzelić łańcuch?* Pomysł, by zrzucić kryształowego olbrzyma wprost na Pana S był wyjątkowo kuszący.

Pan S podążył za wzrokiem Byrona.

— Trudny strzał. Chcesz spróbować?

— Gdzie Rebeka?

Pan S wskazał na sufit.

— W górę po schodach. Długa prosta. Duże drzwi. Balkon. Nie da się nie trafić.

— Jeżeli ją skrzywdziłeś…

— To co mi zrobisz, chłoptasiu? — Pan S wyszczerzył zęby w czymś na kształt uśmiechu. — Idź po nią. Mam pracę do wykonania. No chyba że chcesz oddać ten strzał?

Byron zawahał się przez chwilę. Spojrzał znowu na łańcuch utrzymujący żyrandol nad głową Pana S. *Dałbym radę? Powinienem?* Przeniósł wzrok na Pana S i powiedział:

— Może następnym razem.

Wszedł na schody ścigany śmiechem Pana S.

33

— Rebeka?

Odwróciła się i zobaczyła Byrona idącego w jej stronę krótkim korytarzem. Była zdezorientowana, zmęczona i wystraszona. Piekło ją w boku od kuli, którą została draśnięta, a głowę miała tak przepełnioną zmartwieniami, że nie potrafiła nazwać ich wszystkich. A jednak w tym momencie cały świat musiał zaczekać.

Byron zatrzymał się na progu drzwi balkonowych.

— Nic ci nie jest?

Pytając, patrzył na nią uważnie, bez śladu czułości. Na widok tego chłodu w jego oczach Rebekę przeszedł dreszcz.

— Nie. — Zrobiła krok w jego kierunku, naraz czując się niepewnie w tej sukni i w jego towarzystwie, co wcześniej, kiedy wchodzili do tunelu, nie miało miejsca. Czuła się też winna, choć nie zrobiła niczego zdrożnego. Zjadła po prostu obiad z Charliem. — Zabierz mnie do domu. Proszę?

— Taki mam zamiar. — Ton jego głosu był równie zimny jak wzrok.

— A u ciebie wszystko w porządku? — spytała.

— Będzie w porządku, kiedy się stąd wydostaniemy. — Stanął z boku, obserwując korytarz, którym przyszedł, i balkon. W prawej ręce trzymał rewolwer z białą rękojeścią, a przez ramię miał przerzucony dziwny, wyświechtany worek marynarski. Drobinki krwi zbryzgały mu koszulę.

— Nie mam pojęcia, gdzie jest wyjście — ani z balkonu, ani z tego świata — przyznała.

— Po prostu trzymaj się mnie. — Sięgnąwszy do kieszeni, wyjął dwa pociski, a potem otworzył bębenek staromodnego rewolweru, który trzymał w ręce. Rebeka patrzyła, jak usuwa dwie łuski i zastępuje je nowymi kulami.

Byron poprawił pasek od worka na ramieniu.

— Trzymaj się blisko mnie, dobrze? Jeśli ktoś… Gdyby ktoś do nas strzelał, schowaj się za mnie.

— Ale…

— Tutaj kule są groźne tylko dla ciebie. Mnie nie szkodzą. — Spojrzał jej w oczy i zażądał: — Obiecaj mi.

Skinęła głową. *Jak Maylene sobie radziła?* Rebeka nigdy by się nie domyśliła, jakie życie prowadziła jej babka.

Byron szedł korytarzem domu Charlesa. Nie zwracał uwagi ani na pluszowy dywan, po którym stąpali, ani na ozdobny sufit z wytłaczanej blachy, ani wreszcie na malowidła na ścianach. Zatrzymał się przy łukowatych schodach, których Rebeka nie zapamiętała. *Byłam nieprzytomna, kiedy mnie tu wnieśli.*

— Trzymaj się blisko mnie — przypomniał jej Byron.

U stóp schodów czekał na nich Charles. Wyszedł im naprzeciw, kiedy zeszli.

— Moja piękna Rebeko, było mi bardzo przyjemnie. — Charles ujął jej rękę i podniósł do swoich warg. — Ufam, że nie będziesz milczeć, jeśli coś nie spełniło twoich oczekiwań. Nasz posiłek? Moje łóżko?

Oswobodziła rękę.

— Tylko ty.

Charles pokiwał głową.

— A zatem będę bardziej się starał. Pierwszy raz zazwyczaj nikomu nie wychodzi najlepiej — powiedział, a potem przeniósł wzrok na Byrona, który stał sztywno obok Rebeki. — Grabarzu?

Rebeka sądziła, że ton Byrona był tak oziębły, że bardziej nie można, a jednak powiało jeszcze większym chłodem, kiedy zwrócił się do gospodarza:

— Charlie. Czy mam się spodziewać ataku w drodze do przejścia, czy też nic nam nie grozi?

— Sądzę, że na razie będą grzeczni, ale rób, co w twojej mocy, aby chronić naszą panią. Moje królestwo jest niebezpieczne. — Charles podszedł do drzwi i otworzył je. — I nie zostawiaj mi za dużo ciał do sprzątania.

Na zewnątrz po obu stronach wyjścia leżeli rozciągnięci na ziemi dwaj mężczyźni. Rebeka stłumiła okrzyk, zakrywając usta dłonią. Przeniosła wzrok z leżących na Byrona, a potem na Charlesa.

Charles oparł się o futrynę z nieodgadnionym wyrazem twarzy. Powiedział tylko:

— Uważaj na suknię, kochanie. Krew zostawia plamy.

Byron położył jej rękę na plecach.

— Chodźmy, Beks.

Byron, którego znała, nie był kimś, kto chodził i strzelał do ludzi, ale teraz, patrząc na niego, przypomniała sobie te dwa pociski, które załadował do rewolweru. *Co się dzieje, jeśli się postrzeli kogoś, kto już nie żyje?* Czy Byron odebrał im życie po życiu? Czy w świecie zmarłych istnieją warstwy rzeczywistości?

Rzuciwszy Charliemu ostatnie spojrzenie, Rebeka zaczęła schodzić po marmurowych stopniach wiodących na ulicę. Nie chciała z nim rozmawiać, nie chciała słuchać tego, co jej mówił, nie chciała utknąć w świecie, w którym do niej strzelali. Na stopniach i na jezdni poniewierały się zużyte naboje i łuski. Na schodach były też jasnoczerwone krople i Rebeka zastanawiała się, czy to jej krew, czy Charlesa. *Krwawił?* Usiłowała sobie to przypomnieć. Dlaczego kule nie przeszywały go na wylot i nie trafiały we mnie? Zatrzymała się w pół kroku i znów obejrzała za siebie.

Charles opierał się nonszalancko o futrynę i patrzył na nich.

— Mam jeszcze kilka pytań — powiedziała.

Na jego twarzy pojawił się błogi uśmiech.

— Oczywiście.

— A więc...

— A więc wrócisz tu. — Charles zszedł po schodach, demonstrując w ruchach pewność siebie. Nie spieszył się, ale stawiał każdy krok z takim zapałem, że Rebeka miała ochotę uciekać.

— Przyjdziesz do mnie ze swoimi pytaniami i teoriami, a ja... — urwał i spojrzał przelotnie na Byrona — powiem ci to, czego powinnaś się dowiedzieć.

— Dlaczego, kiedy do nas strzelali, ciebie nie zranili? — Wskazała na ciała, leżące bezwładnie przed drzwiami. — Tych tutaj postrzelono.

— To pytanie powinnaś zadać Grabarzowi — w głosie Charlesa zabrzmiała podejrzliwość. — Twój partner ma swoje tajemnice, czyż nie, Byronie?

Byron skinął sztywno głową. Nawet gdy przysłuchiwał się ich rozmowie, wyraźnie obserwował ulicę. Powiedział tylko:

— Jak wszyscy.

Charles stał w pewnym oddaleniu.

— To prawda.

— Bolałoby cię, gdyby Byron do ciebie strzelił? — Rebeka drążyła temat.

— Wszystkie kule ranią, Rebeko. — Charles patrzył jej prosto w oczy. — Nie zabiły mnie, ale to nie znaczy, że nie bolało, kiedy rozdzierały mi skórę.

Ucichła. Wzdrygnęła się na wspomnienie ostrzału i widok licznych łusek na ziemi. Gestem wskazała krew na schodach.

— To znaczy, że...

Ledwo zauważalnie skinął głową.

— Ale dlaczego w ogóle ktoś strzelał? — Pytanie Byrona odwróciło uwagę Rebeki.

— To śmiertelna kraina, Grabarzu, jak już pewnie zauważyłeś. — Po tych słowach Charles zwrócił się do Rebeki. — Cóż, najlepiej będzie, jeśli ją teraz opuścisz, no chyba że — posłał jej tęskny uśmiech — chciałabyś zostać dłużej.

Byron błyskawicznie spojrzał na niego.

— Nie.

— Może innym razem — mruknął Charles.

— Nie — powtórzył Byron. — Ani tym, ani żadnym innym razem.

W oczach Charlesa nie było sympatii, kiedy powiedział:

— A to już nie zależy od ciebie, Grabarzu. Ty otwierasz bramę i przeprowadzasz Rebekę tam i z powrotem. Nie oznacza to jednak, że możesz podejmować za nią decyzje... tak jak i ja nie mogę tego robić.

— Przestańcie. — Rebekę ogarnęła fala zmęczenia. — Możecie sobie darować? Jestem zmęczona, zziębnięta i obolała. Możemy się pokłócić kiedy indziej, a w tej chwili muszę odnaleźć Daishę i sprowadzić ją tutaj, zanim zrobi krzywdę kolejnej osobie.

— Oto dlaczego, Byronie, Rebeka jest Opiekunką Grobów. Teraz, gdy już do nas trafiła i weszła w tę rolę, skupia się na swojej misji. One wszystkie w końcu do tego dochodzą. Niektóre zaś — Charles zawiesił głos, a potem dokończył łagodnie — są takie od samego początku. Idź do krainy żyjących, Rebeko, i znajdź Daishę. Głodni Zmarli nie powinni tak szybko nabierać sił. Sprowadź ją do domu.

34

Charles przejmował się wszystkimi swoimi żywymi lub nie do końca martwymi Opiekunkami Grobów. Taka już była natura ich umowy. Ponosił odpowiedzialność za swoje wojowniczki, lecz tak naprawdę niewiele mógł zrobić, aby je obronić. Kilkaset lat temu za sprawą jego ingerencji poczuły dotyk śmierci, ale nie był w stanie uchronić ich przed wszystkim.

— Mówiłeś, że gdybym potrzebowała pomocy...

— Mówiłem. Zrobiłbym dla ciebie wszystko. — Charles wziął w objęcia najnowszą Opiekunkę Grobów. — W tej sprawie jednak jestem bezsilny.

— Mój syn nie żyje, a ty...

— Zmarłym nie wolno wracać, jak gdyby nigdy nie umarli. To zabronione. — Przesunął ręką po jej wilgotnym policzku. Opiekunki Grobów należały do najsilniejszych i najodważniej-

szych kobiet, a jednak, jak wszyscy śmiertelnicy, były bardzo delikatne.

Cofnęła się i spojrzała mu w oczy.

— Jeśli mi nie pomożesz ożywić go zwyczajnie, pozwolę mu wrócić w postaci Głodnego Zmarłego.

— Alicio...

— Nie. Robię wszystko, o co mnie proszą. Jestem... tym, tutaj — powiodła ręką po witrynach sklepów wzdłuż ulicy w krainie umarłych — jako twoja Opiekunka Grobów. Nie pozostawiono mi wyboru. Przyjęłam swój los. Zrobiłam to, o co mnie prosiłeś, o co prosiła ciotka, kiedy mnie wyznaczyła na swoją następczynię. A ja chciałam tylko mieć rodzinę i... — Łzy znowu zaczęły spływać jej po policzkach. — To mój syn.

— Przykro mi — powiedział Charles.

— Nie. Wedle zasad jesteśmy chronieni do osiemdziesiątego roku życia. Brendan był dzieckiem. Miał być bezpieczny.

— Nie odpowiadam za wypadki. Bieda, wypadki, morderstwa, pożary nie podlegają mojej kontroli. — Charles wiedział, że ludzie nie pamiętają takich szczegółów. Umowy, którą zawarł z Claysville, nie mieli na piśmie. Zanadto się bali, że wpadnie w obce ręce i sprowadzi na miasto prześladowanie za czary.

— Przykro mi, że straciłaś syna. — Charles wyciągnął rękę, lecz Alicia się odsunęła. Patrzył na nią badawczo. Znał ją na wylot, tak jak każdą inną Opiekunkę Grobów, począwszy od Abigail. Były twarde, nie bały się kwestionować zasad, których nie uznawały. Życie i Śmierć spoczywały w ich rękach. On był tylko Śmiercią. Raz jeden spróbował przywrócić komuś życie. Dla Abigail. Z opłakanym skutkiem.

— Musi być jakiś sposób... Proszę...

— Nie mogę wrócić mu życia — powiedział Charles. — A jeśli ty spróbujesz to zrobić, sama nie doczekasz jutra, tego możesz być pewna. Ty nie pozwalasz zmarłym się budzić, Alicio. Absolutnie nie wolno ci zachęcać ich do powrotu.

— Nienawidzę cię.

— Rozumiem. — Pokiwał głową. — Jeśli chcesz, możesz się na mnie wyżywać przez całą wieczność, ale jeśli zrobisz to, o czym mówisz, skażesz na śmierć i siebie, i swojego Grabarza.

Wbrew wszelkiemu rozsądkowi, Charles nadal żałował swojej decyzji. Sprawianie bólu Alicii — czy którejkolwiek z jego Opiekunek Grobów — nie przychodziło mu łatwo. Gdyby mógł bezkarnie zwrócić Alicii jej dziecko — zrobiłby to, ale obowiązywały go zasady. Złamał je dla Abigail, śmiertelniczki, która otworzyła bramę do krainy umarłych.

I proszę, do czego nas to doprowadziło.

35

Byron był zadowolony, że Rebeka milczy, kiedy opuszczali krainę umarłych. Ulga, jaką odczuł, widząc dziewczynę całą i zdrową, walczyła w nim z wściekłością o to, że Rebeka była w tamtym świecie sama. *To sprawka Charliego* — przypomniał sobie Byron. Niestety, wiedział również, że Charlie niczego by nie zdziałał, gdyby Rebeka nie puściła jego ręki. Była jednak tak zauroczona tym, co tam zobaczyła, że odstąpiła od Byrona.

Świat, który widziała, różnił się chyba znacznie od tego, czego on sam doświadczył. Nawet teraz, stojąc u jego boku, była zatopiona w myślach, do których nie miał dostępu. Byron wiedział, że oboje będą inaczej postrzegać tamten świat, ale nie zastanawiał się, co to znaczy. Zdecydowanie nie miał ochoty wybierać się tam znowu.

Tyle że trzeba chronić Rebekę.

Wyobraził sobie, że otwiera bramę i po prostu wpycha zmarłych do tunelu, ale na myśl, że mógłby wrzucić tę dziewczynę — Daishę — do tunelu, zamiast odprowadzić ją do krainy umarłych, poczuł się jak złoczyńca. Dobrzy ludzie nie porywają innych. Dobrzy ludzie nie wiążą ich i nie wrzucają do ukrytych komnat.

Daisha nie żyje. Ta dziewczyna już jest martwa.

Przestrogi, których udzielił Byronowi ojciec, nie wydawały się wówczas tak istotne. *Trzeba powstrzymać te potwory.* Zmarła dziewczyna ugryzła dziecko, zraniła Williama i zabiła Maylene.

Tym razem Rebeka miała palce splecione z jego palcami, kiedy wchodzili z powrotem do magazynku, więc użył jednej ręki, aby przesunąć szafkę i zamaskować tunel. Gdy przejście zniknęło im z oczu, cały pokój wydawał się inny, tak jakby usunięcie widzialnej pokusy oddalało zagrożenie.

Nic z tego.

Byron widział wyraz twarzy Rebeki, kiedy stała na balkonie, obserwując miasto umarłych. Bała się, ale zauroczenie przewyższało lęk. Miała rumieńce na policzkach, a oczy jej błyszczały jak w gorączce. Przez chwilę poczuł ucisk w piersi, kiedy pomyślał, czy tak właśnie wyglądała Ella, patrząc na tamten świat. On tego może nie rozumiał, ale musiało tam być coś tak pociągającego, że Ella pośpiesznie rozstała się z życiem.

Czy Rebeka zrobi to samo?

Ostrożnie, kontrolowanym ruchem położył na podłodze worek z towarem od Alicii i zapytał spokojnym głosem:

— Co się stało z twoim ubraniem?

Wciąż trzymając go za rękę, Rebeka odwróciła się od szafki i popatrzyła na Byrona. Suknia, która w krainie umarłych była szara, w świecie żywych nagle nabrała kolorów. Efektowny zielony materiał kontrastował z surową stalą i przytłumionymi barwami składziku.

— Kule. Krew. — Położyła wolną rękę na swoim boku. — To tylko draśnięcie. Charles mnie obronił. Teraz już nawet nie boli.

Byron zamarł, słysząc poufałość w jej głosie. Sam nie miał o Charlesie najlepszego zdania, ale Rebeka chyba odbierała go inaczej. W ogóle ich doznania w krainie umarłych mocno się różniły, co sprawiało, że Byron traktował to miejsce z jeszcze większą niechęcią. Teraz jednak powiedział tylko:

— Nie ufam mu, ale cieszę się, że cię chronił.

— Ja też. — Oderwała rękę od boku. — Nic mi nie jest, ale gdyby tego nie zrobił...

— Zasłonił cię przed kulami. Tylko to się liczy. Gdyby mnie nie zatrzymał podstępnie w tunelu... — Urwał. — Mogę zerknąć na ranę, jeśli chcesz.

— Nie, naprawdę, nie trzeba. — Na moment oczy jej się rozszerzyły. — Powinno mnie wciąż boleć. I tam bolało, ale teraz — znowu położyła rękę na boku — już nie. — Spojrzała Byronowi w oczy. — Przestało.

Sam nie wiedział, czy martwić się, że rana była jakby związana z pobytem Rebeki w krainie umarłych, czy cieszyć, że ból ustąpił. *Czy wróci, kiedy Beks pójdzie tam znowu? A może zagoiła się podczas przechodzenia przez tunel?* Jak w tylu innych sprawach, miał więcej pytań niż odpowiedzi. Najwyraźniej przedmioty mogły przenikać z jednego świata do drugiego. Gdyby tak nie było, Alicia nie prosiłaby go o zaopatrzenie.

Byron próbował ukryć podenerwowanie, gdy powiedział:

— Może jednak należałoby obejrzeć ranę.

— Jasne, tylko... nie mam pod spodem bielizny, więc albo trzeba zmienić miejsce, albo będę musiała rozebrać się tu do naga. — Rebeka skubnęła suknię. — Całe moje ubranie zostało zniszczone.

— O. — Na chwilę myśl o jej obrażeniach została wyparta przez wizję bezbronnej Rebeki w łóżku Charliego.

Powiedział mi o tym, żeby mnie sprowokować. Ona by tego nie zrobiła. A może?

Byron nie był pewien, co tak naprawdę się zdarzyło, i chyba nie chciał pytać od razu, nie wiedząc, jak zareaguje na odpowiedź. Powiedział zatem tylko:

— Mnie nie musisz się bać, Beks. Umiem podejść do tego profesjonalnie. A jeśli wolisz, poproszę Elaine, żeby...

— Nie. — Rebeka wzdrygnęła się. — Jeszcze by mnie położyła na stole do obróbki zwłok.

Byron uśmiechnął się leciutko na tę próbę rozładowania atmosfery.

— Bądź dla niej miła.

— Nikt, kto jest tak kompetentny, nie będzie się bawił w delikatność.

Byron otworzył szafę wnękową, w której, odkąd wrócił do domu, trzymał zapasowe ubrania. Sięgnął do środka i chwycił kilka rzeczy, a potem wepchnął je do worka od Alicii.

— Ja umiem być i kompetentny, i delikatny.

— I profesjonalny? — podpowiedziała Rebeka.

— A chcesz, żebym działał profesjonalnie? — Zdjął koszulę. Nie była bardzo zakrwawiona, lecz uznał, że trzeba ją zmienić. — Czy nadal chcesz słuchać tych kłamstw?

— Wkraczasz na niebezpieczny teren, B — ostrzegła go Rebeka, ale nie udawała, że odwraca wzrok, gdy zdejmował koszulę i wrzucał ją do kubła na odpady zakaźne.

Złapał z szafy czystą koszulę, ale nie zakładał jej na siebie.

— No i?

Oderwała wzrok od jego torsu i z udaną obojętnością popatrzyła na podłogę.

— Nie musisz oglądać mojego boku. Nic mu nie dolega.

Przeszedł przez pokój i stanął przed nią.

— Nie o to pytam.

Podniosła oczy.

— Wiesz przecież, że ja nie... kiedy Charles wygadywał takie rzeczy... to znaczy spałam tam, ale...

— Dobrze już — przerwał jej. Nie miał teraz ochoty słuchać jej opowieści o Charliem. — Nie należą mi się żadne wyjaśnienia. Powiedziałaś to bardziej niż dobitnie.

— Pewnie. — Położyła ręce na jego nagim torsie. — Ale znam cię zbyt długo, by uwierzyć choćby przez chwilę, że nie ruszyłoby cię, gdybym była z Charlesem... lub kimkolwiek innym.

— A może się zmieniłem. — Byron przesunął dłonią po jej biodrze. — Może...

Wspięła się na palce i pocałowała go, powoli i ostrożnie. Naraz wszystkie jej deklaracje, że nie wierzy w związki, wydały się bez znaczenia. Nie dotykała go ot tak sobie. Byron zdążył zakosztować przyjaźni z elementami seksu. To tutaj było czymś więcej. Od zawsze.

Dla nas obojga.

Odsunęła się gwałtownie.

— Nie.

— Co: nie? — zapytał.

— Nie chcę, żebyś działał profesjonalnie i nie, nie zmieniłeś się, ale teraz chyba znowu o tym zapomnę. A jutro będziemy żałować. — Zrobiła krok do tyłu.

Nerwy, które dotąd trzymał jakoś na wodzy, puściły mu odrobinę.

— Gówno prawda. Ja tam niczego nie żałuję po przebudzeniu. Tylko ty masz z tym problem.

Tak, jak zawsze to robiła przez ostatnie dziewięć lat, gdy tylko Byron próbował poruszyć niewygodny dla niej wątek, Rebeka zmieniła temat.

— Muszę odnaleźć zapiski Maylene. Zostawiła mi list, w którym pisze, że znajdę w nich odpowiedzi. Zaczęłam już szukać, ale nie zdawałam sobie sprawy, jakie to ważne. A teraz powinnam... nie wiem nawet, co powinnam zrobić, ale ta zmarła dziewczyna sieje spustoszenie, a ja nie mam pojęcia, jak ją powstrzymać.

— W porządku — uciął krótko.

Wciągnął na siebie koszulę, podniósł torbę i podszedł do drzwi prowadzących na korytarz. Miał wrażenie, że stąpa po cienkiej linii. Z jednej strony mógł zmusić Rebekę, by stanęła oko w oko z rzeczywistością, a z drugiej zaakceptować jej tradycyjne wykręty. Sęk w tym, że — w przeciwieństwie do niej — wiedział, iż przekroczyli już punkt, w którym można jeszcze było nie dostrzegać ich związku.

Potrafi przyjąć do wiadomości morderców i ukryte światy, ale nas... tego nie potrafi zaakceptować.

Ledwo zdołał stłumić frustrację, gdy usuwał się jej z drogi.

Uniósłszy skraj sukni, wyszła na korytarz. Kiedy już zamknął drzwi, spytała:

— Pójdziesz ze mną? To znaczy, przepatrzyć dom.

— Miałem taki zamiar. Ale najpierw muszę coś stąd zabrać. — Przekręcił klucz w zamku. — Wczoraj, zanim ojciec... zanim wróciłem tu bez niego, powiedział, że zostawił parę rzeczy w swoim pokoju.

— I jeszcze ich nie zabrałeś? — Spojrzała na niego z niedowierzaniem. — Dlaczego?

Popatrzył na nią przez chwilę, nim odpowiedział:

— Ponieważ uznałem, że przede wszystkim muszę odnaleźć ciebie. Tato powiedział, że zanim nie spotkasz się z Charliem, nic więcej nie można zrobić, a w ogóle wszystko było jakby nierzeczywiste. Chciałem po prostu... Musiałem cię odszukać. To było najważniejsze. — Byron wziął Rebekę za obie ręce. — Nieistotne, co się jeszcze wydarzy ani jak się wkurzę, gdy znowu nie zechcesz przyznać, że między nami coś jest. Ty jesteś dla mnie najważniejsza, do końca życia. Na tym właśnie polega rola Grabarza. Ty, moja Opiekunka Grobów, jesteś moim priorytetem. Ważniejszym niż moje życie, niż życie kogokolwiek innego. Ty.

Rebeka wpatrywała się w niego w milczeniu.

— Co takiego? — powiedziała wreszcie.

— Moim obowiązkiem, Rebeko, jest przedkładać twoje życie nad swoje.

— Nie chcę... — Pokręciła głową.

— Następnym razem, gdy będziemy w tunelu, nie puszczaj mojej ręki. Możesz tam zginąć. — Uśmiechnął się cierpko i dodał: — Za to ja, najwyraźniej, mogę raz za razem obrywać ze spluwy i przeżyć.

Otworzyła i zamknęła usta, a oczy napełniły jej się łzami.

Jemu zaś, jak zawsze, gdy płakała, przeszła złość. Westchnął.

— Kocham cię i wolałbym sam cię chronić, niż pozwalać, by robił to ktoś inny... z tego lub tamtego świata... Musisz jednak ze mną współpracować. Nie ufam Charliemu i nie wiem, w co on pogrywa, wiem tylko, że ani na moment się nie zawahałem, gdy przyszło mi zastrzelić dwie osoby, aby się dostać do ciebie.

— B, ja nie...

— Nie. Nie chcę wysłuchiwać wszystkich powodów, dla których nie możesz zrobić tego czy owego. Powiedz mi po prostu, że, niezależnie od tego, czy dasz nam szansę, będziesz ze mną współpracować jako Opiekunka Grobów. — Gapił się na nią. — Jestem jedyną osobą, która może otworzyć bramę, Beks, ale prędzej pozwolę zginąć całemu miastu niż tobie pójść tam i umrzeć z powodu twojego uporu.

— Obiecuję — szepnęła.

Nie podobał mu się sposób, w jaki na niego patrzyła, zupełnie jakby był kimś obcym, ale myśl, że mógłby ją zawieść, była jeszcze gorsza.

Najważniejszą rzeczą na świecie — jednym i drugim — było bezpieczeństwo Rebeki. *Nie zawiodę cię.* Byron pomyślał o kulach wystrzelonych w jej stronę i o swoim wcześniejszym przekonaniu, że jest zagrożona. *Nigdy już nie będę pewien, że nic jej nie grozi.* Martwi wstawali z grobu, a jego zadaniem było ich odnaleźć. Nie należało ufać mężczyźnie, który rządził krainą umarłych. Jedyne, czego Byron był pewien, to że prędzej umrze, niż zawiedzie Rebekę — a gdyby faktycznie miał umrzeć, oznaczałoby to, że właśnie ją zawiódł.

36

Rebeka milczała, gdy wchodzili na górę, do prywatnej części domu. Szła za Byronem i próbowała nie zauważać, jak bardzo jest spięty. Owszem, mieli już za sobą niejedną kłótnię, ale zawsze pozwalał jej unikać pewnych tematów. Kiedy minął pierwszy szok po śmierci Elli, Byron patrzył niekiedy na Rebekę wyczekująco, a ona udawała, że nie wie, o czym powinni porozmawiać. Po latach, kiedy wylądowali po raz pierwszy w łóżku, unikała dyskusji typu „co to oznacza". Kilka razy próbował na nią naciskać, ale zawsze uciekała lub zastępowała rozmowę seksem. *Nie zasługuję na niego.* Taka była prawda i Rebeka dobrze o tym wiedziała.

— Przykro mi — powiedziała cicho, gdy wchodzili na drugie schody.

Na górze Byron zerknął na nią i westchnął.

— Wiem.

— Rozejm? — Wyciągnęła rękę.

— I tak musimy porozmawiać — ostrzegł ją.

Nie opuściła ręki.

— A ja będę się ciebie trzymać przy przejściu przez tunel do krainy umarłych i — głos jej się załamał — zrobię, co w mojej mocy, żeby żadnego z nas nie zastrzelili.

Byron ujął jej dłoń, ale zamiast nią potrząsnąć, przyciągnął Rebekę do siebie w szybkim uścisku.

— Nie jesteś niczemu winna. Ani temu, że cię postrzelili, ani temu, że zabiłem tamtych ludzi. — Ochrypłym głosem powiedział: — Gdybym cię stracił, to byłby mój koniec.

Po prawdzie czułaby się tak samo, gdyby straciła jego, ale zanim zdążyła mu o tym powiedzieć, odsunął się. Przeszedł szybko na koniec korytarza i otworzył jakieś drzwi.

— Chodź. Tato powiedział, że tu znajdziemy część odpowiedzi.

Byron cisnął kurtkę na łóżko i rozejrzał się przelotnie po pokoju. U stóp łóżka stała skrzynia z ciemnego drewna. Wyglądała jak przedmiot przekazywany z pokolenia na pokolenie. Mosiężny zatrzask był wygięty i porysowany, a w kilku miejscach widniały ślady zniszczenia jak po wodzie. Byron ukląkł przed skrzynią, odblokował zatrzask i uniósł wieko.

W środku znajdowała się stara torba lekarska z czarnej skóry. Obok leżała niewielka drewniana szkatułka, zawierająca, jak się okazało po otwarciu, dwa pistolety kieszonkowe. Kilka groźnie wyglądających noży spoczywało w pochwach.

— Cóż... — Byron otworzył kasetkę wypełnioną identyfikatorami z różnych szpitali. Między nimi znalazł kartkę, na której napisano „Poproś Chrisa, kiedy będziesz potrzebować nowych".

Rebeka usiadła niepewnie na podłodze obok.

— Nie rozumiem.

— To na wypadek, gdybym musiał odebrać ciało, które należy sprowadzić do miasta, a nie miał czasu na papierologię — wyjaśnił Byron. — Są jeszcze inne sposoby.

Opowiedział jej następnie o Alicii, którą poznał w krainie umarłych, i o fiolkach zawierających tymczasową śmierć, które od niej otrzymał. W miarę, jak mówił, Rebeka zaczęła drżeć.

Jeżeli nie uda im się odnaleźć Daishy, ludzie będą umierać. Jeśli mieszkańcy Claysville umrą poza miastem i nikt się nimi nie zaopiekuje — będą się budzić, co spowoduje śmierć kolejnych osób. Rebeka odczuła na swoich barkach ciężar olbrzymiej listy rzeczy, które mogą pójść nie tak. Musiała zatrzymać umarłych w ich grobach, a jeśliby wstali, musiała ich zatrzymać. Ludzie, którzy nie mieli pojęcia o umowie, i ci, którzy nie mieli w ogóle pojęcia o istnieniu Claysville, oraz ci, którzy nie wiedzieli, że umarli mogą się budzić — wszyscy byli od niej zależni. Nie mogła ich zawieść.

A ja jestem zależna od Byrona.

Byron był jedyną osobą na całym świecie, której mogła zaufać, był też jedynym mężczyzną, którego dotąd kochała. Taka była niewypowiedziana prawda — kochała go. Parę krótkich — choć intensywnych — dni zniwelowało całe lata jej ucieczek przed nim. Nie była pewna, czy należało teraz śmiać się, czy płakać, ale wreszcie stanęła przed faktem: przez całe życie kochała Byrona Montgomery'ego.

Ponieważ jesteśmy, kim jesteśmy.

Zorientowała się naraz, że Byron na nią patrzy, czekając na coś, czekając na nią. Czekał na nią niemal od dziesięciu lat.

— Przepraszam — szepnęła.

Pokręcił głową.

— Jak oni to robili?

— Tak, jak my to zrobimy. — Ścisnęła mu dłoń.

Oboje popatrzyli na torbę, a potem znowu na siebie nawzajem. Z wyraźnym niepokojem, Byron otworzył torbę i zajrzał do środka. Stare pudełko ze strzykawkami, bandaże, przeróżne antybiotyki, gaza jałowa, mały skalpel, maść antybiotykowa, woda utleniona i całe mnóstwo innych środków pierwszej pomocy. Nie wszystkie były współczesne, ale większość owszem.

W środku torby znajdowała się też koperta, którą wyjęła Rebeka.

— Otwórz — powiedział Byron.

Posłuchała i, wyjąwszy niewielką kartkę, rozłożyła ją, aby odczytać na głos:

— „Możesz także zapłacić Alicii środkami medycznymi". Czy to ma sens?

— Ma — przytaknął.

Rebeka przewróciła kartkę.

— Na odwrocie jest napisane „Strzykawki ich powstrzymają. Zachować na wypadek wyjątkowej potrzeby".

Byron prychnął.

— Czyli na kiedy? Kiedy konieczność obrony przed martwymi ludźmi, którzy usiłują nas zabić, nie jest wyjątkową potrzebą?

Rebeka wzruszyła ramionami.

— Nie mam zielonego pojęcia.

Byron wziął kartkę i zaczął się jej przyglądać. Podniósł ją do światła i obejrzał z bliska. Rebeka zauważyła wtedy ledwie widoczny znak wodny.

— To nie jest pismo taty — powiedział Byron. — Ciekawe, czyje. Jego dziadka? Czy jeszcze kogoś innego?

Podał kartkę Rebece, która złożyła ją i wsunęła z powrotem do koperty.

Byron sięgnął do skrzyni po ostatni przedmiot. Była to teczka harmonijkowa opatrzona napisem PAN S. Otworzył ją. W środku znalazł dwa brązowe dzienniki, listy, wycinki z gazet i jakieś inne papiery.

— Być może tu są nasze odpowiedzi. — Wziął do ręki starannie wycięty artykuł z nagłówkiem TRZY OFIARY ATAKU PUMY, po czym odłożył go na bok i otworzył jedną z kopert. Przejrzał po kolei zawartość, przekazując każdy papier Rebece. Były tam rachunki za broń, amunicję oraz parę damskich trzewików w rozmiarze trzydzieści siedem i pół.

Byron podawał Rebece papiery, a ona odczytywała miszmasz zapisków. Jeden ze skrawków głosił „Dla Alicii". Inny pokryty był pytaniami i odpowiedziami: „Człowiek? Nie. Wiek? Nie taki, na jaki wygląda ani na jaki wskazywałoby jego ubranie". Po nim następowała nagryzmolona notka: „Alicia ma ukryte motywy". Niektóre z notatek trudno było odczytać. Listy i wycinki z gazet przemieszano z prawie nieczytelnymi zapiskami. Przejrzenie tego wszystkiego wymagało czasu.

Czasu, którego nie mamy.

Kiedy Rebeka ziewnęła, Byron przestał podawać jej papiery. W milczeniu odebrał od niej te, które już dostała, wsunął je z powrotem do teczki, a całość umieścił, wraz z pozostałymi przedmiotami ze skrzyni, w worku przyniesionym z krainy umarłych.

— Czuję się dobrze — zaprotestowała.

— Jesteś wykończona — zauważył łagodnie. Patrzył na nią uważnie, zanim nie skinęła głową.

Rebeka wstała i przeciągnęła się.

— Chodźmy do domu.

Niemal od razu ukrył swoje zdziwienie, a Rebeka była mu wdzięczna za brak komentarza. Nawet kiedy przez lata byli kochankami, nigdy nie wyrażała się o nich per „my", a już z całą pewnością nie określała miejsca, w którym się zatrzymała, słowem „dom".

Zdrzemnęła się na chwilę w drodze z zakładu pogrzebowego do jej domu i obudziła w chwili, gdy Byron wyłączył silnik.

Zamiast jednak wysiąść z karawanu, została w środku, z głową opartą o boczną szybę.

— Dobrze się czujesz? — zapytał.

— Tak. Jestem tylko przygnębiona. Zdezorientowana. Wykończona… ale nie zamierzam uciec z piskiem w ciemność. A ty?

Otworzył drzwi kierowcy.

— Niespecjalnie umiem piszczeć.

— No, nie wiem. Pamiętam parę takich wieczorów filmowych…

— Nigdy nie piszczałem. — Obszedł wóz i zabrał worek z tylnego siedzenia.

— Wrzeszczałeś, piszczałeś, wszystko jedno. — Wysiadła, zebrała w dłoni spódnicę i przeszła po schodach na werandę. Otworzyła drzwi i weszła do środka. — Cieszę się, że tu jesteś. Może to strach, partnerstwo lub żal albo…

— Albo przyjaźń. Nie zapominajmy o tym, Beks. — Zamknął za sobą drzwi. — Wszystko inne też się liczy, ale byliśmy przyjaciółmi na długo przedtem. Jeśli nie chcesz przyznać, że mnie kochasz, przyznaj choć, że to przyjaźń.

— To prawda, ale jesteśmy przyjaciółmi, którzy nie rozmawiali ze sobą przez kilka lat — poprawiła go.

Zacisnął szczęki, lecz nie powiedział, co myśli. Zamiast tego delikatnie położył worek marynarski na stoliku.

— Czy przedwczoraj poprosiłaś mnie, żebym został, z któregoś z tych powodów?

— Być może — przyznała. To właśnie była ta niewypowiedziana obawa, ten drugi lęk, który czaił się gdzieś na obrzeżach jej świadomości. — A skąd wiesz, że nasza… przyjaźń jest prawdziwa?

— Przez kilka lat wytrzymywałem z tobą, słuchałem jak rozmawiasz z Ellą o chłopakach, włosach, książkach i muzyce, i oglądałem filmy, jakie wam pasowały. — Z każdą chwilą poirytowany coraz bardziej, odliczał każdą rzecz na palcach. — Jeszcze dłużej miałem nadzieję, że wrócisz do domu, całymi latami wypatrywałem cię w każdym tłumie i łudziłem się, że w końcu jakaś szatynka, choć odrobinę do ciebie podobna, odwróci się i wymówi moje imię.

— A na ile z tych rzeczy nie miałeś wpływu? — Padła na sofę. — Czy naprawdę ty to robiłeś, czy to był tylko instynkt? Masz za zadanie ochraniać Opiekunkę Grobów — mnie — więc może jedynie spełniałeś swój obowiązek.

Stanął na środku pokoju i zagapił się na nią.

— A czy to ważne?

Zawahała się. *Czy to ważne?* Tego pytania nigdy jeszcze nie roztrząsała. Próbowała ignorować wszelkie jak?, kiedy?, dlaczego?, co dalej?, ale niestety nie dało się ich przeoczyć. *Czy to ważne?* Jeżeli wszystko, co kiedyś robili razem, było szczęśliwym zbiegiem okoliczności, jeżeli to, że Byron był teraz z nią w tym pokoju i próbował jej pomóc — jeżeli to wszystko wynikało z tego, że Maylene wybrała ją na następczynię Elli, to owszem, było ważne.

Żadnego z tych wątków nie chciała jednak teraz rozwijać, więc w zamian skupiła się na pilniejszych sprawach.

— Chcesz mi pomóc przewrócić dom do góry nogami, czy zacząć przeglądać papiery twojego taty?

— Uchylasz się od odpowiedzi — zauważył Byron. — Musimy porozmawiać o tym... o nas, Rebeko. Wykręcasz się od ponad ośmiu lat, ale teraz... zostaliśmy z tym we dwoje. Naprawdę sądzisz, że nadal możemy udawać, że między nami nic się nie dzieje?

Rebeka zamknęła oczy i oparła głowę o sofę. Wiedziała, że dłużej nie da rady ignorować swoich uczuć wobec Byrona. To zresztą nigdy nie było dobrym wyjściem, lecz nie wiedziała, co innego może zrobić. Kochała go, ale to nie znaczyło, że wszystko inne się ułoży.

Po kilku chwilach jej milczenia Byron westchnął.

— Kocham cię, Beks, ale czasami jesteś strasznie upierdliwa.

Otworzyła jedno oko i spojrzała na niego.

— Ty też. A więc… dzienniki?

Zawahał się, a ona czekała na zachętę. Chciała powiedzieć te właściwe słowa, ale nie wiedziała, jak. Całymi latami próbowała upchnąć go na półce z innymi rzeczami należącymi do Elli, więc teraz zmiana frontu nie mogła się dokonać w jeden dzień.

Byron jednak, zamiast ją zachęcić, powiedział:

— Myślę, że powinniśmy porozmawiać z radą miejską, przeczytać umowę i dopiero zadać Charliemu kilka pytań.

— Już pytałam, ale nie był szczególnie rozmowny — powiedziała Rebeka, a potem przekazała Byronowi te strzępy wiadomości, które uzyskała od Charlesa.

Byron z kolei opowiedział jej o swoich rozmowach z Charlesem, Williamem i księdzem Nessem.

— A więc ta cała umowa z miastem… znajduje się tam, w jego świecie? Widziałeś ją? — spytała, gdy skończył.

Byron zrobił dziwnie nieprzystępną minę.

— Widziałem jakąś umowę, ale nie jestem pewien, czy to była ta z miastem. Wymieniała imiona poprzednich Grabarzy i Opiekunek Grobów, i… nie wiem, co jeszcze. Byłem tam z ojcem i mieliśmy ostatnią szansę, by porozmawiać… Wtedy jeszcze tego nie wiedziałem, ale oni najwyraźniej tak. Charlie schował umowę i wyszedł, ale domyślam się, że prędzej czy później każdy Grabarz musi ją przeczytać.

— A więc pójdziemy tam i powiemy mu, że chcemy ją zobaczyć.

— Tak jakby — zgodził się Byron. — Musimy też porozmawiać z radą miasta.

— Czy to bardzo źle, że jestem wściekła na nich wszystkich? — Rebeka zacisnęła obie dłonie w pięść. — To znaczy, rozumiem, ale, do diabła, nie dali nam dużo czasu, żeby się w tym rozeznać i… Jestem wykończona.

— Damy radę — powiedział. — Znajdziemy Daishę, a potem rozeznamy całą resztę.

Rebeka kiwnęła głową, ale nie była pewna, czy są w stanie zrobić to, co powinni. *Jak znaleźć Daishę? Jak ją powstrzymać? Dlaczego w ogóle powstała taka umowa? Można ją złamać?* Zamknęła oczy i z powrotem położyła głowę na oparciu sofy. Poczuła, jak zapada się pod nią poduszka. To Byron usiadł koło niej.

— Co powiesz na to, żebyśmy się trochę przespali?

— Nie możemy. Jest tyle…

— Tylko parę godzin. Niczego nie zdziałamy, jeśli padniemy ze zmęczenia. Oboje od dawna praktycznie nie zmrużyliśmy oka.

Uniosła powieki.

— Zgoda, masz rację, ale… ludzie tam umierają.

— Wiem, ale w jaki sposób chcesz im pomóc, jeśli nie dasz rady się skupić? Członkowie rady i tak śpią o tej porze. Charlie nie chce nam odpowiedzieć na pytania. Zmiana stref czasowych, pogrzeb Maylene, śmierć taty, wyprawy do świata Charliego, strzelanina… Parę godzin snu przyniesie nam więcej pożytku niż wszystko inne, co teraz możemy zrobić.

Siedzieli tak przez chwilę, a potem Rebeka wstała.

— Masz rację. Idę wziąć szybki prysznic.

Czując się głupio, odwróciła się do niego plecami.

— Mógłbyś mi to odwiązać?

Rozpięła haftkę na piersiach, a potem strząsnęła z siebie wierzchnią warstwę sukni. Zebrała włosy i przełożyła je przez jedno ramię, patrząc nieruchomo przed siebie.

Gdy po raz pierwszy dotknął jej pleców, gwałtownie nabrała powietrza do płuc. Oboje zamarli na parę uderzeń serca, które — była przekonana — biło jej tak głośno, że je słyszał. Potem Byron ostrożnie zaczął wysuwać wiązanie z rzędu dziurek biegnących wzdłuż jej kręgosłupa. Rebeka zacisnęła palce na przezroczystej warstwie sukni, którą wciąż trzymała w ręce.

Kiedy rozpięta suknia odsłoniła jej plecy, Byron złożył pocałunek na karku dziewczyny. Zadrżała i spojrzała na niego przez ramię.

Powiedz to. Powiedz mu.

Nabrała powietrza, aby się uspokoić, cofnęła się o krok — i uciekła.

37

Byron wsłuchiwał się w odgłos prysznica uruchamianego na górze i rozważał, jak wielką głupotą byłoby teraz pójście za Rebeką. W przeciwieństwie do niej, nie interesowało go, dlaczego są razem, a tylko czy w ogóle są parą. Czekał na nią przez całe życie, lecz gdyby wiedział wcześniej o Opiekunkach Grobów i Grabarzach, wolałby się wyrzec Rebeki, niż narazić ją na niebezpieczeństwo. *Ona nie ma wyboru.* Umowa wiązała ich razem aż do śmierci. *Co wcale nie sprawi, że chętniej przyzna się do swoich uczuć.* Była Opiekunką Grobów, ale jednocześnie była tą samą kobietą, która nie znosiła zniewolenia, kobietą, która pozwoliła, by jej zmarła siostra latami stała między nią a Byronem, wreszcie kobietą, która tak się bała utracić kochane przez siebie osoby, że wolała wypierać się swojej miłości do nich. Była tą samą kobietą, którą kochał od lat. *A teraz przez resztę życia będzie w niebezpieczeństwie.* Byron sam nie wiedział, czy bezbronność Rebeki w krainie umarłych była bardziej czy mniej przerażająca niż fakt, że w Claysville martwa dziewczyna zabija ludzi. W obu światach Rebeka była na celowniku.

Jak ty sobie z tym radziłeś, tato?

Wszystko się zmieniło w ciągu zaledwie kilku dni. Byron dostał to, na czym mu najbardziej zależało — przyszłość u boku Rebeki, a jednocześnie ona sama znalazła się w takim niebezpieczeństwie, jakiego nigdy by nie wymyślił. Sprawdził drzwi, a potem stanął przy oknie wykuszowym salonu, wpatrując się w ciemność. Daisha mogła być w tej chwili na zewnątrz, a on by o tym nie wiedział. Mogła też właśnie kogoś zabijać. Bo będzie zabijać ludzi.

Podniósł i przekartkował jeden z dzienników.

Gdyby Mae wiedziała, że Lily nie żyje, nic takiego nie miałoby miejsca.

Co za człowiek ukrywa śmierć własnej żony? Lily została tam zatrzymana i dlatego wróciła. Mae była załamana.

Byron przerzucił kilka stron i czytał dalej:

Charlie nie chciał mi nic powiedzieć o gniewie Alicii. A ona jest niewiele lepsza. Parę razy wyprowadziła mnie w pole, choć większość z jej wskazówek jest prawdziwa...

Ilość sekretów, jakie kryła ta cienka książeczka, była przytłaczająca. Byron prześlizgiwał się wzrokiem po zapiskach, szukając imienia Charliego.

Nick to osioł. Gdyby mógł, sprowadzałby tu pastorów, nie mówiąc im wcale o umowie. Powiada „Ludzie w mieście nie wiedzą o niczym, kiedy rodzą im się dzieci, więc dlaczego duchowni mieliby być wyjątkiem?" Różnica polega na tym, że miejscowi są w potrzasku, a przyjezdni nie. Mogą przyjeżdżać i wyjeżdżać, jeśli się tu nie urodzili.

Ann zaczęła mówić o rodzicielstwie, kiedy wspomniałem o tej awanturze na spotkaniu. Wolno nam mieć dziecko, kiedy zechcemy. Grabarze nie muszą czekać na zezwolenie. Ale jak mam to przekazać własnemu synowi? Jak odmówić Ann?

Rebeka zeszła do połowy schodów. Miała na sobie długą koszulę nocną, której górna część była wilgotna od jej ociekających wodą włosów.

— Prysznic wolny — powiedziała.

Gdyby nie wiedział, że mu ucieknie, już by tam był u niej na górze. Powiedział więc tylko:

— Przyjdę za minutkę.

Czytał dalej:

Mae wiedziała, dlaczego Ella to zrobiła, ale nie chciała mi tego powiedzieć. Widziałam, jak patrzy na Ellę. Ona zna uroki świata

Charliego. Ja tego nie pojmuję, ale Mae twierdzi, że to, co tam widzę, ma się nijak do rzeczywistości.

Czasami śni mi się, że zabijam Charliego.

Byron przerzucił kilka kartek do przodu i znowu czytał:

Mae została ukąszona. Chciałem zabić tego zmarłego, ale ona nie przyjmuje do wiadomości, że to potwory. Wpuszcza ich do swojego domu, sadza przy stole... Czasami nie wiem, jak jej przemówić do rozsądku. Niekiedy chyba zapomina, że jest tylko człowiekiem. Jeśli tu przyjdą, mogą ją zabić. Zechcą zabić nas wszystkich. Powtarza mi, że za bardzo się przejmuję, ale istnieję przecież po to, by ją chronić. To moje zadanie.

Byron zamknął ostrożnie brulion i poszedł na górę.

To nie żaden wymysł — nie istniały zasady chroniące ludzi z miasta podczas snu. To monstrum mogło wchodzić do domów. I weszło. Daisha weszła do tego właśnie domu i zabiła Maylene. Weszła do domu Byrona i ukąsiła jego ojca.

A my nie mamy pojęcia, gdzie jej szukać.

Wyobraził sobie, jak Daisha wchodzi do domu, kiedy Rebeka jest sama. Jego prysznic naprawdę trwał krótko. Jeszcze się dobrze nie osuszył, a już wciągał na siebie dżinsy, jedną ręką suszył włosy, gdy drugą otwierał już drzwi łazienki.

Rebeka stała w drzwiach swojego pokoju i patrzyła na niego. Najwyraźniej podjęła jakąś decyzję, bo przyniosła do sypialni jego worek marynarski, który spoczywał teraz na podłodze u jej stóp.

— Zostaniesz ze mną? — spytała.

Patrząc jej ciągle w oczy, stanął tuż przed nią. W ostatnich latach wiele razy byli w tym martwym punkcie. Wystarczyło, że na niego spojrzała, a już należał do niej. Nigdy nie przyznała, że to, co ich łączy, jest czymś wyjątkowym. Byron nie mógł zliczyć pokoi, w których się zatrzymywali, ani nocy, które spędzili w różnych miastach i miasteczkach, lecz ona ani razu nie pozwoliła sobie na wyznanie, że jest dla niej ważny, że liczą się **oni**.

— Pytasz dlatego, że nie chcesz tu spać sama, czy dlatego, że chcesz tu mnie?

— Ciebie — szepnęła.

Odsunęła się, by mógł wejść do jej pokoju. Rozwiązał worek i wyjął pistolet otrzymany od Alicii. Położył go na stoliku nocnym, a potem oparł worek o ścianę, tak by się o niego nie potknąć, gdyby musiał raptownie wstawać.

Rebeka odsunęła skłębioną narzutę i usiadła na brzegu materaca. Byron zgasił światło i podszedł do niej. Wzdychając cichutko, wtuliła się w jego ramiona. Położył się na plecach i objął ją.

— To nie ma żadnego znaczenia — wymamrotała, a powieki same zaczęły jej opadać.

— Kłamczucha. — Jedną ręką przytulał ją do siebie, a drugą miał wolną, by móc głaskać ją po głowie.

Albo sięgnąć po broń.

Rebeka znów otworzyła oczy.

— Byron...

Owinął sobie wokół palca pasmo jej wilgotnych włosów, a potem pozwolił mu opaść na jej ramię. Coś w głębi jego duszy, to samo coś, które akceptowało warunki Rebeki, stawiane za każdym razem, gdy trzymał ją w ramionach, kazało mu być cicho. Reszta Byrona była zmęczona tą grą na jej zasadach. — Żadnych zmian, żadnych deklaracji. To nie ma znaczenia. To nigdy nie ma znaczenia.

Westchnęła.

— To nie... zresztą nieważne.

— Jesteśmy ze sobą związani do końca naszych dni. Kocham cię od lat. Ty kochasz mnie równie długo. — Nie odwrócił wzroku, mówiąc te słowa, a i ona tym razem nie zaprzeczyła. — Możesz sobie protestować, ile chcesz, ale moim obowiązkiem jest zapewnić ci bezpieczeństwo i przyjąć tam na siebie kulkę, jeśli to będzie konieczne. Podpisałem umowę. Zastrzeliłem dziś dwie osoby.

Usiadła, wyślizgując się z jego objęcia.

— Nie prosiłam cię o to. Nie prosiłam, żebyś cokolwiek robił.

Byron patrzył na nią.

— Nie możesz zmienić tego, kim jesteś, ani tego, co czujesz. Rozumiem, ale i ja nie mogę zmienić tego, kim jestem. Jesteśmy, kim jesteśmy. Niezależnie od tego, co teraz robimy, jestem obecny w twoim życiu. Niezależnie od tego, co czujesz, jestem twój, aż do śmierci.

— Gdyby Ella nie umarła…

— Ale umarła.

Rebeka skoczyła do stóp łóżka, tak by nie mógł jej dosięgnąć.

— Umarła, wiedząc, że ja… że my…

— Pocałowaliśmy się. To był tylko pocałunek, a od tamtej pory robiliśmy o wiele więcej. To nie Ella stoi między nami. To ty czujesz się winna i boisz się. Rozumiem, ale musisz odpuścić. Nigdy cię nie zostawię, Beks, i nieważne, jak często czy jak mocno będziesz mnie odpychać. Czekałem na ciebie przez większość życia, więc będę tutaj przy tobie. I to się nie zmieni, niezależnie od tego, czy zrozumiemy, dokąd zmierzamy, czy nie. Powiedz mi, że to tylko przyjaźń albo przyjaźń plus seks, a ja — wzruszył ramionami — spróbuję to zaakceptować.

— Spróbujesz?

— Taa, spróbuję. — Przewrócił się na bok i przesunął na skraj materaca. — Zamierzam spędzić resztę życia zakotwiczony u twego boku. Nie zamierzam udawać, że nie chciałbym cię mieć w swoim życiu i łóżku. Kocha…

— A może wcale nie chodzi ci o mnie, Byronie. Zastanawiałeś się kiedyś nad tym? Chcesz Opiekunki Grobów. — Rzuciła mu gniewne spojrzenie. — Gdyby Ella nie popełniła samobójstwa, byłbyś…

— Ale popełniła, prawda? A ja, na wypadek, gdybyś zapomniała, czułem to, co teraz, **zanim** się zabiła. — Usiadł i przyciągnął ją do siebie. — Szukałem cię za każdym razem, gdy wracałem do miasta. Przelatywałem wzrokiem listy od taty, mając nadzieję, że wspomniał w nich o tobie. Nie o Elli, nie o Opiekunce Grobów. O tobie, o Rebece.

— Robiłbyś to samo, gdybym nie była Opiekunką Grobów? Gdybyś sam nie był Grabarzem?

— Szkoda, że nie potrafię odpowiedzieć na to pytanie, ale też nie ma na nie odpowiedzi. Jesteśmy tymi osobami i nie możemy tego zmienić. Jesteś Opiekunką Grobów aż do śmierci i — zamknął jej dłoń w swoich — nie sądzę, żeby słuszne było odrzucanie siebie, swojego życia i całego miasta, aby się przekonać, co jest między nami. Jeśli chcesz się tego wyprzeć, możesz się wyprzeć mnie, z wyjątkiem... tego, co robię. Spróbuję to zaakceptować, choć uważam, że to błąd.

Nie odpowiadała, więc po chwili puścił jej rękę.

— Nie musimy tego roztrząsać jeszcze dziś. To był długi — zerknął na czerwone cyfry na zegarze — długi dzień, noc... kilka dni. Spróbujmy się zdrzemnąć.

— Jesteś porządnym człowiekiem. — Odsunęła się od Byrona. — Zasługujesz na coś lepszego.

Zawahał się. Naraz zniknęło jego postanowienie, by już dziś nie nalegać.

— A więc chcesz mnie chronić? Trzymając się z daleka ode mnie i od mojego łóżka, zapewniasz mi bezpieczeństwo?

— Tak. Chyba tak też można to nazwać. — Przesunęła się na drugi koniec łóżka, ale nie położyła się.

Byron podparł się ramieniem.

— Jesteś wprawdzie jedyną kobietą, którą kocham, ale niezupełnie trwałem w celibacie.

— Więc powiedz mi, że to dla ciebie niewiele znaczy. Powiedz, że nie skomplikuje wszystkiego, i że to nie będzie początek związku. — Wysunęła się z łóżka i stała przez chwilę, wbijając w niego wzrok. Kiedy nie odpowiadał, chwyciła za brzeg swojej koszuli i zaczęła ją wolno podnosić. — Albo powiedz mi: nie.

Byron patrzył, jak unosi koszulę, napawając się widokiem nagich bioder i płaskiego brzucha.

Wobec jego milczenia, unosiła koszulę coraz wyżej, przez cały czas patrząc mu w oczy.

— Nie chcesz tego samego, co ja.

— Nie byłbym tego taki pewien. — Wytrzymując jej spojrzenie, zbliżył się do niej. Ukląkł na materacu, tak aby mógł jej dosięgnąć. Powolutku przesunął opuszkami palców po jej brzuchu.

Zamarła.

— Nie powiedziałem, żebyś przestała — wyszeptał.

Przeciągnięta przez głowę koszula upadła na podłogę.

Byron zamknął w dłoniach piersi Rebeki, a potem kolejno je pocałował.

— Piękne.

Złapała oddech i położyła mu dłoń na karku.

Przesunął kciukami po stwardniałych sutkach, a potem obrysował rękami jej piersi i plecy. Nie tulił jej do siebie, lecz trzymał dłonie na jej nagich plecach. Rozstawił palce i przez chwilę nie mógł myśleć o niczym innym poza tym, że wreszcie na nowo dotyka Rebeki.

Milczała — ale nie wyrywała się. Jej oddech był tak samo nierówny, jak jego. Patrzyła na Byrona z rozchylonymi ustami.

Podniósł się, chwycił delikatnie wargami za jej szyję od przodu i, zostawiając na niej pocałunki, doszedł do ucha. Westchnęła i przechyliła głowę, aby ułatwić mu dostęp.

— Wiemy oboje — ucałował krągłość jej barku — że gdybyśmy się teraz kochali — odchylił się i obserwował jej twarz, powoli obrysowując zarys jej prawego boku — nie byłoby to bez znaczenia — pocałował ją delikatnie — dla obojga. — A potem odsunął się od niej. — Zgodzę się tylko z jednym: to nie byłby początek związku. Weszliśmy w ten związek lata temu.

Gapiła się na niego, lecz wciąż milczała. Szok, malujący się na jej twarzy, niemal sprowokował go do kapitulacji. Zmusił się, by nie umknąć wzrokiem, częściowo dlatego, że widok jej prawie nagiego ciała też nie sprzyjał stanowczości.

Zanim się poddał, wstał, sięgnął po przykrycie i odciągnął je jeszcze bardziej.

— Jestem dorosłym mężczyzną, Beks. Nie stawiaj przede mną wyzwań, jeśli nie masz pewności, że jesteś gotowa na efekty.

— Mówisz mi: nie?

— Owszem — powiedział.

Ubrana tylko w figi, wśliznęła się do łóżka. Byron nasunął na nią przykrycie i poszedł do wyjścia.

Był już blisko, kiedy przemówiła.

— Byron?

Zatrzymał się z ręką na gałce od drzwi.

— Tak?

— Nie jestem na to wszystko gotowa. Ani na nas, ani na bycie Opiekunką Grobów.

— Czasami bycie gotowym nie ma znaczenia. „My" już istnieje, a ty tak czy owak jesteś Opiekunką Grobów.

— Wiem — szepnęła.

Otworzył drzwi.

— Byron?

— Tak?

— Nadal chcę, żebyś tu spał.

Obejrzał się w jej stronę.

— Tylko spał?

Rebeka nie odpowiadała. Patrzył, jak jej pierś wznosi się i opada, i liczył każdy oddech. Minęło parę chwil, aż wreszcie powiedziała:

— Nie, nie tylko tego chcę, ale wszystko inne byłoby ważne dla nas obojga.

— Wiem. — Byron uśmiechnął się i zamknął drzwi. Nie było to jeszcze prawdziwe wyznanie, ale i tak dało się zauważyć postęp.

Wszedł do łóżka i przygarnął Rebekę do siebie.

38

Rebeka wymknęła się z łóżka zaraz po przebudzeniu. Słońce dopiero co wzeszło. Światło nowego dnia wlewało się do pokoju między zasłonami, które zapomniała wczoraj zasunąć. Przekroczyła zniszczoną deskę podłogową, która skrzypiała, odkąd Rebeka dostała ten pokój u Maylene. Nie dało się już zasnąć z powrotem, więc skoro i tak miała siedzieć i bić się z natłokiem myśli, wolała to robić z filiżanką kawy w dłoni.

Założyła koszulę nocną, porzuconą wczoraj obok łóżka, i ruszyła do wyjścia. Kiedy była przy drzwiach, odezwał się Byron:

— Uciekasz czy po prostu nie możesz spać?

— Jest już rano — powiedziała zamiast odpowiedzieć na pytanie.

Popatrzył spod przymrużonych powiek na światło za oknem.

— Od bardzo niedawna, Beks.

— Nie musisz wstawać.

Owinęła dłoń wokół szklanej gałki i otworzyła drzwi. Gdzieś na dole Cherubin zaczął wyrażać swoje zapotrzebowanie na kocie jedzenie. Rebeka uśmiechnęła się na ten znajomy odgłos. Pewne rzeczy nie uległy zmianie, a w świetle nieskończonej liczby osobliwości, jakich doświadczyła w ciągu ostatnich dwóch dni, taka niezmienność była wielce pożądana.

Byron usiadł na łóżku i przetarł oczy.

— Zrobię śniadanie, a ty nastaw kawę. Musimy iść na spotkanie z radą miasta albo burmistrzem. W sumie niegłupio by było ruszyć się już teraz.

Rebeka pomyślała o półmiskach z jedzeniem, które przyniosły jej sąsiadki Maylene. Większość z tych rzeczy nie nadawała się na śniadanie, ale w lodówce stały też co najmniej dwa talerze wędlin. Były szynka, ser i owoce, więc na pewno da się coś z tego wybrać. Powiedziała o tym Byronowi.

— Ty możesz sobie jeść zimne rzeczy, jeśli chcesz. Ja tam robię jajka na szynce. — Potarł twarz i zamrugał jeszcze parę razy.

— Nie wszystko się zmienia, co? Widzę, że ciągle jesteś, jak dawniej, średnio przytomny po przebudzeniu.

Byron wyskoczył z łóżka, pokonał niewielką odległość do drzwi i złapał Rebekę w objęcia.

— Mogę być bardzo przytomny, jeśli trzeba.

Rebeka położyła mu dłonie na piersi i spojrzała na niego.

— Hmm. Byron czy kawa? Seks czy jedzenie?

— Jeżeli musisz o tym pomyśleć, sprawa jest z góry przesądzona. — Delikatnie musnął wargami jej usta w przelotnym, niewinnym pocałunku.

— Myślę o tobie od lat, B. — Wymknęła się z jego objęć i z pokoju.

W kuchni nakarmiła Cherubina, nastawiła kawę i wyjęła chleb oraz talerz z wędliną. Czekając, aż kawa się zaparzy, usiadła i skubała przygotowane jedzenie. Uśmiechnęła się na odgłos prysznica na górze. Obecność drugiej osoby pozwalała jej odsunąć myśli o zamieszkaniu samej w tym dużym starym domu.

Zamieszkać tu samej.

Wzdrygnęła się, gdy dotarło do niej, że teraz nie może już nigdy opuścić Claysville. Jako Opiekunka Grobów znalazła się tu w pułapce. Nie żeby chciała wyjechać w jakimś określonym kierunku albo robić coś konkretnego, po prostu miło było wiedzieć, że może w każdej chwili pojechać gdzieś lub robić, co tylko zechce. Przez całe życie unikała zobowiązań. *Uciekałam przed nimi.* A teraz jej przyszłość, adres zamieszkania, związek z Byronem i oddanie sprawom Charlesa — tak wiele rzeczy — zostało naraz postanowione za nią. *Postanowiono to już wcześniej, ja po prostu o tym nie wiedziałam.* Rebeka wróciła myślą do listu, który zostawiła dla niej Maylene. *Właśnie tego nie chciała mi powiedzieć.*

Przepłukała dwa kubki i postawiła jeden z nich obok dzbanka z kawą, a potem nalała sobie kawy do drugiego.

Byron zszedł z góry. Wilgotne włosy sterczały mu w kępkach, świadczących, że właśnie skończył osuszać je ręcznikiem. Nie zatrzymał się przy Rebece, idąc po kawę.

— Nie mogę wyjechać — powiedziała Rebeka na głos, wypróbowując te słowa i szacując poziom paniki, którą miały wywołać.

— Wiem. To właśnie próbowałem ci powiedzieć wczoraj, na Słodkim Odpocznieniu. — Nalewał sobie kawy, uważając, by utrzymać neutralny wyraz twarzy. — Nie wiem, jak surowe są te zasady czy… Cóż, w ogóle niewiele wiem. Podpisałem kontrakt, ale on obowiązuje mnie, a nie ciebie.

Wpatrywała się w niego z otwartymi ustami.

— Podpisałeś kontrakt? I co w nim było?

— Nie wiem. — Unikał jej spojrzenia, ale usiadł po przeciwnej stronie stołu. Zwinął razem po plasterku sera i szynki, i zjadł taką kanapkę bez chleba.

— Nie wiesz, co podpisałeś? Jak mogłeś podpisać cokolwiek bez czytania?

Wzruszył ramionami.

— Względy sytuacyjne.

— Sytua… Mówisz poważnie?

Wciąż unikając jej wzroku, zwinął kilka następnych plastrów sera i szynki.

— Tak.

Rebeka wstała raptownie od stołu i podeszła do okna. Nie miał pojęcia, na co się zgadza, a jednak podpisał. Jej nie dano nawet takiego wyboru. Stojąc, oparła lewe ramię na brzuchu i popijała kawę z kubka, który trzymała w drugiej ręce. Słyszała jak za jej plecami Byron odsuwa krzesło i dolewa sobie kawy.

— Chcesz jajka?

— Nie. — Nie popatrzyła na niego.

Otworzył szafki. Brzęk misek i patelni był przez parę chwil jedynym dźwiękiem w kuchni. Potem Byron przemówił:

— Byliśmy z Charliem. Tato powiedział, że albo podpiszę, albo już tam zostanę. Piłem z umarłymi. Wmanewrowali mnie w to, ale jednak to zrobiłem. Nie wiedziałem, że podpisując, zabijam ojca. Wiedziałem tylko tyle, że gdybym nie podpisał, opuściłbym ciebie.

W miarę jak mówił, Rebeka odwróciła się do okna, by spojrzeć mu w twarz, ale zobaczyła tylko jego plecy, gdyż stał przed olbrzymią lodówką i przesuwał z miejsca na miejsce jej zawartość. Odwrócił się, trzymając w ręce karton jajek i powiedział:

— A tego zrobić nie mogłem. I nie zrobię.

Podeszła do niego, wyjęła mu jajka z ręki i położyła je na blacie obok.

— William umarł, żebyś ty mógł...

— Umarł, bo Maylene umarła — przerwał jej Byron — i ponieważ nowa Opiekunka Grobów potrzebowała swojego własnego Grabarza.

Rebeka chwyciła go za ręce.

— Boję się. Jest mi przykro z powodu twojego taty i złości mnie to, że wszyscy znaleźliśmy się w tym potrzasku, ale cieszę się, że właśnie ty jesteś ze mną.

— Ja też. Ja... — Zadzwoniła jego komórka. Byron zmarszczył brwi. — Zapamiętaj, o czym mówiliśmy. To dzwonek służbowy. — Złapał za telefon. — Montgomery... Tak. Gdzie?... Nie, przyjadę. Chwileczkę. — Spojrzał na Rebekę i wykonał gest, jakby zapisywał coś w powietrzu.

— Stolik w salonie — powiedziała bezgłośnie.

— Przepraszam — odpowiedział jej w ten sam sposób, a następnie poszedł do salonu.

Rebeka przygotowała dwie kanapki z szynką i serem. Potem zaczęła chować resztę jedzenia. Urywki rozmowy Byrona docierały do niej niczym rozbłyski policyjnego koguta.

— ... zwierzę...

— ... zaginiona rodzina...

Wyłapała już dość szczegółów by stwierdzić, że chce pojechać z nim na miejsce zabójstwa, więc wyłączyła ekspres, wyjęła z szafki dwa kubki podróżne i napełniła je kawą.

Kiedy Byron wrócił do pokoju z nagryzmoloną notatką i zmarszczką na czole, podała mu kubek i kanapkę.

— Daj mi pięć minut. Wrzucę coś na grzbiet i zwiążę włosy.

— Beks...

— Czy to Daisha?

— Jeszcze nie wiadomo, ale... tak, wygląda na to, że ona. — Wypuścił powietrze z płuc w potężnym westchnieniu. — Możesz ją zobaczyć w zakładzie pogrzebowym. Miejsce zbrodni jest... Chris mówi, że tym razem jest nieprzyjemnie.

— Dam radę — zapewniła go. — Pięć minut?

Skinął głową, a ona pobiegła na górę, zmienić koszulę nocną na ubranie.

39

Byron i Rebeka jechali w stronę kempingu „Słoneczna Polana". To osiedle przyczep nie było aż tak oddalone od centrum miasta, ale leżało wystarczająco daleko, by cisza w samochodzie zaczęła być niezręczna. Byron podpiął swojego iPoda do zestawu stereo na wyposażeniu karawanu.

— Twój nowy nabytek? — Wskazała głową wbudowany odtwarzacz.

— No. Zamontowałem go parę miesięcy temu. — Zerknął na nią przez ramię. — W ten sposób poniekąd zatwierdziłem powrót do domu na dobre. Wiedziałem już wtedy, gdy przekroczyłem granicę miasta w grudniu, ale minęło jeszcze trochę czasu, zanim byłem gotów to przyznać.

— A więc jesteś do przodu o parę miesięcy. Ja stwierdziłam, że zostaję, mniej niż godzinę temu. — Rebeka patrzyła przez okno. — Powiedz mi, co wiesz.

— Wiem, że będzie dobrze.

— Na temat tego morderstwa — sprostowała — nie o zamieszkaniu w Claysville.

Wyłączył silnik.

— Zadzwonili do Chrisa anonimowo, z wiadomością, że trzeba sprzątnąć dwa ciała.

— Dwa?

— Para. Kobieta i mężczyzna... Chris mówi, że to był kolejny atak zwierzęcia, a może morderstwo połączone z samobójstwem. — Otworzył drzwi, lecz nie wysiadł z auta.

— To jakiś absurd — w głosie Rebeki słychać było gniew. — A gdybyśmy tak im powiedzieli?

— Powiedzieli? — powtórzył.

— Że to umarłe monstrum, nie zwierzę, zabija ludzi. — Wysiadła z wozu i zamknęła drzwi odrobinę za mocno, a jednak bez trzaskania.

Byron delikatnie zamknął swoje, obszedł samochód, stanął przy niej i powiedział cicho:

— Chcesz oznajmić Chrisowi, że martwa dziewczyna zabiła tych ludzi i zaatakowała innych?

— Tak. Właśnie to chcę zrobić. Albo uwierzą i spróbują się bronić, albo...

— Albo po prostu zapomną, a może uznają nas za wariatów — dokończył.

Nie odpowiadała, więc podszedł do drzwi przyczepy kempingowej. Rebeka poszła cicho za nim.

Drzwi były otwarte i zabezpieczone przed zatrzaśnięciem. Jak dobrze, że dzień jest chłodny, stwierdził Byron. Zapach niedawnej śmierci wypełniał niewielkie pomieszczenie i gdyby nie otwarte okna i lekki wietrzyk, byłoby jeszcze gorzej. Byron podał Rebece parę ochraniaczy na buty. Kiedy uporał się już ze swoimi, spojrzał przez ramię.

— Dasz radę? Czy wolisz zaczekać na zewnątrz?

Zmarszczyła brwi i minęła go, wchodząc do pokoju. Oczy jej się rozszerzyły.

— Czuję tu zapach trzech śmierci. — Wciągnęła głęboko powietrze, a potem, nie zważając na krew, która zbryzgała ściany i wsiąkła w sofę, weszła dalej do przyczepy. — Dwa ciała. Kolejna śmierć.

— Trzecie morderstwo? Chris powiedział, że...

— Nie. — Rozejrzała się po pokoju, jakby widziała rzeczy, które jemu umykały. Wzrok miała rozbiegany, nawet gdy oglądała pomieszczenie. — Głodny Zmarły, nie naprawdę zmarły.

Dźwięk dobiegający z korytarza odwrócił uwagę Byrona. Chris opuścił jeden z pokoi i stał teraz w drzwiach. Skinął głową.

— Byronie. Rebeko.

Rebeka nawet na niego nie spojrzała. Poszła w przeciwnym kierunku i stanęła w części kuchennej przyczepy z wyciągniętą ręką, jakby szukała czegoś w powietrzu. Po chwili odwróciła się wolno. Oczy jej lśniły srebrzyście.

— Tutaj — powiedziała spokojnie.

— Beks! — Byron niemal przeskoczył nad martwą kobietą, aby się dostać do Rebeki.

— Nic jej nie jest — powiedział Chris. — Kobiety z rodziny Barrow już tak mają. Maylene też dziwnie wyglądała, kiedy twój tato zabierał ją do zmarłych.

Gdy mówił te słowa, Rebeka nabrała tak żywych barw, że Byrona rozbolały oczy od patrzenia na nią. Odcienie brązu, które obserwował w jej włosach, teraz były widoczne jako osobne kolory — ciemna miedź i delikatne złoto przeplatały się z pasmami miodu i bursztynu.

Chęć, aby podejść do Rebeki, walczyła w Byronie z ochotą, by przed nią uciekać. Podobnie jak moment wejścia do tunelu prowadzącego do krainy umarłych, chwila ta była jednocześnie kusząca i pełna grozy. Byron z trudem przełknął ślinę, czując, że zaschło mu nagle w ustach. To nadal była Rebeka, kobieta, którą kochał od lat i partnerka w dziwnych obowiązkach, jakie na nich spoczywały. *A jednak nie do końca z tego świata.*

Byron zmusił się, by oderwać od niej wzrok i spytać Chrisa:

— Co?

— Nie rozumiem w pełni, jak to działa, ale nic jej nie będzie. Jej babcia też tak miała. Zmieniają im się oczy, ale nie ma się czym przejmować. — Szeryf pokręcił głową, a potem ruszył do drzwi, próbując obejść najbardziej zakrwawione miejsca na wykładzinie. — No dobrze. Pomogę ci włożyć tych tutaj do worków.

— Szeryfie? — zawołała Rebeka. — To nie było zwierzę. — Jej głos też był zmieniony — słaby, piskliwy, przypominał Byronowi wiatr wiejący w tunelu w drodze do krainy umarłych. — To jest...

— Stop! — Chris obrócił się błyskawicznie i podniósł rękę. — Zanim powiesz coś więcej, ustalmy pewne fakty: nie wiem tak dużo, jak ty, ale z racji swojego zawodu zapamiętuję rzeczy, które wymykają się większości osób. Wielebny McLendon, ksiądz Ness i reszta rady też są w stanie zapamiętać to i owo, ale jeśli zaczniesz rozprawiać o tym, czego nie powinniśmy wiedzieć, skończy się to u nas nieziemską migreną.

— Migreną? — powtórzyła za nim Rebeka.

— Paski przed oczami, utrata wzroku, mdłości i wymioty. Okropność. — Chris skrzywił się. — Więc nie mów tego, co nie jest przeznaczone dla mnie. Jedno jest ważne — zabiło ich coś, czego nie powinno tu być. Kiedy ktoś umrze, wzywam Grabarza, a ty — głową wskazał Byrona — przyprowadzasz kobietę z rodzinny Barrow, jeśli zachodzi taka potrzeba. Wszystkie... dziwne rzeczy, które opowiadała mi Maylene, przyprawiały mnie o ból głowy, a i tak na drugi dzień niczego już nie pamiętałem.

— Pasuje ci taki układ? — głos Rebeki brzmiał jeszcze ciszej.

— Nie. I dlatego nie chcę słuchać o tym, co nie jest moją sprawą.

— Nie to miałam na myśli — szepnęła.

— Wiem. — Chris zdjął kapelusz i przesunął ręką po włosach. — Ale na pewne rzeczy nie mamy wpływu i wszelkie próby zmian — założył kapelusz z powrotem — po prostu nie mają sensu. Znam swoje miejsce. Zadawanie pytań jakoś do niego nie przystaje.

Rebeka zmarszczyła brwi, jakby chciała pociągnąć dalej ten temat, lecz po chwili westchnęła.

— Musimy też porozmawiać o tych innych ofiarach zwierzęcia.

Szeryf skinął głową, a następnie wbił wzrok w Byrona, a potem w Rebekę.

— Wiem, że to nie wy zajmowaliście się tym wszystkim — powiedział do Byrona — ale ona ma takie dziwne oczy, jak jej babcia, a ty jesteś Grabarzem. Wezwałem was. To oznacza, że prędzej czy później ataki tego zwierzęcia ustaną, prawda?

Byron nawet nie drgnął, gdy wymieniał z Rebeką ponure spojrzenie. Oboje przytaknęli jednocześnie:

— Prawda.

Chris pokiwał głową.

— Dobrze. Pójdę do waszego wozu po worki na ciała. A wy tu róbcie, co macie do zrobienia. Krzyczcie, jeśli przyda się wam moja pomoc przy zwłokach.

I wyszedł.

Rebeka patrzyła za szeryfem z mieszaniną współczucia i zdumienia. Skóra ją swędziała nieprzyjemnie od rzeczy, które wyczuwała w maleńkiej przyczepie. Poczekała, aż Chris znajdzie się na zewnątrz, poza zasięgiem jej głosu, nim zwróciła się do Byrona.

— Czuję zimno w miejscach, w których była. O tam — wskazała na kąt przy lodówce — stała nieruchomo przez dłuższy czas. Im bardziej się tam zbliżam, tym wyraźniej to czuję. Jakby mnie ktoś okładał lodem. Nie mam pewności, że to Daisha, ale… — Rebeka szła w stronę Byrona, podążając za jakąś siłą, która chciała ją wręcz wyrwać ze skóry — … wiem, że szła tędy zmarła osoba.

Byron nie wchodził jej w drogę w ciasnym pomieszczeniu.

— Dasz radę odnaleźć ją na zewnątrz, w mieście?

Rebeka pokręciła głową.

— Być może. Nie wiem. Wiem tylko, że zabiła tu ludzi. Czuję to. — Wskazała na sofę. — Jedno z nich umarło właśnie tutaj.

— Jest cała we krwi, więc łatwo...

— Nie. — Podeszła do sofy. Schyliła się, by dotknąć powietrza tuż nad wytartymi poduszkami. — Ona tu była. Siedziała tutaj. Krew może pochodzić z napaści, która zabiła... jedno z nich... ale gdzie indziej też jest pełno krwi, w której nie ma śmierci. Tutaj. — Przesunęła rękę w powietrzu na ukos, jak gdyby dotykała pleców osoby, która pochylała się do przodu. — O tu.

— Czujesz jej śmierć? — Byron podszedł bliżej.

— Albo jego. Nie wiem. — Rebeka odwróciła wzrok od niemal czarnej plamy na poduszkach. — Nieważne. Oni są nieistotni. Liczy się tylko ona. — Złożyła ręce na piersi, jakby przytrzymanie się własnego ciała mogło powstrzymać ją przed uleceniem w przestworza. Sama nie była jednak pewna, czy by to coś dało. Czuła się częściowo tak, jakby wystarczyło zamknąć oczy, aby wznieść się w powietrze. — Daisha wzmacnia się zabijaniem ludzi. Nie jest po prostu martwa i pusta. Jest mocniejsza niż powinna być jako świeżo przebudzona. Czuję to. Czuję ją i jest naprawdę silna. — Rebeka położyła dłoń na piersi, gdy mijała Byrona, idąc do przedpokoju. Wzięła parę głębokich wdechów, chcąc napełnić się powietrzem, nabrać balastu, który przytrzymałby ją na ziemi.

W tej części przyczepy było tylko parę kropel krwi na wykładzinie, jakby parę ciemnych łez zaplamiło wyświechtane włosie. Ciągnący się chłód był tu jednak ważniejszy niż krew. Rebeka widziała go wyraźnie — płynął ku niej niczym smugi dymu z ledwo tlącego się ogniska. Wskazała na łazienkę.

— Drugie z nich umarło tutaj.

— Jeśli wyjdziemy na zewnątrz, dasz radę pójść za tym tropem? — Byron wciąż stał z tyłu. Jego głos był niski i brzmiał obco w jej uszach.

Bo nie jest martwy.

Spojrzała przez ramię. Smugi śmierci go nie dotykały. Wiły się tylko w powietrzu wokół niego, ale on ich nie dostrzegał. Były tam wyłącznie dla niej, musiała podążać ich śladem.

— Trzeba zabrać stąd ciała — szepnęła.

Skinął głową.

— Wiem. Ale ty, Beks… Twoje oczy nie… są inne.

Spojrzała w spękane lustro na ścianie łazienki, ale to, co się w nim odbijało, nie było nią. Zamiast samej siebie zobaczyła srebrzysty kształt z zamazanymi oczami. W porządku, to zrozumiałe. Aby ich odnaleźć i doprowadzić do domu, aby zatrzymać ich w grobach, musiała stać się podobna do nich. Nie należała już do świata żyjących, nie w pełni, ale była z nim związana. *Przez Byrona.* On był jej liną.

— Mnie tu nie ma — szepnęła do siebie.

— Beks? — Byron, dotykając jej ramienia, wszedł w obrys lustra. W przeciwieństwie do niej, jego odbicie grało kolorami. Oczy miał intensywnie zielone, a Rebece wydawało się nagle, że byłby doskonale widoczny w ciemności.

Niczym światło prowadzące mnie do domu.

— Jesteś tu, Rebeko — zapewnił ją. Nie podszedł jednak już bliżej. Stał tak, w pewnej odległości, trzymając rękę na jej ramieniu.

Nie mogła mówić. Nie znała słów, którymi mogłaby przekazać mu jasno swoje szeptane myśli. Skinęła głową. Na więcej nie było ją stać w tym momencie. Ręka Byrona na jej ramieniu niwelowała jej uczucie oderwania. Byron był cumą, która przytrzymywała ją w świecie żywych.

A ja muszę zapewnić mu bezpieczeństwo.

To oznaczało znalezienie Daishy.

Na chwilę Rebeka zamknęła oczy. Język wydawał jej się za duży w ustach, a głos, który słyszała jako swój, brzmiał dziwnie, ale musiała wyjaśnić Byronowi pewne rzeczy.

— Daisha tu była… albo ktoś podobny do niej. — Uniosła powieki i spojrzała mu w oczy w lustrzanym odbiciu, które wciąż ukazywało jej puste oczodoły. — Jestem potrzebna Daishy. Muszę ją zaprowadzić do domu.

Byron zabrał rękę.

— A ja muszę się zająć jej ofiarami. To też mój obowiązek.

Milcząc, Rebeka skinęła głową.

— Chris! — wrzasnął Byron. — Jesteśmy gotowi.

Rebeka wyszła na zewnątrz, podczas gdy Byron i Christopher zamykali dwoje denatów w workach na zwłoki. Oni nie wstaną. Podczas czuwania wymówi nad nimi słowa, a potem będzie odwiedzać ich groby przez kilka kolejnych miesięcy. Byron zajmie się szczegółami należącymi do świata żywych — ceremonią pożegnania i pogrzebem, a kiedy już ich ciała znajdą się w ziemi, ona dopilnuje, by tam pozostały.

Tak, jak Maylene tego nie uczyniła w przypadku Daishy.

Gdyby Daishę pochowano i dopełniono obrządku, nie obudziłaby się. *Co oznacza, że nikt się nią nie zajął. Zginęła w wypadku? Dlaczego więc nikt tego nie zgłosił? Została zabita?* Musiało istnieć jakieś wyjaśnienie, dlaczego się obudziła i dlaczego nie spoczywała tam, gdzie powinna, a zadaniem Rebeki było dociec prawdy.

Kiedy już zaopiekuję się Daishą. A może w ramach tej opieki.

W pierwszym rzędzie Rebeka miała obowiązek wobec zmarłych. Stojąc w zbrązowiałej trawie przed przyczepą, zrozumiała, że martwa dziewczyna, która zabiła i częściowo zjadła parę tutejszych mieszkańców, potrzebowała czegoś, czego nigdy nie dostała. Zadaniem Rebeki było podarować jej pokój, którego została pozbawiona.

41

Alicia nie wzięła ze sobą żadnego z chłopaków. Boyd się ciskał, ale ponieważ na ogół zachowywał się jak starszy brat, którego nigdy nie miała, jego protesty przestały na nią działać już kilkadziesiąt lat temu.

Strażnicy zastrzeleni przez Grabarza wciąż leżeli po obu stronach drzwi, ale ich następcy stali na schodach, stopień niżej. Wycelowała swój obrzyn w jednego z nich.

— Czy moje zaproszenie podlega dyskusji?

Ward, osobisty strażnik Charliego, otworzył drzwi.

— Alicio, nie męczy cię przypadkiem strzelanie do ludzi?

Przechyliła głowę.

— Niespecjalnie. A ciebie?

— Zależy od dnia. — Gestem poprosił ją do środka. — Czeka na ciebie.

— Tak myślałam. Choć prędzej rozwalę kogoś po drodze, niż będę się bawić w uprzejmości.

Ward milczał dyplomatycznie.

Alicia przewiesiła broń przez ramię, wsuwając ją jednocześnie do przygotowanej już kabury. Wyszczerzyła zęby w szelmowskim uśmiechu, po czym wrzasnęła:

— Szukam tego żałosnego drania, któremu się zdaje, że tu rządzi.

— Musisz to robić?

— Mogę w zamian sobie postrzelać — zauważyła. — To zawsze, jakimś dziwnym trafem, przykuwa jego uwagę. W zasadzie... — Sięgnęła znowu po broń, ale w tej samej chwili Charlie zjawił się na szczycie schodów i spojrzał na nią.

— Moja droga, co za urocza niespodzianka.

Alicia prychnęła i wycelowała w niego obrzyn.

— Dlaczego pozwoliłeś, żeby postrzelili tę dziewczynę?

— Nie „pozwoliłem" jej postrzelić, Alicio. — Westchnął. — Dlaczego miałbym zezwalać, aby ją zraniono?

— Dlaczego w ogóle, do cholery, pozwoliłeś im do niej strzelać? — Przesunęła nieznacznie lufę i wypaliła.

Charlie ani drgnął, gdy drzazgi z rzeźbionej drewnianej balustrady przefrunęły obok niego w powietrzu.

— To miał być straszak. Nie było w planach obrażeń, jedynie zachęta do pozostawania pod troskliwą opieką. Nie chcę, żeby latała po całym świecie, zadając pytania, i zaśmiecała sobie głowę niepotrzebnymi rzeczami.

— To znaczy prawdą?

— Nie wszystkie prawdy są sobie równe, Alicio. — Charles patrzył jej w oczy niewzruszony. — Mam jej może wyjawić twoje tajemnice?

Alicia opuściła broń.

— Nie, ale nie myśl sobie, że czekam z założonymi rękami.

— Widziałem. — Zmarszczył brwi. — Nie mogłaś dać im się tu rozejrzeć, nim zapragnęłaś, żeby chodził u ciebie na pasku?

— A niby czemu? Ty też nie marnowałeś czasu, prawda? Biedaczka dopiero co tu przyszła, a ty już się urządzasz jak jakiś rycerz. Winko, kolacyjka, po tym jak w wyniku starannie wyreżyserowanej akcji ratunkowej padła ci w ramiona. Jesteś strasznie przewidywalny. — Alicia pokręciła głową.

— Gdybym, moja droga, był przewidywalny, już byś mnie przechytrzyła dziesiątki lat temu. No, chyba że — zaczął schodzić po stopniach — ty po prostu lubisz te próby przechytrzenia mnie. Czy o to chodzi, Alicio? Czy ty…

Reszta jego słów zginęła w huku kolejnego wystrzału. Oczywiście Alicia chybiła, ale celowała tak blisko, że tym razem drzazgi z balustrady zraniły go.

Zimny drań bez krwi. Nieludzki. Nienormalny.

Schodził dalej, jak gdyby drzazgi nie zrobiły mu żadnej krzywdy. To, że nie krwawił, nie oznaczało jednak, że nie czuł bólu. Oboje o tym wiedzieli. Oboje wiedzieli też, że dałby się ranić raz za razem, gdyby tylko pomogło to uśmierzyć gniew, jaki się w niej kotłował.

Alicia nie mogła patrzeć na jego spokojną twarz, tak samo jak nie mogła mu wybaczyć. Chociaż oboje wiedzieli, że umie przeładować broń z zamkniętymi oczami, gapiła się twardo w swój obrzyn, gdy łamała lufę, wyjmowała łuski i wsuwała dwa nowe naboje. Kiedy zatrzasnęła zamek i podniosła wzrok, Charles stał już przed nią i czekał.

— To, co się tam teraz dzieje, nie jest normalne — powiedziała. — Oboje dobrze o tym wiemy. Przebudzeni umarli to jedno, ale zabijanie zmarłych, aby ich przebudzić, to zupełnie inna para kaloszy. Tym razem powinieneś interweniować.

Przez chwilę gapił się na nią i Alicia ujrzała w nim osobę, za jaką go uważała, kiedy jeszcze żyła. Wtedy wydawał jej się niemal ludzki. Wtedy wydawał jej się potężnym człowiekiem, który władał niepokornym imperium.

Mężczyzną, któremu mogłam zaufać.

Potrząsnął głową.

— Nie złamię zasad. Nie zrobiłem tego dla ciebie i nie zrobię też dla nich.

— Dureń z ciebie.

Podniosła lufę do góry i zestrzeliła ten okropny żyrandol. Odwróciła się na pięcie i poszła do wyjścia, kiedy spadał na niego deszcz kryształowych odłamków.

Chwilę potem, gdy Byron wiózł ją do siedziby „Montgomery i Syn", Rebeka poczuła, jak w jej ciele osadza się z powrotem ciężar świata żywych. Ciągle jednak czuła połączenie z umarłymi, co sprawiało, że powietrze wydawało jej się inne — wszystko miało bardziej intensywny zapach.

Kiedy Byron zatrzymał karawan, Rebeka weszła do zakładu pogrzebowego. Gdzieś tam w jej mieście czekała Daisha. Była bardzo głodna. Przez cały czas, odkąd umarła, nikt nie interesował się jej potrzebami. Była sama. Jakimś cudem ukryto ją przed Maylene.

— Twój raport z ostatniego tygodnia. — Elaine podała jej grubą szarą kopertę.

— Mój... świetnie. Mój raport. Potrzebuję danych na temat zgonów w ostatnim półroczu. — Rebeka zmusiła swoje wargi i język do wypowiedzenia słów.

Byron wszedł za jej plecami, a Elaine zawołała do niego:

— Panie Montgomery? Dzwonili z biura burmistrza. Był kolejny atak tego zwierzęcia, tym razem śmiertelny. Burmistrz chciałby się z panem umówić.

Byron przystanął i wymienił z Rebeką porozumiewawcze spojrzenie.

— Złapała pani Allana? — spytał.

— Jedzie właśnie na miejsce. — Na moment Elaine złagodniała. — Kiedy już omówię nowości z Rebeką, poszłabym do „Cherry's Pies" i kupiła parę kanapek.

— I kawę?

— Oczywiście.

— Dziękuję. Będę w sali przygotowań. — Byron skinął głową i wyszedł. Za chwilę dało się słyszeć, jak otwiera i zamyka drzwi do piwnicy.

Elaine wzięła pęk kluczy, gestem poprosiła Rebekę, aby jej towarzyszyła, i przeszła do kolejnego biura. Otworzyła drzwi i wskazała wysoką szarą szafkę.

— Co tydzień trafia tu kopia zapasowa, z odnośnikami do nazwiska zmarłego.

Rebeka patrzyła w milczeniu, jak Elaine wyciąga i otwiera jedną z teczek.

— Każdy zmarły ma osobny zapis w obrębie rodziny. W nim znajduje się data, przyczyna i ewentualne szczegóły dotyczące śmierci. — Mówiąc to, pukała palcem w poszczególne rubryki. — Oczywiście nazwisko zmarłego jest głównym hasłem w kartotece, ale odnośniki są wymienione w odpowiedniej rubryce zestawienia. — Zamknęła teczkę z trzaskiem.

Rebeka patrzyła na nią w osłupieniu.

— Pani jest niesamowita.

— Wersja elektroniczna jest prostsza — dodała Elaine — ale świętej pamięci pani Barrow wolała swoje wydruki.

— Tak, lubiła zachowywać *status quo* — mruknęła Rebeka.

Surowa mina Elaine złagodniała.

— Była dobrą osobą. Miałam nadzieję, z całym szacunkiem dla Ann, że ona i William pobiorą się po odejściu Ann, lecz oni kpili sobie z każdej takiej aluzji. A jednak bardzo się kochali.

— Wiem — powiedziała cicho Rebeka.

— Ale byli uparci. — Elaine pokręciła głową, lecz w jej głosie brzmiała tęsknota. — Takie uczucie to rzadkość, a im obojgu przytrafiło się aż dwa razy.

Rebeka ściskała teczkę w dłoni.

— Nie wydaje mi się, żeby miłość musiała prowadzić do małżeństwa. Ona go kochała, ale to nie znaczyło...

— To nie moja sprawa. Gdyby było inaczej, już bym suszyła głowę młodszemu panu Montgomery'emu, żeby się z tobą ożenił. Od lat udajecie, że nie jesteście w sobie zakochani. Czysta głupota, gdyby ktoś pytał mnie o zdanie, ale... — Elaine posłała Rebece takie spojrzenie, od którego większość ludzi przeszyłby dreszcz — nikt przecież mnie nie pyta, prawda?

— Nie — odparła Rebeka. — Nie wydaje mi się.

Elaine westchnęła.

— Cóż, prędzej czy później któreś z was będzie na tyle mądre, żeby się mnie poradzić.

Przez chwilę Rebeka nie wiedziała, czy ma się śmiać, czy kazać Elaine, by dała sobie spokój. Przeważyło rozbawienie.

— Jestem pewna, że jeśli kiedykolwiek do tego dojdzie, będziemy wiedzieć, gdzie pani szukać.

— To dobrze. — Elaine uśmiechnęła się i wskazała na puste biurko. — To jest twoje miejsce pracy. Czy dobrze myślę, że nie masz zamiaru dostosować jego wyposażenia do obecnej dekady?

Rebeka ponownie przygryzła policzek, żeby nie wybuchnąć śmiechem.

— Pewnie łatwiej by się przeszukiwało pliki elektroniczne.

— Wszystko ma swoją kopię na serwerze. Zrobiłam stosowny kurs zeszłego lata. — Podniecenie Elaine stało się widoczne. Miała błyszczące oczy i szeroki uśmiech. — W tym tygodniu cię urządzimy, a tymczasem, gdybyś potrzebowała pomocy z kartotekami, będę w swoim biurze.

— Jestem pewna, że nie będzie żadnych problemów. Coś mi mówi, że pani system jest niezawodny. — Rebeka otworzyła kopertę, którą trzymała w dłoni, i usiadła przy swoim nowym biurku.

Byron stał w milczeniu w sali przygotowań. Trudno mu było przyznać przed samym sobą, że zaniepokoiła go reakcja Rebeki na miejsce zbrodni. Wciąż była jego Rebeką, ale to, w jaki sposób stawała się kimś *innym*, wytrąciło go z równowagi.

Wziął się do pracy, zadowolony, że może się odwołać do rutyny. Ciało mężczyzny leżącego na stole było w dość dobrej formie. Jego wygląd świadczył o całych latach pracy fizycznej i trudach życia — był szczupły i miał wyraźnie zarysowane mięśnie. Na lewym bicepsie widniała blizna od noża, a na prawym udzie ściągnięta blizna po kuli. Daisha zaatakowała go o wiele brutalniej, niż potraktowała Maylene. Jedno przedramię miał ogryzione do kości, a przez wyrwę w szyi prześwitywały z obu stron obojczyki. Prawy biceps również został rozszarpany.

A wyglądała tak nieszkodliwie.

Morderczyni, martwa morderczyni, wydawała się zbyt mała, aby działać z takim okrucieństwem. Tego ciała nie dało się wystawić na widok publiczny w otwartej trumnie.

To potwór, nie dziewczyna. Ojciec mu to powtarzał, mówiąc, że nie należy się litować nad zmarłymi, a teraz, patrząc na dowód jej siły i brutalności, Byron zrozumiał dlaczego.

Czy oni są do tego stopnia mocniejsi również w krainie umar-

łych? Na samą myśl poczuł się bardzo zmęczony. Nie był na to przygotowany. *A czy kiedykolwiek będę?*

Zaczęła w nim wzbierać uraza do ojca, której wcale nie chciał żywić. William był dobrym człowiekiem i dobrym ojcem, ale jego decyzja, by utrzymywać w tajemnicy tak fundamentalne sprawy, mogła zanegować wszystko inne.

Byron podniósł głowę, kiedy do pomieszczenia weszła Elaine.

— Allan przyjechał — powiedziała. — Zaraz tu zejdzie. Ty idź na górę. To ciało... to Bonnie Jean.

— Siostra Amity?

Elaine kiwnęła głową.

— Allan się tu wszystkim zajmie.

Byron odwrócił się i zdjął jednorazowy kombinezon.

— Powinienem...

— Nie. Powinieneś pójść do dawnego biura Maylene i porozmawiać z Rebeką — powiedziała stanowczo Elaine. — Amity będzie z rodziną. Ja się zajmę przygotowaniami do pogrzebu.

Zerknął na nią przelotnie, gdy podchodził do kosza na odpady zakaźne i wpychał do niego ledwo użyte ubranie ochronne.

— W porządku, a powinienem to zrobić, ponieważ...?

— Ponieważ... ponieważ biuro kobiety od Barrowów jest miejscem, gdzie trzyma się dokumentację zmarłych. Tym sposobem pójdzie łatwiej... — słowa zamarły Elaine na ustach.

— Co pójdzie łatwiej? — spytał.

Elaine zmarszczyła brwi. Naraz zniknął gdzieś jej kategoryczny, apodyktyczny ton. W zamian potarła skronie, nim powiedziała:

— Praca. Kobiety z rodziny Barrow... robią różne rzeczy. Pomagają.

— Aha. Te rzeczy. — Byron poczuł się winny na widok Elaine pocierającej głowę. — Przepraszam.

Machnęła ręką.

— Nie oczekuję, że będziesz przy niej, przy urządzaniu biura, ale myślę, że potrzebuje wsparcia. William pomagał Maylene, a ty — Elaine wzdrygnęła się — jesteś potrzebny Rebece. Na górze. Allan może się zająć tym tutaj, a ty nie możesz pomóc Amity, ale Rebeka potrzebuje… Przepraszam. Sądzę, że to światło w piwnicy znowu podrażniło mi oczy.

Odwróciła się, a Byron zdusił w sobie poczucie winy, które go ogarniało. Przecież nie powiedział niczego, co by mogło wywołać taką reakcję.

— Elaine? — zawołał za nią. — Ojciec uważał, że całodzienna wizyta w spa dobrze ci robi na ból głowy, tak?

Zatrzymała się.

— Zwykła migrena nie wymaga dogadza…

— Bez ciebie zginąłbym tu marnie. Wiem o tym równie dobrze jak ty. — Podszedł do niej. — Masz rację. Allan zajmie się tu przygotowaniami, a ja zobaczę, do czego mogę się przydać Rebece. A ty idź odpocząć, żebyś nie zachorowała i nie zostawiła mnie tu bezradnego jak dziecko we mgle.

Allan wszedł do sali przygotowań w chwili, gdy Byron prowadził Elaine na górę. Kiedy mijali wolne biuro, Byron usłyszał, jak Rebeka woła Elaine. Zatrzymali się przy drzwiach.

Rebeka spojrzała znad stosu teczek leżących na biurku.

— Czy znacie kogoś urodzonego w Claysville, kto ma na imię Daisha?

Elaine wskazała na dół szafki z dokumentami.

— Rejestr urodzeń trzymamy tutaj, ale William zostawił notatkę odnośnie tego dokładnie imienia. Właśnie zaczęłam go szukać, kiedy przyszłaś i miałam przestój, ale… Chwileczkę.

Wyszła i wróciła po minucie, z naręczem dokumentów.

— Nie przejrzałam jeszcze wszystkich teczek, ale znalazłam jak dotąd dwie dziewczynki o tym imieniu. Jedna ma pięć lat. Matka Chelsea, ojciec Robert.

— A ta druga? — spytał Byron.

— Siedemnaście. Matka Gail, ojciec był spoza Claysville. Wyjechała jakiś czas temu. Według zapisków ze szkoły, matka oświadczyła, że córka pojechała na stałe do ojca. Wczoraj kilka razy próbowałam dodzwonić się do matki, ale nie odbierała. — Elaine pokręciła głową. — Jej adres to… — Przewróciła kartkę.

— Kemping „Słoneczna Polana” — uzupełniła za nią Rebeka. — To ona.

43

Daisha wróciła do swojego dawnego domu. Ciał już nie było. Rozmyślała wcześniej, czy aby ich tu nie zatrzymać, ale im więcej jadła, tym więcej pamiętała, a nie była do końca pewna, czy chce jeszcze sobie coś przypomnieć. Ludzie napotkani w mieście pomogli odświeżyć jej pamięć, więc kiedy dotarła do przyczepy, pamiętała o wiele więcej, niż mogła sobie tego życzyć.

Liście w ustach.

Ręce na szyi.

Wiedziała, że została zabita.

Wiedziała też, że kiedy się przebudziła, coś jej udaremniało powrót do domu.

Odnaleźć tę lśniącą kobietę. Opiekunkę Grobów.

Usłyszeć słowa, znaleźć pożywienie.

Ktoś uniemożliwił jej powrót, pomimo tego, iż czuła tę nić, wyrastającą z samego środka jej jestestwa, która ciągnęła ją z powrotem tutaj, do domu, do niej. Kiedy się przebudziła, wiedziała, dokąd ma pójść.

Oddech, picie i jedzenie.

Gdyby tu zatrzymała Paula i Gail, przebudziliby się w swoim czasie — dlatego też zadzwoniła na infolinię, aby ktoś przyjechał po ich ciała. *Nie chcę, żeby się przebudzili.* Opiekunka Grobów nie dopuści do tego. Teraz Daisha to rozumiała. Rozumiała zresztą prawie wszystko — im dłużej pozostawała na nowo żywa, tym więcej na nowo wiedziała. Im lepiej się odżywiała, tym więcej pamiętała.

Przypomniała sobie Zimnego Człowieka. On też tam był.

I przypomniała sobie ją, tamtą kobietę.

— A więc niech idą — powiedziała tamta kobieta. — Załatwią wszystko, a kiedy już się uwiną, zabijemy ich ponownie.

Daisha przypomniała sobie ten głos, należący do tamtej kobiety. To przez nią Daisha zabiła poprzednią Opiekunkę Grobów — została wysłana z takim właśnie zadaniem.

To po to tamta kobieta mnie uśmierciła.

44

Nicolas został burmistrzem, kiedy poprzedni Grabarz i Opiekunka Grobów pełnili już swoje funkcje, więc protokół nawiązania współpracy z nowymi był dla niego trochę niejasny. Nigdy wcześniej nie musiał odpowiadać na pytania, wypełniać luk czy wyjaśniać czegokolwiek.

— Panie burmistrzu?

— Proszę ich wprowadzić — powiedział.

Ledwie dokończył zdanie, a już wkraczali do jego gabinetu. Nowy Grabarz niemal emanował agresją, za to Opiekunka Grobów — tak jak jej poprzedniczka — była o wiele spokojniejsza. Rebeka Barrow nie urodziła się w Claysville ani nie spędziła tu całego życia. W jakimś ciemnym zakamarku duszy Nicolas zadumał się nad życiem, jakie mogła poznać, i nad możliwościami, jakie mieli ci, którzy urodzili się poza miastem, ale odsunął te myśli od siebie. On urodził się i wychował w Claysville, jak całe pokolenia mężczyzn przed nim. Mężczyźni z rodu Whittakerów opuszczali miasto jedynie w poszukiwaniu wykształcenia lub żony.

Nicolas wyszedł zza biurka i gestem wskazał sofę oraz krzesła.

— Proszę.

— Mamy parę pytań — powiedział Grabarz.

Jego partnerka położyła mu dłoń na nadgarstku.

— Pan wie, kim jesteśmy?

— Wiem. — Nicolas podszedł do barku. — Może drinka?

Grabarz zmarszczył brwi.

— Czy nie za wcześnie na to o tej porze?

— Alkoholizm jest chorobą, *ergo*, jak w przypadku wszystkich innych chorób, mieszkańcy Claysville są od niego wolni do osiemdziesiątki. Potem wygasa wszelka ochrona. Więc... — Nalał szczodrą porcję do szklanki. — Panno Barrow?

— Nie, dziękuję. — Usiadła na sofie, a Grabarz poszedł w jej ślady.

Nicolas przyniósł sobie szklankę i usiadł na jednym z krzeseł.

— Wiedzą państwo o umowie? — zapytał. — O... sytuacji w mieście?

— Trochę — odparła Opiekunka Grobów. — Wiemy, że istnieje taka umowa.

— Wiemy też, że to, co zabija tu ludzi, nie jest zwierzęciem — dodał Grabarz.

Burmistrz potrząsnął głową.

— O tym jeszcze się przekonamy. Być może nie jest to zwierzę w powszechnym znaczeniu tego słowa, ale jakakolwiek istota, która tak bestialsko traktuje ludzi... Powiedziałbym, że „zwierzę" jest trafnym określeniem. Zabito jedną z członkiń mojej rady. Pani babcia — skinął głową w stronę Rebeki — została zamordowana. Widziałem wystarczająco dużo, aby stwierdzić, że było to bardziej zwierzę niż człowiek.

Grabarz nie przytaknął, ale lekkie wygięcie jego warg sugerowało, że się zgadza. Z kolei nowa Opiekunka Grobów zmarszczyła brwi i powiedziała:

— To nie ich wina. Jeżeli zmarłych otoczy się opieką...

— Zwierzę, które to robi, ewidentnie wyrwało się spod jakiejkolwiek opieki, więc proszę je znaleźć i rozprawić się z nim. — Nicolas nie podniósł głosu, ale na myśl o śmierci Bonnie Jean ścisnęło go w żołądku.

— Czy to wszystko, co ma pan do powiedzenia? Proszę odnaleźć zmarłego i rozprawić się z nim? — Grabarz spojrzał gniewnie na burmistrza. — Czy pan wie, przez co musieliśmy przejść w tym tygodniu? Kogo straciliśmy? A teraz mamy po prostu wkroczyć i rozprawić się z problemem? A może tak należałaby się nam jakaś pomoc? Informacje? Współczucie?

— Byron — mruknęła Opiekunka Grobów. Wzięła go za rękę i ścisnęła ją, a potem spojrzała na Nicolasa. — Co może nam pan powiedzieć?

Nicolas popatrzył wprost na nich.

— Pierwszą ofiarą była pani Barrow, najnowszą Bonnie Jean Blue. Dlaczego? Nie mam pojęcia. Podejrzewam, że Bonnie Jean miała pecha. Było o wiele więcej ataków, ale zostały... załagodzone. Nie były oczywiście śmiertelne. Takie trudniej utrzymać w tajemnicy. Ale i tak było kilkanaście ukąszeń. — Burmistrz urwał, łyknął whisky i ciągnął dalej: — Ludzie nie wiążą tych przypadków ze sobą. Nie mogą, z powodu umowy. Z wyjątkiem członków rady, ludzie po prostu nie potrafią tego pokojarzyć. O ile mi wiadomo, zawsze tak było.

— Oczywiście nie ma pan tej umowy, żebyśmy mogli ją przeczytać? — spytała Opiekunka Grobów.

— Nie. Wszystko jest przekazywane ustnie. Zamiejscowi mogliby tego nie zrozumieć, gdyby dokument dostał się w ich ręce, a... Po prostu tak się tego tu nie robi. — Czuł się w niewytłumaczalny sposób winny, gdy mówił te słowa, zupełnie jakby był nielojalny wobec własnego urzędu. Claysville było dobrym miastem. — Całymi latami unikamy problemów. Jeśli ktoś się budził, pani Barrow zawsze się nim zajmowała. Nie było mądrzejszej osoby.

— Dlaczego? — spytała Opiekunka Grobów. — Dlaczego musimy się na to godzić? Czy ludzie akceptują takie życie?

Przez moment Nicolas pozwolił skrywanej zazwyczaj prawdzie wypłynąć na powierzchnię.

— Nie bardzo możemy wyjechać. Układ, jaki zawarli założyciele miasta i ludzie, którzy je zbudowali... Ich już dawno nie ma. My tu jesteśmy. My tu się rodzimy i tu umieramy, a w międzyczasie próbujemy jak najlepiej wykorzystać los, jaki nam przypadł w udziale. — Odszedł od nich, aby ponownie napełnić sobie szklankę. — To nie jest takie złe. — Nie odpowiadali, więc mówił dalej: — Proszę pomyśleć o swoim życiu w Claysville. Nikt nie choruje. Owszem, umieramy, ale wyłącznie na skutek wypadku lub po osiągnięciu właściwego wieku... albo jeśli postanowimy umrzeć, aby zrobić miejsce komuś innemu.

Na te słowa Opiekunka Grobów i Grabarz wymienili spojrzenia.

— Większość ludzi, jeżeli chce mieć dziecko, musi czekać na czyjąś śmierć. Tylko niektóre rodziny są z tego zwolnione. — Popatrzył na nich wymownie. — Inne zdobywają pozwolenie, pracując na rzecz lokalnej społeczności. Można także wykorzystać przydział kogoś innego, jeśli ta osoba poddała się zabiegowi sterylizacji. Możemy utrzymać tylko określoną liczbę ciał. Założyciele ustalili takie zasady, abyśmy nie wyczerpali naszej przestrzeni. Chcieli mieć pewność, że wystarczy miejsca na żywność i zasoby dla tutejszych mieszkańców.

— Ale to było dawno temu. Teraz możemy pozyskiwać jedzenie i inne rzeczy poza miastem — zauważyła Opiekunka Grobów.

— Być może, ale i tak pozostaje ograniczona liczba zajęć. W tej chwili pojawiła się bieda, ponieważ mamy więcej ludzi niż miejsc pracy. — Nicolas uśmiechnął się sztucznie. — Dużo w tym wszystkim dobrego, ale trzeba zarządzać dobrem, aby je utrzymać. Po części sprowadza się to do umiejętnego korzystania z naszych zasobów — w tym państwa obojga.

Wtedy przemówiła Opiekunka Grobów:

— Chyba się nie mogę zgodzić z tym wszystkim.

— Proszę zatem wykonywać swoją pracę, a ja zajmę się swoją. — Nicolas popatrzył na nich po kolei. — W przeciwieństwie do nas, państwo są jedynymi osobami posiadającymi kwalifikacje w swoim... wyjątkowym zawodzie. Reszta z nas zajmie się sprawami miasta, a wy rozwiążcie problem ze zwierzęciem.

Opiekunka Grobów wstała, a wraz z nią Grabarz, którego wciąż trzymała za rękę. Przez chwilę Nicolas poczuł przypływ zazdrości. Oni nigdy nie byli sami.

Oczywiście prawdopodobieństwo, że zginą tragiczną śmiercią, było znacznie wyższe niż w przypadku wszystkich innych osób urodzonych w Claysville.

Skórka za wyprawkę.

Nicolas również wstał.

— Powinni państwo też wiedzieć, że nie dostaną żadnych rachunków do zapłaty. Nigdy. Pewnie nikt wam tego jeszcze nie powiedział, ale państwo za nic nie płacą. Kiedy ktoś zostaje... tym, kim jesteście, pokrywamy praktycznie wszelkie jego koszty. To oczywiście nie rekompensuje zadania stawianego przed wami, ale wszelkie państwa potrzeby zostaną zaspokojone. A kiedy będą państwo gotowi, nie będą musieli oczekiwać w kolejce do rodzicielstwa. Wolno też państwu mieć tyle dzieci, ile państwo zapragną, kiedy tylko...

— Nie będzie takiej potrzeby — powiedziała stanowczo Rebeka.

— Rozumiem. — Nicolas gestem wskazał drzwi. — Do zobaczenia na zebraniu. Byłbym jednak wdzięczny, gdyby dali mi państwo znać, kiedy to zwierzę zostanie już okiełznane.

Opiekunka Grobów spięła się, lecz Grabarz skinął głową.

A potem wyszli.

Po wyjściu z gabinetu burmistrza jechali w milczeniu przez kilka minut, gdy nagle Rebeka walnęła dłonią w deskę rozdzielczą.

— Zatrzymaj się.

— Tutaj?

— Natychmiast. Proszę.

Zerknęła w jego stronę. Nie miała srebrzystych oczu, ale ich tęczówki obwiedzione były kolorem nie z tej ziemi.

Byron zatrzymał samochód, porwał broń i resztę ekwipunku ze schowka, po czym wysiadł w ślad za Rebeką. Do jednej kieszeni schował pistolet, a do drugiej strzykawkę.

Rebeka szła zdecydowanym krokiem, rozglądając się wokoło. Przeszli tak kilka przecznic — w stronę jej domu — gdy nagle zatrzymała się i zrobiła głęboki wdech.

— Przyszła do mnie — wyszeptała tym swoim głuchym głosem.

Byron chciał się jej przyjrzeć, zobaczyć, jak zmienia się w istotę nie z tego świata, lecz najważniejsze jednak było zapewnienie jej bezpieczeństwa. Wyczulony na wszelkie oznaki obecności Daishy, wsunął rękę pod rozpiętą kurtkę i otworzył kaburę. Druga ręka ściskała w kieszeni pistolet.

Zatrzymali się na skraju podwórka przed domem Rebeki. Daisha stała na werandzie.

Byron nie wyjął broni z kabury na piersi, ale zacisnął dłoń na pistolecie w kieszeni kurtki.

Mogę ją zabić? Jakie są tu zasady?

— Jesteś martwa. — Rebeka wyciągnęła rękę, jakby chciała przywołać do siebie Daishę. — Wróciłaś i...

Daisha spięła się, lecz nie uciekła.

— Wiem, że nie żyję, ale nie ja jedna.

— Daisha? Tak masz na imię, prawda?

Martwa dziewczyna nieufnie pokiwała głową.

— Musisz mnie wysłuchać. — Rebeka ostrożnie podeszła bliżej. Nie była jeszcze na stopniach werandy, ale weszła już w głąb podwórka. — Musisz mi pozwolić...

— Nie, nieprawda. Nieważne, o co chodzi, ja niczego nie muszę. — Daisha uniosła rękę, jakby chciała zatrzymać Rebekę.

Byron nie mógł się zdecydować, czy lepiej wyjąć broń teraz, czy zaczekać. Gdyby wyjął broń, mógłby spłoszyć Daishę, ale znowu nie miał pewności, jak szybka jest ta dziewczyna — albo czy on byłby wystarczająco szybki, by chwycić za spluwę, nim ona zdąży zaatakować.

— Chciałam cię ostrzec — mruknęła dziewczyna.

— Ostrzec? — spytała Rebeka łagodnym tonem. — Przed sobą?

— Nie. Nie przede mną.

— Zabiłaś moją babcię. — Głos Rebeki ani drgnął. — Tutaj. Zabiłaś ją tu, w moim domu.

— Nie chciałam. Po przebudzeniu wędrujemy do Opiekunki Grobów. Nie wiem dlaczego. Może ty wiesz... Ale wy lśnicie. — Daisha podeszła na skraj werandy. — Jesteście wypełnione blaskiem, promieniejecie od środka, a ja... — Daisha pokręciła głową — po prostu musiałam się z nią spotkać.

— A teraz? — Rebeka weszła na pierwszy stopień schodów.

Daisha uśmiechnęła się.

— Teraz nie muszę się z tobą spotkać. Nie mam potrzeby przychodzić tutaj, już nie. Mogę odejść.

Byron był na tyle blisko, by interweniować, ale instynkt, który próbował zdławić w sobie, podpowiadał mu, że Rebeka musi dotknąć martwej dziewczyny.

— Więc po co przyszłaś? — zapytał, ściągając na siebie jej uwagę. — Skoro nie musisz, dlaczego to zrobiłaś?

Daisha z trudem oderwała wzrok od Rebeki i skupiła się na nim.

— Nie wiem, kim on jest, ale to ktoś taki... jak ja — powiedziała. — On cię znajdzie.

Rebeka nie cofnęła się.

— Nie możesz zostać w tym świecie. To nie jest właściwe miejsce dla ciebie.

— Nie prosiłam się, żeby umrzeć. — Daisha zmarszczyła brwi, jakby próbowała coś sobie przypomnieć. Zagryzła wargę i zacisnęła rękę na balustradzie werandy.

— Daisha? — Rebeka przyciągnęła na powrót uwagę dziewczyny. — Mogę cię czymś poczęstować? Zjesz coś? Napijesz się? Właśnie tego ci potrzeba, prawda?

Daisha roześmiała się na te słowa.

— Nie, nie od ciebie. Nie zamierzam tu ani jeść, ani pić... Nie.

Rebeka nakryła dłonią dłoń Daishy.

— Miałam na myśli normalne jedzenie, a nie...

— Na to miałam tylko jedną szansę — szepnęła Daisha. — Przyszłam. Jadłam. Piłam. Słuchałam. Ona chciała, żebym... ale nie mogłam się tu dostać. Zanim. Zanim przyszłam, nie mogłam tu dotrzeć. Choć chciałam. Czułam, jak ona wzywa mnie do domu.

— Maylene?

Daisha skinęła głową.

— To było tak, jakbym potrzebowała powietrza, ale nie mogłam... Ktoś mnie powstrzymał.

Byron poczuł, jak przeszywa go zimny dreszcz.

— Kiedy się... przebudziłaś, ktoś powstrzymał cię od przyjścia tutaj?

— Chciałam. Ja naprawdę chciałam ją znaleźć. — Daisha brzmiała jak zagubione dziecko. — Ale nie mogłam przyjść.

— W końcu tu dotarłaś — przypomniał jej Byron. — Kto cię powstrzymywał?

— Owszem — zgodziła się Daisha — dotarłam. Ale wtedy byłam już zbyt głodna. Było już za późno.

— Kto cię powstrzymywał? — powtórzył pytanie Byron.

Gdzieś niedaleko kobiecy głos krzyknął piskliwie, i słysząc to, Daisha wyrwała się spod ręki Rebeki.

— On tu jest. — Oczy Daishy rozszerzyły się. Zrobiła kilka kroków do tyłu.

— Kto? — Wyciągając rękę, Rebeka podeszła w stronę martwej dziewczyny. — Daisha, proszę!

Lecz sylwetka dziewczyny zafalowała, a potem rozwiała się, jakby jej tu nigdy nie było.

Zaraz po jej zniknięciu Byron i Rebeka ruszyli w stronę, z której najprawdopodobniej doszedł ten kobiecy krzyk. Biegnąc, usłyszeli drugi, jeszcze bardziej przenikliwy. Byron złapał Rebekę za rękę i pobiegli szybciej.

Rebeka spodziewała się ujrzeć różne rzeczy, ale nie to. W wąskim przejściu za miejscowym sklepikiem z artykułami za grosz poczuła wyraźnie obecność Głodnego Zmarłego — zawieszoną w powietrzu wokół krwawiącej Amity Blue.

— Amity? — Byron wziął ją w ramiona. — Co się stało?

Trzymała prawe ramię ukośnie na piersi, tak że dłonią dotykała obojczyka. Czarny podkoszulek, który miała na sobie, był mokry i kleił się do niej. *Krew.*

Dreszcze wstrząsały ciałem Amity.

— W torbie.

— Mam. — Rebeka otworzyła torebkę Amity i wysypała jej zawartość na ziemię. Małe flaszeczki z alkoholem, pistolet na wodę, kilka plastikowych buteleczek z wodą, paralizator i notes — wszystko z rumorem wypadło na chodnik.

— Woda święcona — sapnęła Amity. — Nie chcę się stać taka, jak…

— Nie staniesz się. To nie jest zaraźli…

— Proszę… — przerwała jej Amity.

Byron zdejmował już nakrętkę z jednej z plastikowych butelek.

— Jest.

Polał ranę wodą. Spłynęła na chodnik zabarwiona na różowo i porwała ze sobą niedopałek papierosa oraz liść.

— Szybciej. — Rebeka zerknęła na Byrona, a potem na tłum gapiów, który zbierał się, aby ich oglądać. Nie mogła się na nich skupić. Czuła, że coś ciągnie jej ciało, pobudzając ją do ruchu.

Jakaś kobieta, której imienia Rebeka nie mogła sobie przypomnieć, przepchnęła się przez grupkę pięciu lub sześciu osób, usiłujących zobaczyć, co się dzieje.

— Wezwaliśmy pomoc. Usłyszałam krzyk, ale Roger myślał, że to w telewizji. Co mam robić?

— Najlepiej trzymać wszystkich z daleka. — Kiedy kobieta przytaknęła, Byron znów skupił się na Amity. — Widziałaś… cokolwiek?

— Troya. — Amity uśmiechnęła się krzywo. — Nie był normalny. Wiem, bo widziałam go wcześniej… i zrobiłam sobie notatki. Czasem notatki pomagają mi zapamiętać. Zazwyczaj. — Marszcząc czoło, Amity sięgnęła do kieszeni kurtki i wyjęła czarny notesik. — O, tu. Tyle wiem.

Byron otworzył notes. Kartki zapisane były bazgrołami, które wyglądały, jakby zrobiono je na przemian gorączkowo i spokojnie. Słowa rozciągały się na całych stronach, jak gdyby ktoś wyciął je w papierze, a wokół nich drobniutkie pismo wciskało się w wolne miejsca. Część notatek zapisano chyba jakimś szyfrem.

— Na końcu. Zobaczyłam go wcześniej i napisałam o tym. — Amity patrzyła badawczo na Byrona, który przewracał kartki. Kiedy doszedł do ostatniej strony, odwrócił notes w stronę Amity i Rebeki.

Rebeka w milczeniu odczytała słowa zapisane przez Amity drukiem: TROY. NIE. ŻYJE. POWIEDZIEĆ BEKS. Podkreślono je kilkakrotnie.

Tamtej nocy, kiedy go widziałam. Rebekę przejął chłód. *Próbował mnie ukąsić.*

— Amity? — powiedział Byron. — Mów do mnie.

Amity wciąż trzymała głowę między kolanami podciągniętymi do piersi. Jej głos był stłumiony.

— Ugryzł mnie. Widziałam go wcześniej i uciekałam. Maylene przykazała mi, żebym, kiedy jej już nie będzie, wszystkie dziwne sprawy zgłaszała tobie. — Amity odwróciła głowę i spojrzała wprost na Rebekę. — Co to znaczy? Czy on jest wampirem?

— Nie. To znaczy po prostu, że muszę go powstrzymać, zanim jeszcze komuś zrobi krzywdę — odparła Rebeka. — I zrobię to, Amity. Obiecuję.

— A ja? Czy… zachoruję? — Amity nie odwróciła wzroku. — Mdli mnie, gdy tylko próbuję się zmusić, żeby to zapamiętać. A może dlatego, że straciłam kawałek skóry.

— Pewnie z obu powodów. — Rebeka pogładziła Amity po głowie, odgarniając jej włosy z twarzy. — Czasem lepiej zapomnieć pewne rzeczy.

— Nie lubię zapominać. Dlatego właśnie robię notatki. — Amity roześmiała się, ale zabrzmiało to jak szloch.

Byron wsadził notes Amity do kieszeni.

— Chris tu jedzie.

Szeryf zatrzymał samochód, a za nim nadjechała grupa ratowników medycznych. Christopher wyszedł z auta na chodnik.

— Co się stało?

Byron nie zawahał się.

— Pogryzł ją jakiś pies czy coś. Usłyszeliśmy jej krzyk i znaleźliśmy ją w tym stanie.

— Joe? — wrzasnął szeryf. — Znowu ten cholerny pies.

Młody ratownik wkroczył do akcji, a Christopher rzucił Rebece i Byronowi gniewne spojrzenie.

— Mam nadzieję, że to się wkrótce skończy.

— Ja też — odpowiedziała Rebeka.

Byron objął ją przez plecy.

— Skończy się. Na pewno.

Ulga, jaką przyniosło Rebece jego zapewnienie, została podkopana przez widok Amity patrzącej w ich stronę. Nie zawołała Byrona, nie poprosiła, żeby z nią jechał, ale Rebeka widziała, że ma ochotę to zrobić.

— A może pojedziesz z Amity? — zaproponowała.

Spojrzenie Byrona mówiło wyraźnie, że uważa ten pomysł za idiotyczny.

— Chris czuwa nad wszystkim.

Szeryf kiwnął głową, a Byron podszedł do Amity i powiedział jej coś półgłosem — Rebeka nie dosłyszała, co, zresztą wcale nie była pewna, czy chciałaby to usłyszeć.

Przetarła oczy i spojrzała na ulicę. Zobaczyła ślad, wijący się przed nią jak dym. Zrobiła krok w jego kierunku.

Byron nadszedł od tyłu.

— Muszę iść za tym — szepnęła.

46

Byron poszedł za Rebeką. Prawie biegła, gdy skręciła za róg. Albo ślad, za którym podążała, niknął tak szybko, że musieli się spieszyć, albo był tak wyraźny, że nie musieli się zatrzymywać. Byron nie wiedział, dlaczego Rebeka biegnie. Sam niczego nie widział.

Kiedy doszli do skrzyżowania, Rebeka weszła na jezdnię bez patrzenia na prawo czy lewo. Byron złapał ją za ramię.

— Musimy... — wymamrotała.

— Nie dać się rozjechać — przerwał jej. Puścił ją dopiero wtedy, gdy przejechał samochód.

Tym razem, podjąwszy na nowo trop, zaczęła biec.

— Do cholery, Beks. — Złapał ją za rękę, żeby się w coś nie wpakowała albo mu nie uciekła.

Nie odpowiedziała, ale też nie uwolniła ręki.

Przez następne dwadzieścia minut biegli w ciszy; jedynym dźwiękiem był cichy oddech Rebeki. Zatrzymała się na tyłach małego sklepu spożywczego, na miejscu odbioru towaru.

— Jest tutaj.

Rozejrzała się po parkingu, ale nic już nie powiedziała.

Byron wyjął broń i omiótł wzrokiem teren. Kilka zaparkowanych samochodów stanowiło świetną kryjówkę. Tak samo jak dwa wielkie kontenery na śmieci i surowce wtórne. Mały pas zieleni oddzielał parking od rzeki. Na wyliniałej trawie stały stolik turystyczny i przerdzewiały grill. W głębi parkingu wisiała obręcz do kosza, pozbawiona siatki.

— Troy? — zawołała cicho Rebeka. Podeszła do kontenerów. Błyskając srebrnymi oczami, nie wyglądała jak człowiek, ale Byrona już to nie przerażało. — Przyszłam — zawołała.

Ściskając broń, Byron trzymał się blisko Rebeki. Wcześniej, ufając instynktowi, stanął między nią a Daishą, ale tym razem czuł coś innego. Odbierał Troya jako zagrożenie, które w przypadku Daishy nie było tak wielkie.

Rebeka zatrzymała się przy kontenerach.

— Wiem, że szukałeś mnie tamtym razem.

Byron rzucił jej zaniepokojone spojrzenie.

— Co takiego?

Zignorowała go.

— A więc przyszłam. Tego właśnie ci trzeba, prawda? Potrzebujesz mnie. Chciałeś mnie odnaleźć.

Troy wyszedł zza jednego z kontenerów. Nie wyglądał inaczej niż wtedy, gdy Byron widział go po raz ostatni w barze. Miał na sobie bandanę, czarne dżinsy i przyciasny czarny podkoszulek. Jedyną różnicę stanowiło niezbyt przytomne spojrzenie. Troy był kiedyś tak blisko z Rebeką, że przyprawiał Byrona o zazdrość, lecz teraz ani oczy Troya, ani język jego ciała nie wskazywały, że ją rozpoznaje. Stał w milczeniu, bez uśmiechu.

— Mogę to naprawić, Troy. — W głosie Rebeki pobrzmiewały łagodne, śpiewne tony, jakich zwykle się używa, by obłaskawić przestraszone zwierzę. — Zaufaj mi. Gdybym wiedziała, nie pozwoliłabym, żeby ci to zrobili.

Troy gapił się na nią. Uniósł wargę w bezdźwięcznym grymasie.

— Rozumiem, że jesteś zły, Troy, ale nie miałam pojęcia. Nawet mnie tu nie było. — Pokręciła głową. — Dam ci jeść i pić. Pamiętasz, jak ty dawałeś jeść i pić tym wszystkim ludziom? Pamiętasz, jak się mną zajmowałeś, kiedy przychodziłam do baru?

Martwy mężczyzna zamrugał oczami.

— A więc pamiętasz — powiedziała półgłosem. — Nie wiem, od jak dawna jesteś głodny, ale wciąż mogę ci pomóc... Pozwól mi.

Zrobił krok do przodu.

— Dobrze — zachęciła go. — Chodź do mnie.

Zmarszczył brwi.

— No, chodź. — Wyciągnęła rękę. — Pamiętasz, jak przyjechałam w zeszłym roku i tańczyliśmy na barze po zamknięciu? Myślałam, że Amity zrobi sobie krzywdę — tak się wykręcała. Byłyśmy w kontakcie. Mówiła ci?

Twarz Troya nie wyrażała niczego, co mogłoby świadczyć, że cokolwiek sobie przypomina, na co najwyraźniej liczyła Rebeka. Podszedł jednak do przodu i wziął ją za rękę. Przez chwilę Byron myślał, że udało jej się go przywabić, że sprawy idą po ich myśli i wszystko będzie dobrze.

Naraz Troy złapał ją i przyciągnął sobie do ust jej ramię.

— Nie! — Byron rzucił się naprzód.

— Byron, przestań — powiedziała Rebeka.

Brzmiała spokojnie, więc Byron przyjrzał się jej z uwagą. Wsadziła ramię w usta Troya tak głęboko, że rozwarła mu szeroko szczękę. Drugą ręką Troy obejmował Rebekę w pasie i nagle uniósł ją do góry.

— Strzykawka. Szybko, proszę. — Głos zadrżał jej lekko.

Byron jedną ręką wsunął broń do kabury, a drugą złapał strzykawkę.

— Gdzie?

W głosie Rebeki słychać już było napięcie.

— Gdziekolwiek.

Z nadzieją, że się nie myliła, Byron wepchnął igłę w szyję Troya, tuż poniżej ucha. Troy w ogóle nie zareagował. Gapił się na Rebekę, która wciąż trzymała rękę w jego ustach, i zamrugał kilka razy.

Wreszcie uścisk wokół jej talii zelżał i Rebeka z powrotem dotknęła stopami ziemi. Ręka Troya zsunęła się po jej biodrze, kiedy ją puszczał. Ramiona opadły mu wzdłuż boków. Przez cały ten czas Rebeka trzymała rękę w jego ustach, jakby była kością w szczękach psa.

— Beks? — Byron nie wiedział, co zrobić, ale zdawało się, że Troy nie robi jej już krzywdy. Prawdę mówiąc, wyglądał, jakby był w śpiączce.

Rebeka uniosła stopę i dotknęła Troya za kolanem, a następnie naparła do przodu całym swoim ciężarem, aż upadł. Sama również upadła, na niego, nadal z ramieniem w jego ustach.

Odwróciła głowę i spojrzała na Byrona srebrnymi oczami.

— Przytrzymaj mu otwarte usta.

Byron przykucnął, położył ręce z obu stron twarzy Troya i wcisnął kciuki w zawiasy jego szczęki. Usta martwego mężczyzny nie otworzyły się jeszcze bardziej, ale też nie miały jak się zamknąć.

Rebeka zabrała ramię. Byron zobaczył na nim ślady zębów nabiegłe krwią.

Nie zważając na to, że krwawi, Rebeka wstała i spojrzała na Troya.

— Zbyt długo nie żyje.

— Krew ci leci. — Byron nie miał bandaża, niczego, czym mógłby zatamować krwotok albo złagodzić ból.

Nie słuchała.

— Muszę go zabrać do Charlesa.

Zmarły wodził za nią wzrokiem, zupełnie jej nie rozpoznając. Wydawał się przytomny — przynajmniej w takim stopniu, w jakim był przytomny, kiedy go znaleźli — lecz nie ruszał się. *Będziemy musieli zanieść go do tunelu.*

Rebeka wzięła Troya za ręce, a on wstał jednym płynnym ruchem. Unosił się kilkanaście centymetrów nad ziemią, kiedy splatała palce z jego palcami.

A może nie.

Byron z trudem powstrzymał drżenie, widząc jak martwy mężczyzna szybuje nad ziemią obok idącej naprzód Rebeki. Myślał, że to, co widział w krainie umarłych, wytrącało go z równowagi, ale zestawienie ubrań z różnych epok i omijanie praw natury właśnie utraciły status najbardziej nienormalnego widoku tygodnia.

Po kilku krokach Rebeka przystanęła.

Kiedy Byron zorientował się, że czeka na niego, szybko omiótł wzrokiem teren, sprawdzając, czy nie zostawili za sobą śladów. Upewniwszy się, że nie, dogonił Rebekę i powiedział:

— A więc w drogę do Charliego.

Przejście do zakładu pogrzebowego trwało dłużej niż pościg za Troyem, ale tylko trochę dłużej. Rebekę napędzała chęć, by jak najszybciej dostarczyć Troya do krainy umarłych. Nie wiedziała, co takiego trzyma go przy niej ani jakim sposobem porusza się tak ostrożnie kilkanaście centymetrów nad ziemią, ale była pewna, że to nie będzie trwać wiecznie.

Przyspieszyła kroku.

— Byron, musimy działać szybciej.

Byron wymamrotał coś niewyraźnie. Szli przez miasto, a ludzie nie zwracali na nich uwagi, podobnie jak ignorowali ich, kiedy pędzili w przeciwnym kierunku. Byron wszedł pierwszy do zakładu pogrzebowego, aby upewnić się, że nie ma w środku nikogo, kto stanąłby im na drodze.

Troy wpłynął do budynku i podążył na dół za Rebeką.

— Prawie — szepnęła. — Już niedaleko.

Mówiła za siebie i za Byrona. Czuła pewien lęk, że nie zdołają dotrzeć na miejsce, że skończy się uległość Troya lub że brama okaże się za daleko. Byron jednak czuwał. Otworzył drzwi od składziku i przesunął szafkę zakrywającą tunel.

Na jego twarzy malowało się napięcie, gdy chwytał wolną rękę Rebeki.

— Nie puszczaj. Pod żadnym pozorem.

— Wiem. — Na twarzy czuła oddechy zmarłych, słyszała głosy witające ją w domu i żałowała, że to wszystko jest takie prawdziwe.

— Beks? — Byron zastąpił jej drogę. — Tym razem za nic nie puszczaj mojej ręki.

Skinęła głową i wyszeptała:

— Ani jego ręki.

— Szczerze? Wolałbym, żebyś puściła jego niż moją. On już tu jest, ale ty… — Reszta jego słów zginęła w zawodzeniu wiatru.

— Nie utknie w tunelu — zapewniła Rebeka szepczących zmarłych. — Nie wypuszczę go z ręki. — Spojrzała na Byrona. — Jeśli to zrobię, zostanie tu uwięziony jak inni.

Byron wzdrygnął się.

— A więc trzymaj nas obu.

Skinęła głową. Trzymała ich obu kurczowo, gdy szli przez tunel. Martwy mężczyzna nic nie mówił, w ogóle nie reagował na otoczenie. Byron prowadził ich przodem, a naokoło tunel oddychał.

— Wszystko w porządku? — zapytał Byron.

Rebeka nie była pewna, czy pyta o nią, czy o Troya, ale nie miało to znaczenia — tutaj, w tym momencie, tylko ona mogła odpowiedzieć.

— Tak.

W miarę jak szli, napełniało ją poczucie, że wszystko jest tak, jak być powinno. Do tego właśnie została powołana, to właśnie miała robić, aby wpasować się w naturalny porządek rzeczy. Po wielu latach tułaczki, gdy każde miasto, każde zajęcie i każdy mężczyzna okazywali się tymi niewłaściwymi, stwierdziła, że teraz wreszcie jest na swoim miejscu. Nie żeby San Diego i agencja reklamowa lub Lexington i pisanie tekstów technicznych były do końca złe. Po prostu nie były tym brakującym kawałkiem układanki, którego szukała. Tu, w Claysville, z Byronem, prowadząc zmarłego do Charlesa, była tam, gdzie powinna. Zamyśliła się, rozważając, czy zawsze odkrycie swojego miejsca w świecie daje takie wrażenie — zupełnie jakby słyszała wyraźne kliknięcie.

Kiedy zbliżyli się do wylotu tunelu, zatrzymała się i wzięła głęboki wdech. Jak dotąd ufała swojemu instynktowi, lecz nagle, gdy zbliżyli się do krainy umarłych, instynkt zaczął wojować z popędem. Zupełnie jakby odpowiadała na syrenią pieśń. Coś pchało ją naprzód, a ona próbowała zapanować nad nogami.

Czy gdybym umarła, byłoby to równie kuszące?

Odsunęła od siebie te myśli i spojrzała na Troya.

— Chodź.

Po raz pierwszy, odkąd zobaczyła go na ulicy, Troy, jakiego znała, patrzył wprost na nią. Nic nie mówił, ale też nie próbował jej zaatakować. Jego wzrok wyrażał nadzieję.

— Teraz już będzie dobrze — zapewniła go.

Poczuła mocniejszy uścisk Byrona, kiedy wchodzili do krainy umarłych, tym razem ramię w ramię, prowadząc ze sobą Głodnego Zmarłego.

— Jesteśmy na miejscu — powiedział Byron. — Teraz...

Naraz Troy objął Rebekę w uścisku. Wstrząsały nim dreszcze, gdy tulił się do niej. Byron wyciągnął rękę, ale Rebeka pokręciła głową. Nie było w tym nic strasznego.

— Dziękuję — głos Troya brzmiał chropawo, nie wiadomo: od łez czy od długiego milczenia.

— Takie jest moje zadanie — przyprowadzam umarłych do domu.

— Nie wiedziałem, gdzie jestem. Beks, ja umarłem. — Oczy mu się rozszerzyły, gdy dotarło do niego, co powiedział. Przeniósł wzrok na Byrona, a potem z powrotem na nią. — Jestem martwy.

— Tak — powiedziała łagodnie. — Przykro mi.

— Nie wiem dlaczego. — Zmarszczył brwi. — Nie byłem, potem byłem, a potem ani jedno, ani drugie. Chciałem odnaleźć... — padł na kolana — ...ciebie, ale nie mogłem.

— Ale w końcu ci się udało — powiedziała Rebeka. — Znalazłeś mnie, a ja przyprowadziłam cię tutaj. Już dobrze.

— Ale wcześniej... — Troy otworzył szeroko oczy. — Była pewna dziewczyna. Mała. Próbowałem zrobić jej krzywdę. Potem. Nie przedtem. Ona też jest martwa. Ta dziewczyna, którą próbowałem skrzywdzić... myślę, że to zrobiłem. Czy ja śnię? Powiedz mi, że śpię. Czy Amity dobrze się czuje?

— Nic jej nie będzie — Rebeka odsunęła mu loki z twarzy — a ty nie śpisz.

— Jestem martwy. — Troy odstąpił od Rebeki, ale ona wciąż trzymała go za rękę.

— Zabiłem ją — powiedział. — Chyba zabiłem dziewczynę.

Nie chciałem, ale byłem tak bardzo głodny. Nie pozwalali mi odejść. Trzymali mnie w potrzasku... Rozsypali truciznę na ziemi. Jej dotyk parzył. Chciałem zniknąć. Jak dym... rozwiać się. Umiałem to zrobić, ale oni mi nie pozwolili.

— Kto ci nie pozwolił? — Rebeka ścisnęła mu dłoń.

Troy zmarszczył brwi.

— Ona cię nienawidzi... tej ciebie, którą byłaś... albo jesteś. Czy ty jesteś dwiema osobami? Ona chciała dostać to, co ty masz, i chciała, żebyś była nie-żywa, bo wtedy mogłaby ci to odebrać, ale ty nie umarłaś.

Położył rękę na ustach Rebeki, tak że oddychała przez jego dłoń.

— Ty nie umarłaś, ale ona cię zabiła. — W miarę jak mówił, był coraz bardziej przerażony, jak gdyby słowa rozjaśniały mu myśli, a jasne myśli powodowały paniczny lęk. — Pani Barrow chciała, żebym zabił tę kobietę od grobów. Ciebie. Dlatego mnie wypuściła. Nie pierwszego... Pierwszą wypuściła tamtą dziewczynę, żeby zabiła... pierwszą kobietę od grobów. Jej matkę.

Stojący z boku Byron podtrzymał Rebekę, kładąc rękę na jej plecach. Pokręciła głową. Myśli i słowa Troya były logiczne na swój okropny sposób, ale nie mogły być prawdą. *Cissy? Cissy to zrobiła?* Od samej myśli Rebece zrobiło się tak niedobrze, że nawet nie umiałaby tego określić. *Cissy go zabiła. Kazała mu zabić Daishę, która zabiła...*

Chwyciła drugą rękę Troya, tak że teraz trzymała go za obie.

— Jesteś pewien? Moja ciotka? Zrobiła to Cecilia Barrow? Jesteś absolutnie pewien?

Troy pokiwał głową ze smutkiem.

— Trzymała mnie tam. Nie mogłem odejść. Nie mogłem myśleć, ale wiedziałem, gdzie muszę pójść. Musiałem pójść do domu... znaleźć ciebie... ale nie-ciebie. Kobietę, która by mi pomogła. To byłaś inna ty. Ale nie ma dwóch was, prawda? Jesteś prawdziwa? — Wyswobodził jedną rękę i pogładził Rebekę po twarzy. — Jesteś prawdziwa i uratowałaś mnie, ale nie jesteś tą, którą miałem znaleźć — tyle że jesteś. Nie rozumiem.

— A ja tak. — Rebeka puściła jego drugą rękę. — Szukałeś mojej babci, ale ona odeszła, a ja jestem... taka jak ona.

Zrobił zbolałą minę.

— Czy ja...

— Nie — Rebeka chwyciła go za ramię, bo zaczął się od niej odsuwać — nie ty.

— Zabiłem dziewczynę, Beks. — Był wyraźnie przybity. — Ja... nigdy bym nie przypuszczał, że mógłbym... Co ze mnie za człowiek?

— Taki, którego wykorzystano. — Mina Byrona wyrażała gniew, którego Rebeka jeszcze nie dopuszczała do siebie.

Cissy jest winna śmierci Maylene.

— Troy. — Rebeka odwróciła jego uwagę, a potem poprosiła: — Czy możesz mi jeszcze powiedzieć coś więcej o Cissy?

— Ona... one... Bliźniaczki... — Oczy mu się rozszerzyły. Pokręcił głową i wyślizgnął się z uścisku Rebeki. — Muszę już iść.

— Zaczekaj. — Próbowała złapać go za nadgarstek, ale się wymknął.

W chwili, gdy go puściła, zniknął. Rebeka stała u wyjścia z tunelu już tylko z Byronem.

— Co się stało? — spytała.

— Nie możemy się zobaczyć z naszymi bliskimi zmarłymi. — Byron spojrzał na nią. — To się chyba odnosi nie tylko do tych, których nazywamy rodziną.

— A więc każdy, którego tu przyprowadzę, zniknie? — Rebeka zmarszczyła brwi. Miasto wznosiło się przed nią w odległości zaledwie paru kroków, lecz ona nie była pewna, czy iść w jego kierunku, czy zawracać do domu. Pozostanie tutaj oznaczało zatracenie się w zmysłowym przepychu, jakim wabiła ją kraina umarłych. *Ukrywanie się.* Powrót oznaczał konieczność odnalezienia Daishy i... Cissy.

To Cissy go zabiła.

Rebeka otworzyła usta, by zapytać Byrona o zdanie, lecz on w tej samej chwili powiedział:

— Alicia.

— Gdzie? — Rozejrzała się. Dwóch mężczyzn szło w ich stronę, ale żaden z nich nie wyglądał jak Alicia. Jeden miał na sobie podarte dżinsy i spłowiały czarny podkoszulek — pamiątkę z koncertu. Rebeka obejrzała się. Z tyłu też nikogo nie było.

— Tak, to dobry pomysł — powiedział Byron. — Trzeba mu pomóc... Tyle, że z zawodu jest barmanem, a nie...

— Byron? — szepnęła Rebeka. — Z kim ty rozmawiasz?

— Przepraszam, to jest... Co masz na myśli? Oczywiście, że... — Byron zrobił naraz zdziwioną minę. — Beks? Kogo widzisz tu obok mnie?

— Dwóch nieznajomych mężczyzn, ale oni milczą. Ty mówisz, a...

— Nie widzisz tu kobiety? — Byron wskazał na pustą przestrzeń i spytał: — Naprawdę jej nie widzisz?

Rebeka wolno pokręciła głową.

— Nie.

Byron popatrzył na Alicię.

— Nie — powtórzyła za Rebeką. Stała z wypiętym biodrem i podniesioną brodą.

— Żadna z was nie widzi tej drugiej. — Spojrzał znowu na obie kobiety, a potem gestem wskazał mężczyzn, którzy przyszli z Alicią. — A ich widzicie?

Rebeka i Alicia odpowiedziały jednocześnie:

— Tak.

— A oni widzą was? — uzupełnił.

— Chłopaki? — spytała Alicia.

— Tam stoi, Lish. Ładna — powiedział jeden z nich.

Drugi pokiwał głową.

— Ale nie ma broni. Niemądrze.

Byron zawahał się.

— A więc... żadna z was nie widzi drugiej. Oni — wskazał na towarzyszy Alicii — widzą obie. Ona cię nie zna, więc jesteś... — Spojrzał kolejno na kobiety. Pomyślał o liście z imionami. *Czy była tam jakaś Alicia?*

— Byłaś Opiekunką Grobów — powiedział.

Alicia wyprostowała się w ramionach.

— Jestem Opiekunką Grobów. Umarłam, ale nadal jestem, kim jestem.

— Ona jest... Dlaczego ona wciąż tu jest, Byron? — Rebeka chwyciła go za rękę. — Zapytaj. Czy to oznacza, że Maylene...

— Dlaczego tu jesteś? — spytał.

Grymas bólu przeleciał przez twarz Alicii.

— Nie miałam powodu, aby iść dalej, za to mnóstwo przemawiało za tym, żeby zostać. Kwestia wyboru, Grabarzu. Ja dokonałam właśnie takiego. Powiedz jej, że Maylene poszła dalej. Tak samo jak twój tato. — Podeszła do niego tak, że znalazła się za blisko, ale go nie dotykała. — Jeżeli zechcesz kiedyś spędzić tu miły wieczór, opowiem ci o tym dokładniej.

— Będę pamiętał.

— Co? — zapytała Rebeka. — Co będziesz pamiętał?

— Alicia wyjaśniła, że została tu z wyboru. Maylene i tato poszli dalej, ale ona postanowiła tu zostać — powiedział.

— Nie powiesz jej o mojej propozycji? — Alicia uśmiechnęła się szelmowsko. — No, no.

— Nie mam ochoty na gierki — ostrzegł ją Byron. — Czy Troy, ten, który tu z nami przyszedł, jest bezpieczny?

— Jak wszyscy tutaj. — Mężczyzna w podartych dżinsach obejrzał się za siebie. — Człowiek, którego przyprowadziliście, prosi, żeby wam przekazać, że przykro mu, że zabił tamtą dziewczynę, i że musicie wrócić, by zrobić coś z Cissy. — Urwał. — Kto to jest Cissy?

Rebeka zrobiła nierówny wydech.

— Proszę mu powiedzieć, że się tym zajmiemy.

Drugi z towarzyszy Alicii spojrzał przez ramię.

— Mówi, że się tym zajmą.

Alicia położyła dłoń na piersi Byrona.

— Zaopiekuję się waszym barmanem.

— Niczego ci nie przyniosłem — przyznał Byron. — Ta cała sprawa Głodnych Zmarłych...

— Następnym razem. Twój kredyt jest jeszcze ważny przez jakiś czas. Zorganizuj też jakąś broń dla przyjaciółki, okej? — Alicia zwinęła dłoń, tak że paznokciami wbijała mu się w koszulę. — A dziś nie przeciągajcie wizyty.

— Dlaczego?

Zignorowała jego pytanie i powiedziała:

— Chłopaki?

Mężczyźni odwrócili się i poszli za nią. Byron podejrzewał, że Troy zrobił to samo, ale nie widział zmarłego barmana. Odeszli, pozostawiając Byrona z pytaniem, na ile jednak ufa Alicii. Zabrała ze sobą Troya, lecz Byron nie rozumiał, dlaczego Opiekunka Grobów miałaby tkwić w tym miejscu, skoro mogła iść dalej.

Alicia miała swoje plany, poza tym była źródłem broni w krainie umarłych.

Czy to ona stała za postrzeleniem Beks?

Popatrzył w ślad za nią, gdy oddalała się w głąb szarej ulicy. Mogła sobie należeć do rodziny Rebeki, ale to nie oznaczało, że jest godna zaufania. Alicia Barrow miała swoje tajemnice.

— B? — przypomniała mu Rebeka.

— Powiedziała, że musimy już wracać.

Rebeka splotła palce z palcami Byrona.

— Ufasz jej?

— Na razie. — Skinął głową i razem wkroczyli do tunelu.

Tym razem powrót nastąpił w mgnieniu oka. Ledwo weszli do środka, a już byli z powrotem w zakładzie „Montgomery i Syn". Byron odłożył pochodnię na miejsce i razem z Rebeką wkroczyli do świata żywych.

— Wszystko w porządku? — zapytał.

— Chciałabym bardzo, żebyśmy mogli przestać zadawać sobie nawzajem to pytanie. — Rebeka patrzyła, jak Byron zasuwa szafkę.

— Kiedy wszystko wróci do normy, obiecuję, że przestanę pytać. — Zerknął na nią, zanim podszedł do wyjścia.

— Umowa stoi.

Wyszła za nim na korytarz i zamknęła za sobą drzwi. Bycie Opiekunką Grobów w końcu przestanie być tak męczące — i dziwaczne. *Musi przestać.* Maylene wiodła dość spokojne życie, a przynajmniej na takie wyglądało. Kiedy Rebeka z nią mieszkała, zasady babci były niezwykle surowe, ale przeważnie żyło im się spokojnie. Maylene nie robiła wielkiego halo z godziny powrotu do domu, ale jeśli już się przy tym uparła, nie było mowy o ustępstwach.

— Kiedy już zostaną pochowani, Opiekunka Grobów pilnuje, żeby się nie przebudzili, ale w przypadku Daishy i Troya Maylene nie mogła tego zrobić, bo...

— Bo Cissy ukryła ich ciała — dokończył Byron.

Teraz wszystko nabrało upiornego sensu — gdyby zostali pochowani, Maylene zadbałaby o ich groby, więc spoczywaliby w spokoju. Gdyby trafili do Maylene po przebudzeniu, nie zdziczeliby. „Ktoś mnie powstrzymał" — tak powiedziała Daisha. „Ona mnie powstrzymała" — powtórzył Troy. Powstrzymała ich Cissy. Chciała, żeby stali się niebezpieczni, zanim pójdą szukać Opiekunki Grobów.

Posłużyła się zmarłymi, aby zamordować Maylene.

Byli już na schodach, kiedy Rebeka oznajmiła:

— Chcę sprawdzić, czy możemy porozmawiać z Daishą. Troy nie mógł nam za bardzo pomóc, a ja muszę wiedzieć, ile osób Cissy zabiła, gdzie one są, kto to taki, a przede wszystkim: dlaczego to zrobiła.

Byron milczał, gdy wychodzili po schodach i opuszczali budynek. Dopiero gdy stali przy jego triumphie, powiedział:

— To Daisha zamordowała Maylene.

— Nie — sprostowała Rebeka. — Cissy użyła zmarłych jako broni. Dla niej byli tylko narzędziem. Moi zmarli, których miałam chronić, i moja babcia... Cissy ich zabiła.

Zapytał z nieprzeniknioną miną:

— A więc usprawiedliwiasz Daishę?

Rebeka zawahała się. *Usprawiedliwiam?* Daisha i Troy zabili i zranili ludzi, w bolesny i groteskowy sposób. *Czy im to wybaczam?* Bardzo chciała wybaczyć. W pewnym sensie już to zrobiła — obejmując i pocieszając Troya. Jeszcze tydzień temu nie przypuszczałaby, że jest do tego zdolna. *Moi zmarli.* To, co powiedziała, było jednak prawdą — to byli jej zmarli. Odpowiadała za nich. Rola Opiekunki Grobów utemperowała jej — normalne — odruchy. Nie zlikwidowała ich, a tylko przytępiła.

— Nie. — Rebeka wzięła Byrona za rękę. — Zabrałam Troya tam, gdzie musiał pójść. Powstrzymałam go. Powstrzymam Daishę i tych wszystkich, których obudziła Cissy. Ją też zamierzam powstrzymać i nieważne, co będę musiała zrobić. Jeżeli to zbyt okrutne albo...

— Wcale nie — przerwał jej, a w jego głosie słychać było wyraźne napięcie. — Ustalmy jednak fakty: mówisz, że zamierzasz zabić Cissy?

— Daj mi tylko spluwę. — Wzięła kask, założyła go na głowę i czekała, aż Byron wsiądzie na motocykl.

— Strzelanie do ludzi wygląda tu inaczej niż w świecie Charliego, Beks. Tutaj już się nie wstaje. — Byron przerzucił nogę przez siodełko i zakładał kask. — Jeśli to zrobisz...

— A jeśli tego nie zrobię, Cissy będzie dalej krzywdzić ludzi. To ona zamordowała Maylene. — Rebeka czuła wściekłość, jakiej nigdy wcześniej nie zaznała. — Użyła zmarłych, moich zmarłych, zmarłych Maylene, by zabijać. Jeżeli będzie trzeba, zabierzemy Cissy do świata Charlesa. Jeśli jest inne rozwiązanie, spróbujemy, ale trzeba z tym skończyć.

Zamilkła. Usiadła na motorze i objęła Byrona w pasie.

Silnik zaryczał i Byron nie powiedział już nic więcej. Tym razem jechał inaczej niż ostatnio, gdy zaczynał od wolnych obrotów. Teraz zarzynał biegi, przyspieszając od bezruchu do pełnego pędu w kilka uderzeń serca.

— Ale w tym tygodniu ani razu jeszcze nie zadzwoniła — podkreśliła Liz. — Teresa nigdy nie wytrzymuje tak długo bez spotkania czy rozmowy.

— Twoja siostra nie zastanawia się, jak jej zachowanie wpływa na innych, Elizabeth. — Cissy Barrow obcięła zeschłą różę z krzaka, przy którym stała, i rzuciła ją do wiadra. — Dla niej czubek własnego nosa jest ważniejszy niż obowiązki.

— Wiesz, gdzie może być?

— Pokłóciłyśmy się — przyznała Cissy.

— O co?

Cissy machnęła tylko ręką, uzbrojoną w nożyce.

— O to, co zwykle. Ona myśli tylko o sobie. Ty taka nie jesteś, prawda, Elizabeth?

Liz zesztywniała, słysząc w głosie matki przekonanie o własnej nieomylności. Nie, żeby matka była bezduszna. Sądziła tylko, że nie należy rozpieszczać innych. *Dzieci mają być oddane i posłuszne. Młode kobiety powinny szanować swoją matkę. Brak celu prowadzi do samozadowolenia.* Liz nasłuchała się w życiu tylu uwag Cissy, że teraz już wiedziała, czym są w istocie te na pozór łagodne pytania — testami.

Liz wyprostowała ramiona i spokojnym tonem powiedziała:

— Nie, mamo. Ja myślę przede wszystkim o rodzinie.

Matka kiwnęła głową.

— Grzeczna dziewczynka.

— Czy mam coś zrobić? — spytała Liz ostrożnie. — Mogłabym porozmawiać z Teresą, jeśli wiesz, gdzie jest.

— Jeszcze sobie z nią porozmawiasz, dziecino. W tej chwili nie jest jeszcze na to gotowa. Może za parę tygodni, ale na razie jest za bardzo zdezorientowana. — Wzrok Cissy błądził ponad ogrodem, który zaprojektowała i pielęgnowała na podwórku Liz.

Sama Liz niekoniecznie by to tak zaaranżowała, ale w pewnych sprawach warto było się sprzeciwiać matce, a w innych ustępować. Rozlokowanie rabatek należało do tej drugiej kategorii.

— Wkrótce zrobię ze wszystkim porządek. Obie zaczniecie grać swoje role. — Cissy usunęła kolejną zeschłą różę.

— Swoje role? — Liz poczuła, jak z każdą chwilą wzbiera w niej lęk. — Jakie role?

— Jedna z was zostanie Opiekunką Grobów. Zrozumiałam, że to ty powinnaś nią być, Liz. Teresa też to w końcu pojęła. Najpierw jednak musimy usunąć Becky z tego równania. — Cissy cofnęła się, by podziwiać krzak róży. — Byron doskonale sobie poradzi, jeśli go przekonamy. Lepiej pracować z narzędziami, które się zna, niż zaczynać od zera, prawda? Przeniósł lojalność z twojej kuzynki na tę dziewczynę, kiedy Ella umarła, więc równie łatwo przeniesie ją teraz na ciebie. — Wrzuciła nożyce do wiadra z odciętymi różami. — Idę się umyć.

Liz stała na maleńkim podwórku i patrzyła za odchodzącą matką. *Mówi o sytuacji po śmierci Rebeki. Skoro mam być następną Opiekunką Grobów, to znaczy, że Rebeka umrze.* Początki lęku rozrosły się w pełnoobjawową panikę. *Co ona zrobiła? Tereso, gdzie jesteś?*

Liz twierdziła, że nie wierzy już w „zmysł bliźniaczy", ale w mieście, w którym zmarli mogli powracać — i wracali — wiara w szczególną więź z osobą, z którą przebywało się razem w brzuchu matki, nie była aż tak dziwna. *W tej chwili nie chcę w to wierzyć.* Gdyby uwierzyła, gdyby skupiła się na prawdziwej przyczynie swojego lęku, musiałaby zadać sobie pytanie, jak dalece jej matka jest zdolna popełnić morderstwo.

— Proszę, Terry, bądź cała i zdrowa — wyszeptała.

Byron wyłączył silnik koło przyczepy, podszedł do drzwi i zaczął wyważać zamek łomem.

Rebeka popatrzyła na niego speszona.

— Powinnam zapytać, gdzie się tego nauczyłeś?

— Od taty. — Lata temu Byron myślał, że te dziwaczne lekcje brały się z niefrasobliwości Williama i stanowiły dowód na to, że jako syn starszego ojca miał ciekawsze życie niż inne dzieci. W swoich fantazjach wyobrażał sobie nawet, że ojciec prowadzi jakieś tajemne życie — otwieranie drzwi wytrychem, odpalanie samochodu krótkim zwarciem i biegłość w strzelaniu z krótkiej broni były świetnym treningiem dla rzezimieszka. Byron uśmiechnął się na wspomnienie ojca, który w jego wyobraźni był złoczyńcą z komiksu, przygotowującym syna do niecnego fachu. *Nigdy bym się nie domyślił prawdy*. Teraz dopiero Byron odkrył prawdziwą naturę tego hobby — było przygotowaniem do życia, jakie przyszło mu wieść. *Tak, to zaiste rodzinny interes*.

Zamek wreszcie puścił i Byron przekręcił gałkę. Weszli razem z Rebeką do zakrwawionego wnętrza przyczepy.

Martwa dziewczyna siedziała na końcu sofy, tam, gdzie znaleziono zwłoki jej matki. Zachlapane krwią poduszki odwrócono na drugą stronę, a na siedzeniu sofy położono koc. Tam właśnie siedziała Daisha, z nogami opartymi o stolik.

Opuściła na kolana pofalowaną od wilgoci tanią powieść, którą czytała, i spojrzała na nich.

— Mogliście chociaż zapukać.

— Wiedziałaś, że przyszliśmy — powiedział Byron.

— Skradać się to ty nie umiesz, Grabarzu. — Daisha zagięła róg strony, na której przerwała lekturę, zamknęła książkę i odsunęła ją na bok.

Rebeka weszła dalej. Nie usiadła, lecz była na tyle blisko Daishy, że martwa dziewczyna w każdej chwili mogła ją capnąć bez żadnego wysiłku.

— Nie ma już Troya. Zabraliśmy go tam, gdzie trzeba — powiedziała Rebeka.

— Dzięki. — Daisha podniosła książkę z powrotem.

Stres pomieszany z wyczerpaniem doprowadziły Byrona do kresu wytrzymałości.

— Daisha!

Książka spadła, a Daisha z hukiem postawiła stopy na podłodze. Pochyliła się do przodu. Wrażenie, że jest normalną, choć może trochę dziwną nastolatką, zniknęło. Głos jej się obniżył do nieludzkiego, jakby wyładowanego żwirem, chrypienia.

— Nie będziesz mi tu na mnie wrzeszczał. — Patrzyła Byronowi prosto w oczy. — Troy nie był jeszcze w pełni świadomy. Nie zjadł tylu osób, ile potrzeba, a może nie te, które trzeba. A ja owszem.

Rebeka drgnęła.

— Te, które trze...

— Gail. Paul. To wszystko zmieniło. — Daisha rozłożyła ramiona. — Mówili do mnie, dostarczyli mi jedzenia i picia, którego mi było trzeba. Sama teraz jestem... po prostu inna.

Milcząc, Rebeka zbliżyła się do Daishy. Usiadła na skraju krzesła dostawionego pod kątem do sofy.

— Nie przyszliśmy się tu kłócić... ani na ciebie polować.

Wyczuwalne w pokoju napięcie jakby się zmniejszyło. Daisha odwróciła wzrok od Byrona i spojrzała na Rebekę.

— A więc czego chcecie?

Rebeka uśmiechnęła się do niej.

— Muszę znaleźć Cissy... Kobietę, która cię zabiła.

— Zabił mnie Troy.

— Ponieważ ona mu kazała — powiedziała Rebeka łagodnie. — Muszę ją znaleźć. Miałam nadzieję, że nas do niej zaprowadzisz, tam, gdzie cię przetrzymywała. — Mówiła spokojnie, tak samo jak do Troya, jakby to, co oboje z Daishą zrobili, nie było naganne. — Wyczuwam ciebie i innych zmarłych, więc mogę spróbować. Poszukać ich, o ile istnieją jeszcze jacyś...

— Istnieją — przerwała jej Daisha.

Wstała gwałtownie i poszła do kuchni. Wyszarpnęła jedną z szuflad, wysypała jej zawartość na blat i zaczęła przeszukiwać to, co wypadło. Klucze, ołówki i papiery spadły na podłogę i utknęły w zakrzepłej krwi. Daisha zrzuciła jeszcze więcej rzeczy, nim wreszcie znalazła to, czego szukała — mapę.

Byron patrzył, zafascynowany w dziwny, makabryczny sposób, jak martwa dziewczyna wchodzi w krew i roznosi ją po podłodze, wracając na sofę.

— Tutaj. — Daisha rozłożyła mapę i stuknęła palcem w obszar położony przy najdalszej granicy Claysville. — To było tutaj.

— Przecież Cissy tam nie mieszka — zauważył Byron.

— Wiem tylko tyle. — Daisha podeszła do drzwi i chwyciła za gałkę. — A teraz życzę wam miłego wieczoru.

— Daisha? — głos Rebeki przykuł uwagę obojga. — Moja ciotka zabija ludzi.

— Ja też.

— Owszem, ale ty robisz to z jej winy. — Rebeka podeszła bliżej i wzięła dziewczynę za rękę. — Nie zamierzam kłamać i mówić, że nie rusza mnie to, co zrobiłaś. Zabiłaś moją babcię...

Przez chwilę, gdy głos Rebeki zamarł, nikt się nie odzywał. Potem Daisha wyszeptała:

— Nie chciałam. Nie myślałam. Po prostu... — urwała. — A jednak to zrobiłam.

— Tak — zgodziła się Rebeka. — A teraz ty musisz mi pomóc.

Daisha przechyliła głowę.

— Dlaczego?

— Ponieważ nie wiem, gdzie jest Cissy, ponieważ ona zabiła już dwie osoby, które potem dopuściły się... tego. — Rebeka wskazała sofę, na której zginęła Gail. — To ona ci to zrobiła, a teraz ja potrzebuję twojej pomocy. Ty mnie ostrzegłaś przed Troyem, więc sądzę, że teraz też mi pomożesz? Pomożesz mi ją odnaleźć?

— I powstrzymać?

— Tak. — Usta Rebeki zacisnęły się w wąską linię, ale nie umknęła wzrokiem przed spojrzeniem dziewczyny.

Przez chwilę patrzyły tylko na siebie. Potem Byron pokazał na szarą ciężarówkę zaparkowaną obok przyczepy.

— Czyje to?

Daisha wyszczerzyła zęby w dzikim uśmiechu.

— Jednego faceta, którego zabiłam. Zdaje się, że go stąd zabraliście.

— Mogę odpalić ciężarówkę i pojedziemy we trójkę.

Obie, Rebeka i Daisha, odwróciły się i spojrzały na niego.

— Ja też mogę ją odpalić... i to bez zwierania kabli. — Daisha podniosła z ziemi kluczyki i rzuciła je Byronowi.

Kiedy szli do auta i zajmowali miejsca w środku, Byron miał nadzieję, że nie popełniają właśnie błędu, którego im przyjdzie żałować.

50

Większość drogi na obrzeża Claysville pokonywali w milczeniu. Radio ciężarówki zacięło się na jednej stacji, która puszczała głównie płomienne kazania, a jedyne płyty CD w pojeździe okazały się albumami z brzękliwą muzyką country. Daisha wyrzuciła je przez okno, wrzeszcząc triumfalnie:

— Pieprz się, Paul!

Rebeką targały sprzeczne uczucia — z jednej strony chciała chronić Daishę, a z drugiej czuła do niej gniew. Dziewczyna była ofiarą, a do Rebeki należało opiekować się zmarłymi. Nieistotne, czy byli to zmarli pochowani, Głodni Zmarli czy ci, którzy już zamieszkiwali krainę umarłych. Ona miała się o nich troszczyć, pilnować ich i, w razie potrzeby, odprowadzać na miejsce.

— Tędy — powiedziała martwa dziewczyna cichym szeptem. — I tutaj w prawo.

Rebeka nie wiedziała, czy w głosie Daishy wzbierał strach, czy gniew, ale ścisnęła ją za rękę.

— To, co zrobiła, było złe. Zapłaci za to.

Spojrzenie, jakie Daisha jej rzuciła, też było zbyt krótkie, by dało się je zinterpretować.

— Skręć tutaj.

Po drugiej stronie Rebeki Byron prowadził w milczeniu. Słuchał wskazówek Daishy, ale ich nie komentował, tak samo jak nie zareagował na uwagę Rebeki.

Rebeka wyczuła rękojeść noża ukrytego na udzie Byrona i zerknęła na rewolwer w kaburze, który podał jej, gdy wsiadali do ciężarówki. Nie czuła się nieswojo, trzymając go w ręce, ale już myśl, że mogłaby go użyć przeciwko własnej ciotce, mocno ją uwierała.

Nie mam wielkiego wyboru.

Byron zjechał z drogi, pod drzewa. Zważywszy na zalesiony teren i na porę dnia, byli dość dobrze zamaskowani.

Wysiadł z wozu i wyciągnął rękę.

— Mam latarkę.

— Ja widzę dobrze — mruknęła Daisha, stojąca tuż obok nich.

Rebeka zawahała się, nim przyznała:

— Ja też, ale jeśli tobie…

— Nie — w głosie Byrona słychać było napięcie. — Jakoś tego nie zauważyłem, kiedy ścigaliśmy Troya, ale… ja też dobrze widzę bez latarki.

Rebeka zerknęła na niego. Zdawało jej się, że oczy mu świecą odblaskowo, jak zwierzęciu, na które skierowano snop światła. Zwróciła się do Daishy.

— Czy jego oczy…

— Ty świecisz od stóp do głów, a jego oczy błyszczą w ten sam sposób. — Daisha pokręciła głową. — Nie wiem tylko, czy… żywi też to dostrzegają. Na cmentarzu nikt raczej nie widział tego, że świecisz, więc może to dotyczy tylko takich jak ja.

Rebeka skinęła głową, a potem zaczęła iść w kierunku domu. Tym razem nie czuła, by jakaś nić prowadziła ją do zmarłych. *Może już ich tu nie ma.* Zerknęła na Daishę. *A może ona jest tak blisko, że nie wyczuwam innych.*

Kiedy tak szli, Byron trzymał się na tyle blisko, że widać było, iż nie ufa martwej dziewczynie. Nic nie mówił, ale obserwował

Daishę z tak pilną uwagą, jaką poświęca się osobom niebezpiecznym lub głupim. Trudno go winić, stwierdziła Rebeka. Daisha szła z nimi, ale nie oznaczało to, że ją obłaskawili.

Kiedy już będzie po wszystkim, muszę ją nakłonić, żeby poszła do krainy umarłych — albo zabrać ją tam siłą.

Podeszli pod niewielki parterowy budynek. Okna były ciemne, a na podjeździe nie było żadnego pojazdu. Okna garażu również zaciemniono.

Gruba biała krecha biegła po ziemi przed drzwiami od garażu. Rebeka schyliła się, żeby jej dotknąć. Musnęła kreskę palcami, ale jej nie naruszyła.

— Nie! — Daisha złapała Rebekę za lewe ramię i odciągnęła ją od linii. — Odejdź.

Rebeka wyprostowała się i spojrzała na biały proszek na swym palcu. To nie była kreda. W proszku dało się wyczuć kryształki. Z palcem wskazującym w górze, odwróciła się w stronę Daishy, która puściła jej ramię i odskoczyła.

— To chyba sól — powiedział Byron. — Alicia wspomniała, że się przydaje na nich. — Poślinił palec i, schyliwszy się, zanurzył go w proszku. Spróbował i kiwnął głową. — Sól.

Rebeka odeszła na bok i poszła za linią. Biegła nieprzerwana przed garażem i z obu stron naokoło, a kończyła się niewielkim lśniącym kopczykiem.

Wróciwszy do Byrona i Daishy, powiedziała:

— Ciągnie się wokół garażu. Zatrzymuje coś w środku lub na zewnątrz.

— Ja nie mogę jej przekroczyć, ale — Daisha uśmiechnęła się tak niewinnie, że łatwo byłoby zapomnieć, że jest potworem — gdyby ktoś usunął mi ją z drogi, mogłabym wejść.

Zakładając, że linia miała powstrzymać zmarłych od wejścia do środka, Rebeka podeszła do drzwi i roztarła białą kreskę. Jeżeli w środku byli inni zmarli, musiała ich tam zatrzymać. *I zaprowadzić do domu.* Zmarszczyła brwi na myśl o zmarłych, Głodnych Zmarłych, którzy znaleźli się w pułapce, choć mieli szukać

Opiekunki Grobów — i o tym, że nie była w stanie ich wyczuć z powodu bariery, jaka położyła między nimi Cissy.

— Chodźmy. — Rebeka dotknęła lekko ramienia Daishy. Nie był to uścisk, w jakim nagle przyszła jej ochota zamknąć dziewczynę, ale dotyk.

Daisha rzuciła jej skonsternowane spojrzenie, a potem wzruszyła ramionami.

— Jasne. Umiesz otworzyć drzwi z tej strony, czy mam to zrobić od środka?

— Ja mogę otworzyć drzwi. — Byron przeszedł koło nich. Z wewnętrznej kieszeni kurtki wyjął płaskie etui z czarnej skóry, ale zanim je rozpiął, spojrzał na Rebekę i Daishę. — A tak z ciekawości, jak ty byś je otworzyła?

Daisha zniknęła. Powietrze w miejscu, w którym stała, straciło przejrzystość, jakby pas gęstej mgły zmaterializował się tylko tam.

— Daisha? — zawołała Rebeka.

Drzwi się otwarły i ukazały Daishę opartą o futrynę.

— Tak?

Byron zmarszczył brwi.

— Jak to zro...

Daisha wskazała na siebie.

— Martwa dziewczyna. — Potem pokazała na drzwi. — Nie ma uszczelki. — Zatrzepotała ręką. — Ziuuu. Jak wietrzyk. I jestem w środku.

— Ziuuu? — powtórzył Byron.

Daisha rozwiała się w mglisty kształt, a potem na powrót zestaliła.

— Ziuuu.

51

Stojąc na progu, Byron rzucił Daishy gniewne spojrzenie. Rebeka minęła ich i poszła w kierunku garażu. Otworzyła drzwi i zamarła, gdy pięć osób popatrzyło na nią idealnie w jednej chwili. Mężczyzna, na oko w wieku Maylene, siedział na gołym cemencie podłogi. Przy sobie miał laskę z drewnianą rączką. Obok znajdowała się para dwudziestolatków. Każde z tej trójki otoczone było kręgiem soli. Pod przeciwległą ścianą chłopiec, którego dopiero od niedawna można było nazywać nastolatkiem, przemierzał swój solny krąg wzdłuż obwodu. Piąta linia otaczała nieruchome ciało bez życia — Teresę, córkę Cissy.

Co ona zrobiła?

Rebeka wkroczyła do pomieszczenia. Patrząc na zebranych tu ludzi, zdała sobie sprawę, że tylko Teresę, która jeszcze się nie przebudziła, można było pochować i dać jej jedzenie, picie oraz słowa. Resztę należało odprowadzić do krainy umarłych. *Jak Troya. Jak Daishę.* Nie tak miało to wyglądać. Było to coś strasznego.

Nastolatek przebudził się chyba najwcześniej — wyraźnie chciał wyrwać się z pułapki. Para młodych ludzi wstała, gdy tylko Rebeka przeszła obok. Z rękami uniesionymi nad głową, jakby sięgali do uchwytów, opierali się na powietrzu, które tworzyło wokół nich barierę. Staruszek po prostu patrzył na Rebekę. Nie ruszał się, ale śledził ją wzrokiem.

— Beks?

Odwróciła się.

— To jej sprawka. To właśnie zrobiła Daishy i Troyowi.

Łzy spływały po policzkach Rebeki. Wyczuwała je poprzez obiektywną świadomość, że płacze. W obecności zmarłych, których nie zdołała ochronić, czuła się zagubiona. Wszyscy należeli do niej, a ona nawet nie wiedziała, że umarli.

Ponieważ Cissy ich zabiła.

— Nie pozwolimy, żeby zrobiła to jeszcze innym. — Byron stanął przy niej, patrząc na zmarłych. Nie przerażało go ich cierpienie, ale też nie był na nie obojętny.

— Muszę ich stąd wydostać. — Rebeka nie mogła ich dotknąć ani pocieszyć. *Nie tutaj*. Mogła ich jednak zabrać do krainy umarłych. Mogła przerwać każdy solny krąg i po kolei zaprowadzić ich tam, gdzie byliby znowu sobą. — Uwolnię ich. Mogę ich wziąć... ale nie Teresę. Ją trzeba pochować. Ty możesz się nią zająć, a...

— A kiedy Cissy wróci, zobaczy, że ją zdemaskowaliśmy. Myśl, Beks.

— Nie mogę ich tak zostawić. — Rebeka podeszła do ostatniego kręgu, w którym leżała jej kuzynka Teresa. — Teresa umarła niedawno. Zaopiekuję się jej grobem i nie będzie musiała cierpieć, nigdy się nawet nie dowie. A co do reszty... Muszę ich odprowadzić do domu.

— Jeszcze nie. — Byron stanął za nią. Nie dotykał jej, ale był na tyle blisko, żeby ją powstrzymać, gdyby próbowała wkroczyć do kręgów z soli.

Rebeka nie patrzyła jednak na niego, a na staruszka.

— Przebudził się niedawno. Być może uda się dać mu to, czego potrzebuje. Być może nie musi przechodzić przez tunel. Mogę go wziąć do domu, dać mu jeść i pić.

Byron położył jej rękę na ramieniu i obrócił ją twarzą do siebie.

— Jeżeli to zrobimy, Cissy ucieknie. Jeżeli zabierzesz ciało Teresy albo pana Sheckly'ego, Cissy się zorientuje. Czy mam rozumieć, że chcesz uratować tych dwoje kosztem następnych, których ona zacznie zabijać?

— Nie. — Rebeka z trudem opanowała się, by nie zaczynać kłótni, ale instynkt walczył w niej z logiką. Zmarli tkwili tu w pułapce, a ona po prostu musiała odprowadzić ich tam, gdzie było ich miejsce.

Byron powiedział stanowczo:

— Teraz jeszcze nie możemy ich uwolnić.

Skinęła głową i wzięła go za rękę, patrząc jednocześnie na nich. *Moi zmarli. Muszę ich chronić.* Kręgi z soli blokowały nici, które powinny przyciągać ją do nich oraz ich do niej, ale i tak ich odnalazła. Szepnęła:

— Jeszcze dziś pójdziecie do domu. To już prawie koniec.

Byron ścisnął jej rękę i razem przeszli do głównego budynku. Świadomość, że zmarli są tutaj — i cierpią — a ona nie może im pomóc, sprawiła, że Rebeka poczuła się chora na ciele. Z powodu soli nie wyczuwała ich przyciągania, lecz ich widok i własna bezradność bolały ją tak, że nie umiałaby tego nawet wyrazić. Musiała stąd wyjść, opuścić ten dom, oddalić się tak, żeby ich nie widzieć i nie ignorować logiki zawartej w słowach Byrona.

Spojrzała na niego i poprosiła:

— Zostaniesz z Daishą? Zaraz tu wrócę, ale muszę wyjść na minutkę.

— Czy ty chcesz…

— Zostań z nią, proszę — powiedziała błagalnym tonem, a później uciekła tylnymi drzwiami, zanim uległa pokusie by wrócić tam i rozgarnąć sól, która odbierała jej poczucie więzi ze zmarłymi.

52

Daisha usłyszała ten pojazd, gdy jeszcze był daleko. Grabarz, ze swoim słuchem żywego człowieka, nawet się nie domyślał, że Cissy nadjeżdża. Daisha za to usłyszała, jak gasi silnik i wiedziała, że się zbliża. Szła pieszo w kierunku domu, prawdopodobnie dlatego, że zobaczyła ich ciężarówkę.

— Słuchasz mnie? — zapytał Byron.

— Słucham. Rebeka wyszła na minutę, więc mam zostać z tobą — odpowiedziała Daisha. Rozważała i w końcu odrzuciła myśl, czy powiedzieć mu, że słyszy, jak Cissy zbliża się do domu. *Daj jej chwilę*. Rebeka nie wyszła na zewnątrz, aby spotkać się z Cissy, ale miała pełne prawo to zrobić. Tak jak zmarli zgromadzeni w garażu, jak Daisha, Troy i Maylene, Rebeka miała prawo do konfrontacji z potworem, który ukradł tak wiele tak wielu. *Ona jest Opiekunką Grobów*. Daisha postanowiła, że da Rebece szansę na rozmowę z tą kobietą, a potem wyjdzie z domu i zrobi to, po co tu przyszła.

Daisha próbowała zachować kamienną twarz, aby nie zdradzić się z tym, że słyszy coś na zewnątrz i dać Cissy podejść. *Dać Opiekunce Grobów trochę czasu*. Ten Grabarz nie był wcale taki zły. Nie mogła go obwiniać za to, jak na nią reagował. Do jego obowiązków należała troska o tych, którzy naprawdę umarli, i tych, co ich opłakiwali. *W przeciwieństwie do Rebeki*. Opiekunka Grobów zajmowała się i tymi, którzy naprawdę umarli, i Głodnymi Zmarłymi.

Byron popatrzył na nią zmrużonymi oczami.

— Co jest?

— Nic. Żałuję, że Rebeka musiała to zobaczyć. — Daisha machnęła ręką w stronę garażu. — Ta kobieta jest okrutna i przykro mi, że zraniła Rebekę.

Byron spojrzał na nią zdziwiony.

— Dlaczego?

— Dba o zmarłych. Jak ta przed nią. Ona by nas obroniła przed tą kobietą. Przed tobą. Przed wszystkim.

— Nie ufam ci — powiedział. — Kiedy to się skończy, musisz pójść do krainy…

— A, o tym to już nie ty decydujesz, Grabarzu.

— Becky! — Cissy wciąż trzymała rękę w torebce, ale podniosła wzrok na Rebekę. — Cóż za miła niespodzianka. Przyszłaś może powiedzieć, że postanowiłaś oddać mi mój spadek? Że zostawisz dom i wszystko inne prawowitym spadkobierczyniom?

— Nie. — Rebeka podeszła bliżej. — Jak mogłaś to zrobić? Swojej własnej córce i matce… Zabiłaś je.

Cissy wyjęła z torebki czarny półautomatyczny pistolet.

— Myślisz, że powrócisz odmieniona? Zastanawiałam się, co by było, gdyby jakaś Opiekunka Grobów stała się jedną z Głodnych Zmarłych.

Rebeka zamarła na chwilę. Miała jeszcze nadzieję, że istnieje jakieś wytłumaczenie, jakieś fakty, które złagodziłyby ohydę postępków Cissy.

— Dlaczego?

— Opiekunką Grobów ma być kobieta z rodziny Barrow. Ty do niej nie należysz. — Cissy wycelowała w nią broń. — Nie jesteś częścią mojej rodziny, a jednak zostałaś kolejną Opiekunką Grobów.

— Chcesz mnie zabić, ponieważ nie jestem biologiczną córką Jimmy'ego? — Rebeka gapiła się na nią z otwartymi ustami. — Czy Ellę też byś zabiła?

— Ella sama się tym zajęła. — Ramię Cissy ani drgnęło. — Ja powinnam być następna po matce. Ale ona zadecydowała, że się nie nadaję, że nie radzę sobie ze zmarłymi. No to popatrz na nich.

— Wcale sobie z nimi nie poradziłaś. Ty ich wykorzystałaś.

Cissy prychnęła.

— Nie są już ludźmi, więc co za różnica?

Rebeka zdawała sobie sprawę, że nie da rady prześcignąć kuli. Nie wiedziała, w jaki sposób ma wybrać następną Opiekunkę Grobów. Jedyne, co wiedziała na pewno, to że nie powinna nią być Cissy.

Czy wystarczy zrobić to w myślach?

Przychodziła jej do głowy tylko jedna osoba — Amity Blue. Wyszeptała jej imię, na wypadek, gdyby trzeba było je wymówić.

— Amity Blue. Amity Blue będzie następną Opiekunką Grobów, jeżeli przyjdzie mi tu zginąć.

— Co tam mamroczesz? — Cissy zrobiła krok do przodu.

Amity Blue. Chcę, żeby Amity Blue przejęła moje obowiązki.

— Becky? Zadałam ci pytanie. — Cissy wycelowała broń w nogę Rebeki.

— Nigdy nie zostaniesz Opiekunką Grobów — przysięgła Rebeka.

Cissy pociągnęła za spust.

Nie było żadnego charakterystycznego dźwięku, Rebeka nie zobaczyła strzału ani nawet nie zarejestrowała tego, że nastąpił. Po prostu padła. Poczuła, jakby w nodze wiercił jej rozżarzony pogrzebacz. Położyła rękę na udzie, nadaremnie próbując powstrzymać krwawienie. Krew przesączyła się naokoło jej palców.

— Próbowałam rozmawiać z mamą, ale — Cissy przykucnęła obok Rebeki — ona widziała tylko ciebie. Rebeka. Ukochana Rebeka. Po tym, jak uciekłyście z matką, myślałam, że mama wybierze mnie albo którąś z dziewcząt... ale wiesz, co mi powiedziała?

Rebeka położyła drugą rękę na nodze, ściągając brzegi rany. Bolało tak, że świat zamazał jej się przed oczami. Dwukrotnie przełknęła ślinę, zanim była w stanie wykrztusić:

— Co?

— Że nawet gdybyś umarła, nie złożyłaby tego ciężaru na barkach moich dziewczyn. — Cissy wstała. Ponownie wyciągnęła rękę, w której trzymała broń. Lufa otarła się o policzek Rebeki. — Rozumiem, że składanie tego ciężaru na tobie było w porządku. Może jednak wcale cię nie kochała, Becky.

Rebeka chciała chwycić za pistolet, ale Cissy szybko go porwała.

— Nie jestem morderczynią, Becky — powiedziała. — Zabiłam raz, ale teraz po prostu każę im zabijać siebie nawzajem. Nie zamierzam stawać przed swoim Stwórcą, mając na sumieniu takie grzechy.

— I tak je masz na sumieniu — mruknęła Rebeka, niezupełnie zdając sobie sprawę, że Cissy na nią patrzy.

Usiłowała zdjąć koszulę. Każdy ruch sprawiał jej ból, o wiele gorszy niż ten od kuli, która drasnęła ją w krainie umarłych. *Dwa pociski w dwa dni.* Przełknęła raz jeszcze i poczuła gorzki smak w ustach. Wtedy dotarło do niej, że przygryzła sobie wargę do krwi. *Nic już z niej nie zostanie.* Mrugając z bólu, okręciła koszulę wokół nogi. Było to prymitywne rozwiązanie, ale miała nadzieję, że zatamuje krwotok.

— Nie. „Grzechy umarłych obciążają Opiekunkę Grobów, bo gdyby wypełniła swój obowiązek, umarli nie mogliby swobodnie szkodzić ludziom". Czytałam te dzienniki dawno temu, a kiedy mama umarła, zabrałam je. Skoro nie masz zapisków mamy, chciałam, żebyś poznała tę część. A jeśli chodzi o te śmierci, to wszystko, co się zdarzyło, odkąd mama nie żyje, obciąża twoje sumienie. Jak to się wspaniale składa, że zakończysz życie tak splamiona.

Rebeka spojrzała w górę. Nawet przez mgłę, jaką otulał ją ból, szarpnięcie w piersi dało jej znać, że ktoś, że jakiś Głodny Zmarły znajduje się w pobliżu.

W drzwiach stała Daisha. Patrzyła na obie kobiety, ale Rebeka nie widziała jej miny. Nie chciała do niej wołać, żeby nie ostrzec Cissy. Zerknęła znowu na kamienną twarz Daishy. *Czy ją ciągnie do krwi? Czy zabije mnie, tak jak zabiła Maylene?*

Daisha zniknęła.

Cissy skoczyła na równe nogi i na wpół pociągnęła, na wpół powlokła Rebekę w kierunku domu. — Nie zamierzałam ich jeszcze karmić, ale plany się zmieniły. Gdy umrzesz, Liz zostanie kolejną Opiekunką Grobów. Została już tylko ona. Teresa będzie mocna i trzeźwo myśląca.

Cissy otworzyła drzwi i wepchnęła Rebekę do budynku.

— Dlaczego? — powtórzyła Rebeka. — Zabiłaś własną córkę.

— Teresa zrozumiała. Będzie moją wojowniczką na tym świecie, a Liz będzie mnie zabierać na tamten. — Uśmiech Cissy był uśmiechem fanatyczki, kobiety, dla której wiara była wszystkim. Taka odmiana gorliwości była czymś przerażającym. — Tamte w ogóle nie myślały. Przez wszystkie te lata pracowały dla niego — jako służące Pana S... Czytałam o tym, kiedy byłam młodsza. Godzinami zaczytywałam się w tych księgach. Służymy mu, a co dostajemy w zamian?

Rozdarta pomiędzy bólem i własnymi wątpliwościami,

Rebeka nie miała żadnej odpowiedzi na to pytanie, ale też Cissy na nią nie czekała. Ciągnęła dalej:

— Taka potęga. Dwa światy, Becky. A jednak tkwimy tutaj, uwięzione na kilku akrach ziemi. On ma do dyspozycji cały świat. Po kolei kobiety są jego służącymi. Kobiety Barrowów. Umierałyśmy, bo taka była jego decyzja. Ale dość tego. Nie zamierzam być służącą jakiegoś umarlaka.

— Ty nie jesteś Opiekunką Grobów — Rebeka zmusiła słowa, by przebiły się przez ból. Oparła się o ścianę i próbowała patrzeć na ciotkę, ale jej oczy straciły ostrość widzenia. Chęć, aby je zamknąć, walczyła z lękiem, że gdy raz to zrobi, nie będzie w stanie otworzyć ich z powrotem.

Daisha zjawiła się na nowo za nimi i powiedziała:

— Witam, pani Barrow.

Cissy odwróciła się.

— Co ty tutaj robisz?

Daisha pociągnęła nosem.

— Znalazłam Opiekunkę Grobów. To właśnie miałam za zadanie. Tyle pamiętam... no i mam ją.

— Nie chcę cię widzieć w swoim domu. — Cissy nie cofnęła się, ale w jej postawie było widać napięcie. Próbowała ukradkowo rozejrzeć się po kuchni. — Jak się tu dostałaś?

— Nie ma już bariery wokół domu. Przeciągnęła ją pani po niej — powiedziała Daisha rzeczowo.

Rebeka zamrugała oczami. Nie była pewna, kto stanowi teraz większe zagrożenie — jej ciotka, wymachująca pistoletem, czy martwa dziewczyna, która zamordowała Maylene. Z dwojga złego, wolałaby jednak pokładać wiarę w zmarłej. Zrobiła krok w stronę Daishy i potknęła się. Oczy same jej się zamknęły.

— Ty... — zaczęła.

Nim zdążyła zmusić się do otwarcia oczu, Daisha podeszła i uniosła Rebekę w ramionach. Trzymała ją w górze, jakby Rebeka była małym dzieckiem.

— Czy ona jest dla mnie?

— Zamierzałam oddać ją tamtym, ale — Cissy cofnęła się — możesz ją sobie wziąć. Wydajesz się przytomna. To konsekwencja jedzenia. Wolę, żeby tamci jeszcze nie byli pobudzeni.

Naraz otwarły się drzwi od garażu i Byron przestąpił linię soli, oddzielającą garaż od domu. Zostawił otwarte drzwi. Zmarli nie byli już uwięzieni w solnych kręgach, lecz stali, czekając, po drugiej stronie linii na progu. Byron był zakrwawiony, lecz wciąż trzymał się na nogach.

Oczy Cissy rozszerzyły się.

— Coś ty zrobił?

Byron nie zaszczycił jej jednym spojrzeniem. Podszedł do Daishy.

— Jesteś pewna?

— Zabierz ją stąd. — Podała mu Rebekę. Gdy tylko wypuściła ją z rąk, złapała Cissy. Jej ruchy były tak szybkie, że praktycznie zrobiła to jednocześnie.

Byron wszedł do salonu i złożył Rebekę na sofie. Podniósł przezroczysty pojemnik z plastiku, w jakim zwykle trzyma się płatki lub ryż, i rozsypał jego zawartość na progu między salonem a kuchnią.

— Daisha! — Rebeka podniosła się z trudem.

Byron podszedł i powstrzymał ją.

— Nie. Ona jeszcze zostaje na jakiś czas.

— Nie możesz... Ona mi pomogła. — Rzuciła się, by wstać.

— To jej wybór. Za moment ją wypuszczę. Zaufaj mi.

Kiedy skinęła głową, przekroczył linię z soli i wszedł do kuchni.

— Możemy to zrobić inaczej — powiedział.

— Taka jest cena za moją pomoc, Grabarzu — odparła Daisha.

Rebeka patrzyła, jak Daisha kiwa głową w kierunku soli, która uniemożliwiała reszcie zmarłych wejście do kuchni, i rozkazuje:

— Usuń to.

— Montgomery! Nie słuchaj jej. — W głosie Cissy brzmiało przerażenie, ale jej obecny lęk nie mógł odwrócić żadnej z okropnych rzeczy, których się dopuściła.

— Byron? — zawołała Rebeka. Zerknął na nią, a wtedy powiedziała cicho: — Zrób, o co cię prosi Daisha.

Zawahał się na chwilę. Potem, nie spuszczając z niej wzroku, przesunął stopą po linii, usuwając solną barierę, przez co wpuścił pozostałą czwórkę Głodnych Zmarłych do kuchni.

Kiedy to zrobił, Daisha pchnęła Cissy ku zmarłym, zaś sama stanęła między nimi a Byronem.

— Uciekaj.

Nie tracił czasu; wbiegł do salonu. Nachylił się, by podnieść Rebekę z sofy, ale ona zatrzymała go gestem ręki i zerknęła w stronę kuchni.

— Jeszcze nie. Muszę — spojrzała na niego z wysiłkiem — być świadkiem.

— Nieprawda. — Oderwał spojrzenie od jej oczu i popatrzył na ranę w jej nodze. — Zostałaś postrzelona. Zaniosę cię do ciężarówki, a potem…

— Jeszcze nie — powtórzyła. — Ominęła go wzrokiem i ponownie zajrzała do kuchni, gdzie zmarli pożerali krzyczącą i błagającą o litość Cissy. — Muszę tu być.

Jeżeli właśnie skazali kogoś na stracenie, nie dało się uciec przed tą śmiercią. Jej widok i piskliwe wrzaski, rozbrzmiewające, gdy zmarli wyrywali sobie Cissy z rąk, nie należały do doświadczeń, które łatwo wymazać z pamięci, a jednak Rebeka patrzyła.

To była sprawiedliwość — umarli zasłużyli na zadośćuczynienie.

54

Zajęło to raptem kilka minut. Już po wszystkim Daisha zawołała:

— Grabarzu?

Leżąca na sofie Rebeka zamknęła oczy. Należało opatrzyć jej ranę, ale Daisha nie wiedziała, jak pomóc Opiekunce Grobów.

Wiedziała tylko, że musi zrobić, co w jej mocy, aby Rebeka otrzymała fachową pomoc, przeżyła i wyzdrowiała.

— Wypuść mnie stąd, to zabierzemy ją do lekarza. — Daisha wskazała linię z soli.

Milcząc, Byron chwycił pojemnik, który przyniósł ze sobą do salonu. Trzymając go w pogotowiu, powiedział: — Na trzy. Raz, dwa — roztarł solną linię — trzy.

Daisha rzuciła się naprzód, a Byron natychmiast uzupełnił wyrwę, zanim pozostali zmarli zdążyli ją przekroczyć.

Popatrzył jej w oczy i oznajmił:

— Być może Rebeka zapomniała, że jesteś potworem, ale ja o tym pamiętam. I tak jesteś martwa, nawet jeśli nie przypominasz tamtych — mruknął, machając ręką w stronę kuchni. — Jesteś morderczynią.

— Owszem, ale ona musi nam wybaczyć. Dlatego, że jest, kim jest. — Daisha zniżyła głos. — A ty… Od ciebie chyba nikt nie oczekuje przebaczenia.

— W dupie mam to, czego ktoś ode mnie oczekuje! — wycedził przez zęby.

Daisha uśmiechnęła się szeroko.

— Taa? Ja też… bo chyba nie powinnam chcieć wam pomagać, a jednak to robię.

Byron otworzył usta, ale nic nie powiedział.

— Pomóż jej wstać, Grabarzu. Mamy tu paru umarlaków, których należy zaprowadzić do tej czeluści pod twoim domem. — Daisha zmarszczyła brwi i odeszła. Rozejrzała się po łazience, w której było niewiele rzeczy, i porwała ogromny ręcznik. Podarła go na strzępy, wracając do pokoju. Podała zaimprowizowany bandaż Byronowi:

— Proszę.

Nic nie mówił, przyjmując go i obwiązując delikatnie nogę Rebeki. Ona jednak złapała Daishę za rękę.

— Dziękuję — powiedziała.

Daishy zabrakło słów, więc tylko skinęła głową i obserwowała

Grabarza. Po chwili zorientowała się, że wciąż trzyma Opiekunkę Grobów za rękę, więc szybko ją puściła.

— Pomożesz mi jeszcze przez kilka minut? — spytała Rebeka.

— No.

— Przede wszystkim muszę odprowadzić ich w bezpieczne miejsce.

Rebeka wskazała na kuchnię, w której czekali zmarli. Patrzyli na nią tak, jak lwy w zoo patrzą na małe dzieci — jakby były mięsem, które chciałyby zjeść, gdyby tylko dano im taką możliwość. Wyjątkiem był starszy pan. On jeden nie brał też udziału w ataku na Cissy.

— Beks, ty musisz iść do doktora.

Opiekunka Grobów zwróciła spojrzenie na Grabarza.

— I pójdę, kiedy już zaprowadzę ich do domu.

Dwoje żyjących patrzyło na siebie, jakby siłowali się na wolę. Daisha postanowiła nie tracić czasu.

— Mogę podprowadzić jedno z nich do bariery — powiedziała.

— Nie — westchnął Byron. — Ty nie możesz przekroczyć linii, a ja nie zamierzam jej ciągle otwierać. Skończmy z tym wreszcie, skoro masz nam pomagać. Ja mogę tam wejść i złapać któregoś.

— Jak tam wejdziesz, zjedzą cię żywcem. — Daisha rzuciła mu szybkie spojrzenie, a potem popatrzyła na Rebekę. — Tobie zaufam, że mnie tam nie zamkniesz, jeśli obiecasz, że tego nie zrobisz.

— Nie zamknę — obiecała Rebeka.

— A więc on — Daisha spojrzała na Byrona — może mnie tam przenieść, a ja podprowadzę jedno z nich do ściany. Macie na tyle soli, żeby uzupełniać linię. Pamiętaj, ufam ci.

Grabarz wydął wargi, ale Daisha wiedziała, że jej plan jest lepszy. Byron usunął sól na moment, tak by zdążyła się wślizgnąć do środka. Kiedy już była w kuchni, złapała martwą kobietę. Byron wstrzyknął jej coś, co wyglądało na roztwór soli, a ona stała się wiotka. Daisha podtrzymywała kobietę, a Byron podszedł do sofy, podniósł Rebekę i zaniósł ją do drzwi.

Ostrożnie wyprowadzili z kuchni kobietę, która teraz unosiła się w powietrzu, i we czwórkę poszli do ciężarówki.

W milczeniu jechali do zakładu pogrzebowego. Kiedy Byron zaparkował samochód, wniósł Rebekę do budynku. Martwa kobieta poszybowała za nią.

Daisha nie chciała nawet wejść do środka. Czekała, aż wrócą, na zewnątrz.

Wrócili wkrótce potem. Opiekunka Grobów utykała, lecz szła samodzielnie.

— Co się stało? — zapytała Daisha.

Byron nie odpowiadał, ale Rebeka wyjaśniła spokojnie:

— Rana się goi.

Daisha wolała już nie drążyć tego tematu, więc skinęła głową i weszła na powrót do ciężarówki.

Powtarzali cały ten proces, aż wszyscy zmarli zostali doprowadzeni do otchłani. Za każdym razem rana Rebeki coraz bardziej się zasklepiała.

Kiedy wrócili do domu pogrzebowego z ostatnim z Głodnych Zmarłych, Byron wszedł do środka. Rebeka została na zewnątrz, wciąż trzymając martwego mężczyznę za rękę. Opiekunka Grobów milczała, a Daisha nie miała ochoty przyspieszać nieuniknionej konfrontacji.

Stali tak razem w ciszy. Reszta miasta pogrążona była we śnie i w niewiedzy. Nie mieli pojęcia o istnieniu Daishy, o tym, że została zamordowana przez martwego mężczyznę i że sama mordowała ludzi. Odwracali wzrok, kiedy wyrywała mięso z żywych ciał.

I mogłoby już tak zostać. Ja mogłabym tu zostać, gdyby mi pozwoliła.

Daisha skrzyżowała ręce na piersi, jakby mogło to powstrzymać dreszcze, które ją ogarniały. Nie patrzyła na Rebekę, ale też nie znikała. Rebeka była samotna, wykończona i — ufna.

Tak jak Maylene.

— Wiesz dobrze, że ty też musisz tam pójść — wyszeptała Rebeka.

Daisha nie odpowiedziała. Jakaś głupiutka cząstka jej umysłu miała nadzieję, że Rebeka pozwoli jej jednak zostać albo że znajdzie inne rozwiązanie jej problemu. To nie miało sensu, ale czy miał sens fakt, że jest martwa, a wciąż tu się plącze?

— Gdybyś nie wiedziała, że już czas, odeszłabyś, kiedy przeprowadzałam pozostałych. Mogłaś to zrobić, wiem, a jednak — Rebeka uśmiechnęła się do niej bardzo zmęczonym uśmiechem — zaczekałaś.

Daisha uciekła wzrokiem.

— To nie fair. Chciałam żyć, a teraz, gdy znów jestem sobą... Nie chcę zabijać ludzi, ale nie chcę też umierać.

Rebeka dotknęła łagodnie jej ramienia.

— Tamten świat jest piękny... Chciałabym... Nie jestem pewna, co zrobiłabym na twoim miejscu, ale wiem, że bardzo chcę tam pójść. Chcę tam zostać.

Nie słowa jako takie, ale wahanie w głosie Rebeki sprawiło, że Daisha na nią spojrzała.

Rebeka uśmiechnęła się do niej leciutko.

— Jeszcze nie mogę tam zostać, choć bardzo bym chciała. Ale ty możesz. Czas tam nie funkcjonuje, nie ma przeszłości ani teraźniejszości. Wszystkie lata współistnieją jednocześnie. Tutejsze jedzenie nie umywa się do jedzenia tam. Nie wiem dlaczego, ale przysięgam, że to, co tam widziałam, nie jest światem, przed którym należałoby uciekać.

— Będę martwa — powiedziała Daisha.

Rebeka uśmiechnęła się łagodnie.

— Ty już jesteś martwa.

— Boję się. — Kiedy Rebeka na nią patrzyła, Daisha nie czuła się aż takim potworem, ale równocześnie nie chciała przeminąć. Myśl, że pójdzie do Nieba lub Piekła, czy co tam mieli w tej otchłani, wcale jej nie pocieszała.

— Wiem. — Rebeka podeszła bliżej i wyciągnęła do niej rękę. — Ja też wolałabym, żebyś żyła, ale nic na to nie poradzę. Mogę cię natomiast zaprowadzić do świata, który jest podobny do tego, ale w którym nie będziesz skazana na żywienie się ludzkim ciałem i krwią.

Milcząc, Daisha wzięła Rebekę za rękę i razem zeszły na dół. W składziku czekał już na nie Byron z martwym mężczyzną. Jedną z szafek odsunięto na bok, i jasny tunel otwierał się przed nimi.

Daisha była przerażona.

— Jak to zrobimy, mając ich dwoje naraz? — zapytał Byron.

— Wprowadź nas do środka — odparła Rebeka. — Ja ich przytrzymam, a ty nas poprowadzisz.

Daisha ścisnęła mocniej rękę Rebeki.

— Skoro on nie jest pewien, to po co mamy wchodzić?

Uśmiech Rebeki złagodził niepokój Daishy.

— On martwi się o mnie. Zazwyczaj trzyma mnie za rękę, kiedy tam idziemy, ale wszystko będzie dobrze. Ty idziesz tam, gdzie powinnaś, a ja... — obejrzała się przelotnie na Grabarza — ... też.

Wzięła za rękę staruszka. Mężczyzna wyglądał na zagubionego, lecz nie stawiał oporu.

Rebeka ogarnęła ich wszystkich wzrokiem i powiedziała:

— Zaufajcie mi.

— Ufam ci, ale myślę, że powinnyśmy też zaufać twojemu Grabarzowi. — Daisha puściła dłoń Rebeki. Potem chwyciła za splecione ręce staruszka i Opiekunki Grobów, tak że i ona, i martwy mężczyzna trzymali się Rebeki.

Z westchnieniem ulgi Grabarz wszedł do tunelu. Zdjął ze ściany pochodnię, a potem sięgnął po wolną rękę Rebeki.

— Chodźmy.

Opiekunka Grobów podała mu dłoń i wszyscy razem weszli do tunelu.

55

Głosy umarłych szeptały pocieszające słowa do Rebeki, gdy zdążała do ich krainy. Staruszek wyciągnął ramię na bok, więc Daisha mogła iść z tyłu pomiędzy nim a Rebeką.

Jutro będzie już cieszyć się swoim nowym... życiem. Czy można to nazwać życiem, kiedy jest się martwą?

Słowa jednak nie miały znaczenia. Najważniejsze, że wszystko zmierzało ku szczęśliwemu zakończeniu. Rebeka prowadziła Głodnych Zmarłych tam, gdzie było ich miejsce, a potem będzie już mogła zająć się grobami zmarłych mieszkańców Claysville. Da im jedzenie, picie i słowa. Zadba o ich miejsce spoczynku, żeby już nie musieli się budzić. Jej miasto było bezpieczne.

Wyszli z tunelu wprost do krainy umarłych. Tym razem Charles już na nich czekał.

Nie na nas — na mnie.

Byron skierował spojrzenie w bok, więc Rebeka domyśliła się, że jest tam również Alicia.

I starszy pan, i Daisha puścili jej rękę. Rebeka w panice próbowała złapać Daishę z powrotem, ale dziewczyna się odsunęła. Nie zniknęła jednak tak jak Troy.

— Poznałaś ją, kiedy już nie żyła — wyjaśnił Charles — więc nie jest twoją zmarłą.

Daisha stanęła przed Rebeką, jakby ją chciała bronić.

— Co to za stary facet?

— Moje dziecko, jestem Pan S, i będę wdzięczny, jeśli nie będziesz nazywać mnie starym. — Charles wycelował w jej stronę laskę z ciemnego drewna.

Staruszek ukłonił się Rebece.

— Uprzejmie dziękuję za towarzystwo, panno Barrow — powiedział i oddalił się, krocząc pewnie i żwawo, jakby nagle ubyło mu lat.

— A co z Daishą? — spytała Rebeka.

Patrząc surowo na dziewczynę, która stała między nimi, Charles powiedział:

— Domyślam się, że da sobie radę, ale, o ile odczytuję poprawnie znaczenie obecności starszej panny Barrow — zerknął na miejsce, w którym zapewne stała niewidzialna dla Rebeki Alicia — będą próby zaangażowania jej w nieprzyjemne przedsięwzięcia osób, które lubią się ze mną droczyć.

Daisha uśmiechnęła się szeroko w odpowiedzi na słowa, których Rebeka nie słyszała.

— Taa?

Znienacka uścisnęła Rebekę i, kiedy była przytulona, szepnęła jej do ucha:

— Dziękuję.

Rebeka nie puściła jej od razu.

— Będziesz uważać?

— Będę tu, kiedy wrócisz. Możesz mnie sprawdzić, jeśli zechcesz — odparła dziewczyna.

— Alicia i ja mamy do omówienia pewne sprawy — powiedział Byron. — Możemy oprowadzić Daishę i…

— Muszę porozmawiać z Charlesem — przerwała mu Rebeka. — Jest mi winien parę wyjaśnień.

— Cóż, w takim razie… — Charles położył dłoń Rebeki na swoim ramieniu zgiętym w łokciu. Laską wskazał niewielki drewniany budynek, stojący tuż obok. — Będziemy w kawiarni.

Byron popatrzył mu w oczy.

— Tylko tym razem nie daj jej postrzelić.

Charles nie uciekł spojrzeniem.

— Tamci panowie zrozumieli już niewłaściwość swojego postępowania.

Byron zerknął na Rebekę, a kiedy skinęła głową, odszedł z Daishą — i przypuszczalnie również z Alicią.

Rebeka poszła za Charlesem po pomoście z desek, przywodzącym na myśl miasto Dzikiego Zachodu. Stąpając, wzbudzała głuche echo.

— Nie ma tu drzwi wahadłowych?

Charles uniósł jedną brew.

— To już byłoby przesadą, nie uważasz?

Wbrew sobie, roześmiała się.

— Ciebie nie da się nigdy zaskoczyć, co?

Zamiast odpowiedzieć, Charles otworzył toporne drzwi z desek i odsunął się, by wpuścić ją do środka. Wewnątrz nie było nikogo. Proste stoliki rozlokowano na chybił trafił w całym pomieszczeniu. Na wprost wejścia, pod przeciwległą ścianą, znajdowała się mała scena, z pianinem i ławką. Grube, lecz wyświechtane aksamitne kotary w kolorze ciemnego błękitu rozsunięto na boki przed sceną.

Charles odsunął krzesło od stołu, na którym znajdował się już, niepasujący zupełnie do lokalu, srebrny serwis do herbaty. Obok stała taca z kanapkami i ciastkami. Po obu stronach stołu leżały zwinięte serwetki z lnu. Mimo iż nie przystawały do otoczenia, herbata i jedzenie wyglądały smakowicie.

Tego mi właśnie trzeba.

Ulga, jaką Rebece przyniosło schronienie się w ciemnawym budynku, była niespodziewana, ale nie podlegała dyskusji. Z kolei nagłą ochotę do płaczu można było przewidzieć. Rebeka nie wiedziała, czy płacze z wyczerpania, ze smutku, czy właśnie z ulgi, ale po prostu nie mogła się powstrzymać.

Charles nie zwrócił uwagi na łzy, które płynęły jej po policzkach, kiedy rozlewał herbatę do filiżanek.

— Pytałaś o imiona. Kiedy ktoś pozna moje imię, wkrótce je zapomina. Słowo to nie zostaje na długo w pamięci śmiertelników. — Oparł się i spojrzał na nią. — Zresztą ani moje imię, ani nazwa tego miejsca. Nie można nas uniknąć. Prędzej czy później, każdy musi „zatańczyć z Panem S", ale niektórzy śmiertelnicy — tacy jak ty — już są częściowo zakochani w śmierci. Chodzi o to, kim jesteś. Nie utrudnię ci tego, zdradzając fakty, o których nie musisz wiedzieć. Zapytaj mnie jeszcze raz, kiedy umrzesz. Wtedy powiem ci wszystko, cokolwiek, nic.

Rebeka zastanowiła się, czy warto zaprzeczać jakoby zakochała się w śmierci. Stwierdziwszy, że nie, powiedziała tylko:

— Rozumiem, że nie poznam twojego prawdziwego imienia?

— Lubię, gdy nazywają mnie Charles. — Wziął ją za rękę.

Nie wyrywała się.

— Ile z tego wiedziałeś? Daisha? Cissy? Zamordowanie Maylene? A co z Alicią?

— Znam umarłych, kiedy wymykają się spod mojej kontroli, i wówczas, gdy podlegają mojej władzy. Wiedziałem, że Daisha umarła i że się przebudziła.

— Ale Cissy...

— Nie umarła. Nie miałem wglądu w to, co robiła. — Odwrócił rękę Rebeki i wpatrywał się we wnętrze jej dłoni, jakby chciał odczytać z niej jakiś sekret.

— Wiedziałem o śmierci Maylene przed tobą, ale to dlatego, że wiem o każdej śmierci, a nie dlatego, że mógłbym jej zapobiec. Kochałem ją, tak jak kocham ciebie, tak jak kochałem Alicię i wszystkie inne Opiekunki Grobów. Jesteście moje. — Głos miał łagodny, ale płomiennym spojrzeniem wytrącał Rebekę z równowagi. — Opiekujecie się moimi dziećmi. Dbacie o nie i sprowadzacie je do domu, gdzie są bezpieczne.

— Twoje dzieci zjadają ludzi. — Wzdrygnęła się. Tutaj, przy nim, jej sympatia do zmarłych ulegała osłabieniu. Tu odczuwała wyraźnie grozę tego, co zrobili.

— Tylko wtedy, gdy się o nie nie dba — zauważył. — Ty je tu sprowadziłaś z powrotem. Daisha mogła opuścić miasto. Była wystarczająco silna, a jednak ją powstrzymałaś.

— Czy to oznacza, że będziesz mnie traktował jak matkę zastępczą każdego zmarłego? Mamuśkę watahy umarłych? — Wstała i odeszła od stołu na parę kroków.

— Nikt tego dotąd tak nie określił, ale — uśmiechnął się błogo — owszem, to dość dobra odpowiedź. Opiekunki Grobów są świętością. I tu, i tam jesteście ważniejsze niż wszyscy inni. Dla mnie i dla naszych licznych dzieci.

— A więc te kulki za pierwszym razem były prezentem na Dzień Matki? To uderzenie, rozrywające skórę na strzępy, było uściskiem? — Rebeka zmierzyła go gniewnym wzrokiem. — Nie wydaje mi się.

— Przyznaję, trafiają się niesforne dzieci. Zadbasz jednak o nie, a ja zrobię wszystko, co w mojej mocy, żeby zadbać o ciebie. — Uśmiechnął się krzywo, a potem wyciągnął w jej stronę talerzyk z miniaturowymi kanapkami.

— To wszystko jest kompletnie popieprzone — mruknęła.

Zajęła jednak z powrotem swoje miejsce naprzeciwko Charlesa. Podnosząc kanapkę do ust, wyglądał na zadowolonego.

— A co z Alicią? — spytała.

Ręka trzymająca kanapkę zawahała się niemal niezauważalnie, nim Charles odpowiedział:

— Zmarła pani Barrow jest nieustannym utrapieniem.

— I?

— I nic. Nie mam ochoty mówić nic więcej. — Odgryzł kęs kanapki.

Przez krótką chwilę Charles myślał, że Rebeka przyjęła jego wyjaśnienia, lecz nagle popatrzyła na niego gniewnie.

— Nie.

— Nie? — powtórzył jak echo.

— Właśnie skazałam pewną kobietę na śmierć, ponieważ chciała być Opiekunką Grobów, ale nie twoją „służącą". — Rebeka pokręciła głową. — Nie podpisywałam żadnej umowy. Gramy tu od pewnego czasu w jakieś „odgadnij reguły", a ty zatajasz przede mną ważne informacje. Zasługuję chyba na wyjaśnienia, Charles.

Nie istniały żadne zasady, zgodnie z którymi musiałby udzielić jej odpowiedzi, nie był zobligowany do wyjawiania swoich wad, ale życie w wieczności nauczyło go, jak oceniać ludzi. Z pewnością zyska przychylność swojej Opiekunki Grobów, jeśli powie jej prawdę. Było to dla niego wystarczającym argumentem.

— Zdarzyło się raz, prawie trzysta lat temu, że pewna kobieta, Abigail, trafiła tutaj. Otworzyła bramę i przyszła do mnie. Żywa, tryskająca energią kobieta weszła do mojego królestwa. Naprawdę była niesamowita, ta moja Abigail. Odważna jak ty. — Uśmiechnął się lekko do Rebeki. — Są inne krainy umarłych, ale ta wtedy była całkiem nowa.

— Dlaczego?

Machnął ręką.

— Przeważnie ze względów przestrzennych. Przeludnienie. Pojawiają się nowe. Objąłem rządy w tej i naprawdę czułem się zaszczycony. Nie jestem jedyną twarzą Śmierci, moja droga, ale kiedyś, w niepamiętnych czasach, byłem czymś innym. Wiem o tym. Nicością przyobleczoną w kształt.

— O.

— Coś takiego sprawia, że mężczyzna nabiera ochoty — posłał jej autoironiczny uśmiech — żeby się wykazać. Chyba. Miałem swoje nowe miejsce i nowych zmarłych, i byłem arogancki. Zakochałem się w niej. Wiem, że to brzmi głupio, ale przechodząc od nicości do roli funkcjonariusza, można doznać zawrotu głowy. Abigail tak mnie omotała, że kiedy zechciała odwiedzić ten drugi świat, zgodziłem się.

Próbował ocenić reakcję Rebeki, ale milczała z nieprzeniknioną miną, więc mówił dalej.

— Kiedy już raz otworzono bramę, inni też za nią poszli. W przeciwieństwie jednak do Abigail, byli martwi. Siali spustoszenie wśród ludzi, praktycznie zdziesiątkowali dopiero co założone miasto — więc Abigail zaczęła ich tu ściągać z powrotem siłą. Ja nie mogę tam pójść, dlatego nie mogłem jej się przydać w żaden sposób. Zawarłem więc umowę z miastem. — Zrobił głęboki wdech, patrząc wprost na Rebekę. — Nie mogłem usunąć bramy, ale mogłem dać miastu inne rzeczy, zabezpieczenia, aby ogół mieszkańców podlegał ochronie, i żeby myśleli, że ta zmiana, to znaczy furtka, powstała z ich winy. Gdyby wiedzieli, że to Abigail otworzyła drzwi, zabiliby ją, a potem zostali opanowani przez moich zmarłych. Musiałem ją chronić.

— Więc skłamałeś — powiedziała cicho Rebeka.

— Więc zawarłem układ — poprawił ją. — Gdyby umarła, umarliby wszyscy. Tamten świat, to znaczy Claysville, w końcu stałby się tylko przedłużeniem tego. — Nie wzdragał się przed oceną Rebeki. Po prostu czekał.

— A Abigail? — spytała.

— Znalazła sobie kogoś, żywego mężczyznę, który zapewnił jej ochronę.

— Pierwszego Grabarza — mruknęła Rebeka.

Charles skinął głową.

— Pomogli mi ułożyć umowę z miastem. Wskutek tego mamy teraz nowe Opiekunki Grobów i nowych Grabarzy, którzy idą w ich ślady.

— Ponieważ popełniłeś błąd — powiedziała cicho.

— Ponieważ się zakochałem — przyznał.

57

Nie oglądając się za siebie, Rebeka wiedziała, że Byron wszedł do lokalu.

Błagalna mina Charlesa ustąpiła miejsca szelmowskiemu uśmiechowi od ucha do ucha.

— Bycie tak kochaną ma swój urok, prawda?

— Wiesz, że mu o tym powiem? — powiedziała.

— Oczywiście. — Uśmiechnął się. — Ale kiedy jest się starym jak świat, uczy się korzystać z przyjemności, kiedy je proponują.

— Nikt tu niczego nie proponuje. — W głosie Byrona było jednak więcej zmęczenia niż poirytowania. Wziął krzesło, obrócił je i usiadł na nim okrakiem.

Patrząc z zadowoleniem na nich dwoje, Charles strzelił palcami. Zjawił się Ward, niosąc w jednej ręce zakurzoną butelkę szkockiej, a w drugiej szklanki.

— Drinka?

Byron skinął głową, a Ward go obsłużył.

— Rebeko? — spytał Byron.

— Nie, dziękuję. Patrzyła speszona, jak Charles i Byron mierzą się wzrokiem.

— Wrócę tu kiedyś, przeczytać tę umowę — powiedział Byron.

— Takie typy jak ty zawsze wracają — odpowiedział Charles z dziwną intonacją, jakby odtwarzał tę rozmowę z pamięci.

— Nie jestem po prostu takim typem. — Byron chwycił za szklankę.

Charles uniósł swoją.

— Trzeba się łudzić.

Obaj opróżnili swoje szklanki, a potem Charles odstawił swoją, sięgnął przez stół i wziął Rebekę za rękę.

— Do następnego razu, moja droga. Wiedz, że zawsze jesteś tu mile widziana.

— Ależ wiem.

— Dobrze. — Charles ucałował jej rękę i wstał. Zwrócił się do Byrona: — Zapraszam. Przyjdź zapoznać się z umową w dogodnej dla siebie chwili.

Byron przechylił głowę, ale nie wstał.

— Chyba cię nigdy nie polubię, co?

Wzruszając lekko ramionami, Charles odparł:

— Taka już jest natura naszych ról. Ja będę przypominał Rebece o świecie, któremu mogłaby królować, a ty — przez moment jego mina stała się pogardliwa — będziesz robił, co w twojej mocy, żeby przypomnieć jej, iż życie jest dla żywych. —

Przeniósł wzrok na Rebekę. — Obaj zaś spróbujemy chronić ją przed zmarłymi, ponieważ zapomina, że są niebezpieczni.

Ward przeszedł przez pomieszczenie i otworzył drzwi. Charles ruszył za nim.

— W przeciwieństwie do Alicii, nie prowadzę rejestru dłużników. Szkocka była prezentem. Bez zobowiązań.

I już go nie było.

Po chwili milczenia Byron wstał. Pochylił się i wziął Rebekę w objęcia. Pocałował ją niespiesznie i powiedział:

— Chodźmy do domu.

Pomimo tego, czego się dowiedziała, Rebeka i tak miała lekkie wrażenie straty, opuszczając Charlesa i krainę umarłych. Czy jej się to podobało, czy nie, należała do obu światów. Nie miała złudzeń co do pełnej wiarygodności Charlesa, a jednak wierzyła mu i ufała.

Przeważnie.

Nie puszczała ręki Byrona, gdy odkładał pochodnię na miejsce i nasuwał szafkę na wlot do tunelu. Trzymała ją też, gdy przechodzili przez składzik na korytarz. Puścił jej dłoń tylko wtedy, kiedy zamykał drzwi na klucz, ale z chwilą, gdy skończył, Rebeka znowu wzięła go za rękę.

W przyjaznym milczeniu, jakiego dotąd nie zaznała, weszli na górę. Dała sobie pomóc przy zakładaniu kurtki i kasku, a potem ruszyli w noc na jego triumphie. Nie mieli wątpliwości, dokąd jadą — a Rebece przyszło na myśl, że nigdy jeszcze nie widziała jego mieszkania i najprawdopodobniej go nie zobaczy do chwili, gdy będzie się stamtąd wyprowadzał. Zakład pogrzebowy był teraz jego domem. *Znowu.*

Tak samo jak dom Maylene był jej domem. *Znowu.* Oboje byli tam, gdzie powinni, dokąd ciągnęło ich przez większość życia.

Postanowiła, że później przekaże Byronowi opowieść Charlesa, ale teraz chciała odłożyć to wszystko na bok. Znalazła wreszcie spokój, którego szukała. Odczuła to dziś, kiedy ratowała zmarłych, kiedy prowadziła Daishę ku nowemu życiu i kiedy ujrzała, jak Cissy spotyka zasłużony koniec. To właśnie było jej życie, a Byron stanowił jego integralną część.

Od zawsze.

Podczas jazdy napawała się poczuciem więzi z Byronem i z miastem. Kiedy zatrzymali się przed jej domem, zsiadła z motoru i zdjęła kask.

— Wiesz, że cię kocham?

— Co? — Stał, trzymając swój kask.

— Kocham cię — powtórzyła. — Nie znaczy to, że ci się oświadczam albo chcę mieć z tobą dzieci. Nie. Ale i tak cię kocham.

Położył wolną dłoń na jej policzku i kciukiem pogładził jej gładką skórę.

— Nie przypominam sobie, żebym mówił coś o małżeństwie i dzieciach.

— To dobrze. — Uśmiechnęła się. — Uznałam, że najwyższy czas przyznać się do tego kochania. Nie jestem pewna…

Pocałował ją delikatnie, zanim powiedział:

— Nie jestem pewien, czy kiedykolwiek zechcę mieć dzieci. To… to, co robimy… Nie chcę…

— Wiem. — Pomyślała o liście od Maylene, o zazdrości Cissy i o śmierci Elli. — Ja też nie.

Wzięła go za rękę i weszli do środka. Razem poszli na górę i zgasili światło.

Rebeka obudziła się o wschodzie słońca i poszła na cmentarz, który figurował jako pierwszy na jej liście. Uklękła przed kamienną płytą i zasadziła mały krzak żółtej róży. Potem otrzepała ręce z ziemi i wyjęła z torby flaszeczkę.

— Przyszłam do ciebie, Maylene — wyszeptała. Pogładziła górną część płyty. — Pamiętasz, jak zakładałyśmy pierwszy wspólny ogród? Groszek, cebula, rabarbar… — Urwała, delektując się wspomnieniami, poddała się zapamiętanemu czarowi. —

Ty, ja i Ella… Tęsknię za nią. Ciągle mi jej brakuje. I Jimmy'ego. I ciebie…

Łzy spłynęły po policzkach Rebeki. W żaden sposób nie dało się wymazać bólu, jaki odczuwała w środku, ale czerpała pociechę ze świadomości, że Maylene przeszła do innego życia na tamtym świecie, gdzie spotkała resztę bliskich.

Rebeka dokończyła obchód po cmentarzu, zatrzymując się tu i tam, by zebrać gruz z nagrobków, wylać odrobinę alkoholu na ziemię i wyszeptać parę słów. Cmentarz ten miała na pierwszym miejscu codziennej rozpiski, ale nie zaniedbywała żadnego z tutejszych lokatorów.

Zerknąwszy na rozjaśniające się niebo, wtykała właśnie piersiówkę do torby, kiedy go ujrzała. Ubrany był w spłowiałe i wytarte dżinsy, a i plecak przewieszony przez jego ramię wyglądał, jakby czasy świetności dawno miał za sobą. Jednodniowy zarost na jego twarzy zdradzał, że bardzo mu się spieszyło.

— Wcześnie wstałeś — stwierdziła, gdy podszedł bliżej.

Byron pocałował ją, a potem powiedział:

— Dzień dobry.

— Cześć. — Objęła go mocno i przez chwilę cieszyła się jego uściskiem. — Pomyślałam, że wezmę się do pracy, żebyśmy mogli potem gdzieś wyskoczyć albo… to znaczy, sądziłam…

Uśmiechnął się szeroko.

— Chciałaś zarezerwować dla mnie wolny wieczór?

— Taa. — Szturchnęła go palcem w pierś. — Mam wrażenie, że parę przejażdżek na motorze i wypady w egzotyczne miejsca z umarlakami trudno uznać za randki. Chciałabym też robić normalne rzeczy. Upichcić coś…

— Zamierzałem upichcić nam śniadanie, ale ciebie nie było. — Nie dodał, że spanikował, gdy odkrył jej nieobecność, ale przerabiali to tyle razy, że i tak dobrze o tym wiedziała.

— Zostawiłam ci liścik na stole — powiedziała.

Zrobił głupią minę.

— Jasne. Wiem…

— Nie zauważyłeś.

— Złapałem to i owo, i poszedłem cię szukać, a... — Urwał i wziął ją za obie ręce. — Ty przecież masz w zwyczaju uciekać.

— Miałam w zwyczaju uciekać — poprawiła go.

— Jesteś pewna?

— Tak — przyznała. — Kocham cię, a ty jesteś na tyle szalony, że też mnie kochasz, więc... jeśli wciąż tego ch...

Zamknął jej usta pocałunkiem.

Bycie z Byronem zawsze wydawało się czymś naturalnym, do tego stopnia, że Rebeka nigdy nie potrafiła nawet pomyśleć o nikim innym dłużej niż przez chwilę. Przyznanie się to tego napełniło ją znajomym spokojem i — o wiele mniej znajomym — poczuciem szczęścia.

— No dobrze. — Oderwała się od Byrona. — W takim razie wracam do pracy.

Zmarszczył brwi.

— Czy jest gdzieś napisane, że nie wolno mi chodzić z tobą? I pomagać?

— Nie. — Gapiła się na niego. — Chciałbyś przez cały dzień łazić po cmentarzach?

— Właśnie to będziesz robić?

— No, tak.

— O ile mnie nie wezwą, nie widzę powodów, dla których miałbym lub chciałbym być gdzie indziej. — Splótł palce z jej palcami. — Nie zamierzam chodzić z tobą do pracy codziennie, Beks, ale od czasu do czasu... — Wzruszył ramionami.

Przez moment Rebeka zawahała się, przygotowana na uczucie lęku przed zniewoleniem, na niepokój w obliczu zbytniego zaangażowania, ale tradycyjna panika nie nadchodziła. Po raz pierwszy od wyjazdu z Claysville Rebeka pojęła, gdzie jest jej miejsce.

Tutaj. Z Byronem. Opiekując się zmarłymi.

Epilog

Rebeka otworzyła kolejny dziennik przyniesiony z domu Cissy i zaczęła czytać.

William mówi, że znów widział się z Alicią. Głupio z mojej strony, że jestem zazdrosna, ale nic na to nie poradzę. Opiekunki Grobów nie widzą swoich zmarłych, a ja już się z tym pogodziłam. Pogodziłam się też z gierkami Charlesa i zrozumiałam, że niektóre z zasad wprowadzono, aby chronić nas — nie tylko jego. Co nie oznacza, że mi się podobają. Czasami męczą mnie te tajemnice. Męczy mnie poczucie osamotnienia. Odczuwam pokusę, żeby iść tam, zostać i pozwolić sobie zanurzyć się w tamten świat. Zobaczyć, czy jego intensywność nie zniknie, gdy będę jedną z nich.

Ale nie mogę.

Zostaję tutaj, wiedząc, że brzemię, jakie Alicia przekazała mojej matce, zniszczyło mi rodzinę. Zostaję tu, wiedząc, że Alicia nie odpowie na moje pytania, jeśli prześlę je przez Williama. Próbowałam już przekazać jej list. Zniknął, kiedy dotknęła koperty.

Czy będzie mi łatwiej? Czy kiedyś zniknie ból na myśl, że przekazuje się ten ciężar komuś, kogo się kocha? Mam wątpliwości. Robię, co robię. Przez całe życie służyłam temu miastu, wiedząc, że to, co robię, wypływa z miłości do miasta i mojej rodziny — nawet jeśli wiem także, że to ją zniszczy. Dziecko, które kocham najbardziej, ta, którą uważam za najsilniejszą, zostanie moją następczynią.

Czasami nienawidzę Charlesa. Nienawidzę Alicii. Nienawidzę własnej matki. A jednak robię to, co muszę, w nadziei, że moja wnuczka mi wybaczy.

Rebeka zrozumiała, że sama mogłaby być autorką tego wpisu. Mogłaby podpisać się pod wieloma zdaniami umieszczonymi w tym dzienniku, który babcia prowadziła dla niej. Tu miała potrzebne odpowiedzi. Nie była sama. Choć zabrakło tych, którzy pisali te słowa, wciąż byli oni przy niej, dla niej, w swojej nieobecności.

Zamiast czytać dalej, Rebeka otwarła najnowszy dziennik na ostatnim wpisie i zaczęła tworzyć własny: *Daisha była pierwszą zmarłą osobą, którą spotkałam...*